La famille d'un docteur

*

Un père pour sa fille

LYNNE MARSHALL

La famille d'un docteur

Collection : Blanche

Cet ouvrage a été publié en langue anglaise
sous le titre :
HOT-SHOT DOC, SECRET DAD

HARLEQUIN
83-85, boulevard Vincent-Auriol, 75646 PARIS CEDEX 13.
Service Lectrices — Tél. : 01 45 82 47 47

www.harlequin.fr

ISBN 978-2-2803-4370-1 — ISSN 0223-5056

1.

Julie attendait le moment où elle se retrouverait face à celui qui l'avait mise enceinte treize ans plus tôt.

— Madame Sterling ?

La jeune et séduisante réceptionniste du cabinet médical avait lancé son nom d'une voix sonore, comme si la salle d'attente était pleine à craquer. Julie s'y trouvait pourtant seule car il était près de midi.

— Oui ?

— Le Dr Montgomery vous recevra dès qu'il en aura terminé avec sa dernière patiente. Il vous prie de bien vouloir l'excuser pour ce retard. La consultation s'est révélée plus longue que prévu.

— Je vous remercie.

Julie se sentait extrêmement nerveuse à l'idée de faire face à l'homme qui, un jour, avait bouleversé le cours de sa vie. Et voilà que l'attente allait se prolonger, laissant l'angoisse la ronger encore un peu plus. Pas de chance, vraiment !

Son objectif était de décrocher ce travail dont elle avait tellement besoin, mais parviendrait-elle à contrôler ses émotions en revoyant cet homme après tant d'années ? La réponse était simple. Elle devait s'y employer pour obtenir ce poste. C'était obligatoire. Pour son fils.

Qui aurait imaginé qu'elle reviendrait un jour dans sa ville natale ? Cattleman Bluff, une bourgade du Wyoming qui comptait vingt mille habitants, était le dernier endroit au monde où elle avait pensé se retrouver un jour. Elle avait à peine dix-huit ans quand ses parents l'avaient mise dans le train avec un aller simple pour l'éloigner de la ville où elle avait grandi.

Pourtant, aujourd'hui, elle posait sa candidature pour un travail qui la mettrait tous les jours en contact avec un homme qu'elle avait souhaité ne jamais revoir pour tout un tas de raisons qui pouvaient finalement se résumer à une seule : étant mère célibataire, elle devait tout faire pour assurer une vie meilleure à son fils James. Agé de douze ans, bientôt treize — il les aurait en mai —, travaillé par ses hormones et soumis à des tentations de toutes sortes, James avait déjà eu des ennuis à Los Angeles. Il avait donc besoin d'être encadré par des hommes solides qui le guideraient dans la vie, et l'école militaire de Laramie apparaissait comme étant pour l'instant la meilleure solution pour lui.

Julie se sentait coupable — un sentiment qu'elle éprouvait depuis des années. Elle avait pris une décision radicale alors qu'elle était encore très jeune et s'y était tenue, même si elle avait connu des moments très difficiles. Le problème, c'était qu'avec les soucis que James lui causait en grandissant, auxquels s'ajoutait la mort de ses parents, elle avait perdu de sa force, de son énergie, et elle craquait. Après avoir passé treize ans à se battre en affirmant qu'elle pouvait parfaitement se débrouiller toute seule, elle avait fini par s'avouer qu'elle avait besoin d'un appui. De l'aide d'un homme.

L'école acceptait d'accueillir James en cours d'année. L'inscrire dans cet établissement signifiait que cent cinquante kilomètres la sépareraient de son fils, mais c'était encore un autre sacrifice auquel elle devait consentir. Les droits d'inscription étaient élevés, et la modeste somme que lui avaient laissée ses parents lui serait très utile pour faire face à cette dépense. Elle n'aurait donc à sa charge que les frais du quotidien. Heureusement, elle avait un bon métier sur lequel elle pouvait compter… à condition d'obtenir ce travail.

Si elle échouait, elle essaierait de trouver un poste plus proche de l'école, mais ses parents lui avaient légué leur maison et, de nos jours, bénéficier d'un logement gratuit constituait un avantage appréciable, même si cela l'avait obligée à déménager.

De nouveau, elle se sentit envahie par un sentiment de culpabilité et de regret en songeant aux mauvaises relations qu'elle avait entretenues avec ses parents. Le plus douloureux était de n'avoir pas eu le temps de se réconcilier avec eux avant l'horrible accident dont ils avaient été victimes à Noël. Voulant fuir les rigueurs de l'hiver, ils avaient décidé d'aller en Floride mais, à trente kilomètres de chez eux, leur voiture avait dérapé sur une plaque de verglas.

Le cœur serré, elle pensa à toutes ces années perdues à cause de cet entêtement stupide qui était la marque des Sterling, aussi bien chez ses parents que chez elle. James n'avait jamais pu vraiment connaître ses grands-parents… Elle sentit les larmes venir. Non, elle ne pleurerait pas. Pas ici. Pas maintenant. Elle devait rester forte.

Clignant des yeux pour refouler son chagrin, elle jeta un regard à sa montre. L'heure de son rendez-vous était passée depuis vingt minutes, mais étant infirmière praticienne elle savait qu'une consultation pouvait réserver des surprises et durer plus longtemps que prévu. En travaillant dans les centres médicaux du comté à Los Angeles, elle avait appris que tout était possible dès qu'il s'agissait de problèmes de santé.

Ou peut-être Trevor Montgomery n'avait-il aucune envie de la voir…

Elle secoua la tête. Treize ans après, Trevor se souvenait-il seulement d'elle ?

Voulant se changer les idées, elle regarda autour d'elle. L'accueillante salle d'attente ressemblait beaucoup à celles qu'elle connaissait déjà, sauf que s'y ajoutait le charme rustique d'une décoration de style cow-boy. Les murs s'ornaient de tableaux représentant des troupeaux de bovins en déplacement. A quoi d'autre pouvait-elle s'attendre à Cattleman Bluff ? Les chaises et les canapés avaient pour couleurs dominantes le brun et le beige, avec quelques touches d'orange. Le choix des magazines indiquait, lui aussi, qu'on était dans le Wyoming : *L'actualité de l'Ouest*, *Notre Wyoming*, *La Vie dans l'Ouest*. Sans parler du porte-parapluie placé près de la porte d'entrée qui avait la forme d'une botte de cow-boy géante.

C'était la mi-février et, dehors, la température avoisinait

le zéro. En Californie, le printemps semblait durer toute l'année. Heureusement, songea Julie, sa mère lui avait laissé son manteau bien chaud et des bottes fourrées. Elles étaient un peu trop grandes pour elle, mais cela irait pour l'instant. D'autant que le fait de les porter lui rappelait le côté plus doux, plus chaleureux de sa mère que Julie avait peu vu lorsqu'elle avait grandi.

— Madame Sterling ? Le médecin va vous recevoir.

La blonde et délurée réceptionniste qui ne devait guère avoir plus de vingt ans lui tint la porte ouverte. Le cœur de Julie se mit à battre à tout rompre, comme si elle allait rencontrer le président des Etats-Unis en personne.

Calme-toi. Trevor n'est qu'un être humain, ce n'est pas Dieu. Bien qu'il semble tenir ton sort entre ses mains aujourd'hui.

Quel était déjà ce vieux truc censé vous faire retrouver tous vos moyens ?

Imaginez que la personne en face de vous est nue.

Julie n'eut aucun mal à suivre ce conseil, mais l'idée n'était pas si bonne. Le souvenir qu'elle avait gardé de Trevor complètement nu était si vivace qu'elle se sentit rougir. Curieux comme certaines scènes restaient gravées dans votre mémoire avec une telle précision qu'elles semblaient s'être déroulées la veille.

— Par ici, reprit la blonde Rita en s'engageant dans un petit couloir.

Elles passèrent devant quatre salles d'examens avant d'atteindre le petit bureau où attendait Trevor Montgomery, qui, autrefois, était ce brillant étudiant au corps d'athlète dont toutes les filles rêvaient — et aussi l'homme qui lui avait pris sa virginité.

Dans un ultime effort pour ne pas se laisser envahir par la panique, Julie rassembla tout son courage pour réussir cet entretien d'embauche.

Le sourire aux lèvres et la main tendue vers sa visiteuse, Trevor se tenait derrière un gros bureau de bois de style ranch. Très grand, il avait des yeux marron, presque noirs, au regard perçant, qu'il devait aux lointaines origines indiennes de sa mère. Julie jugea qu'il était toujours aussi beau.

Elle jeta un coup d'œil autour d'elle. La pièce s'ornait de lampes en fer forgé dotées d'abat-jour en peau de vache, et des cornes décoraient le mur situé derrière le vaste bureau de Trevor. Celui-ci ne portait pas de blouse blanche, mais une chemise western à fines rayures bleues fermée par des boutons-pressions, un jean noir et une ceinture à boucle de métal. Elle se dit qu'il devait probablement être chaussé de bottes de cow-boy sans toutefois pouvoir le vérifier. Elle nota aussi qu'il n'avait pas d'alliance au doigt.

— Julie ? Quel plaisir de te revoir.

Ses yeux semblaient la pénétrer jusqu'au plus profond de son âme. Au cours de toutes ces années, le beau gosse qu'elle avait connu s'était mué en un homme de trente-quatre ans qu'elle trouvait magnifique avec son teint hâlé et les fines pattes-d'oie qui marquaient le coin de ses yeux — preuves que Trevor passait encore du temps à s'occuper du Circle M Ranch appartenant à sa famille.

— Moi aussi, je suis contente de te voir.

Elle s'avança vers lui et lui donna une brève poignée de main, redoutant de prolonger un contact qui la mettait dans tous ses états. La situation était déjà assez gênante comme cela !

Pas d'alliance. Pas de photos de famille sur le bureau. Mais cela ne voulait pas dire pour autant qu'il n'avait pas une femme dans sa vie…

— Je ne savais pas que tu étais devenue infirmière praticienne, avec de sérieuses références, en plus.

Son accent traînant fit prendre conscience à Julie à quel point ses treize années passées à Los Angeles lui avaient fait oublier la vie d'ici. Dans l'Ouest, tout se déroulait au ralenti, bien loin du rythme frénétique qui régnait ailleurs.

Elle hocha la tête.

— Alors, qu'est-ce qui t'a amenée à revenir à Cattleman Bluff ? demanda Trevor.

D'un geste de la main, il l'invita à s'asseoir. Elle obéit, mais resta perchée au bord de sa chaise.

Elle s'éclaircit la gorge.

— Tu veux savoir la vérité ?

Il acquiesça, l'air visiblement intrigué.

— Mes parents sont morts dans un accident de voiture.

— J'en ai entendu parler. Quelle tragédie ! Je suis désolé, ajouta-t-il d'un ton où se mêlaient empathie et sincérité.

Du bon travail, docteur.

— Ils m'ont laissé la maison, et il se trouve que l'académie militaire de Laramie accepte mon fils en cours d'année, expliqua-t-elle. Il est dans la phase d'orientation, pour l'instant.

— J'ai entendu dire beaucoup de bien de cette école.

Pourtant, son haussement de sourcils montrait qu'il savait que cet établissement accueillait les garçons à problèmes, et d'autant que Cattleman Bluff avait un collège d'excellente réputation.

— Sais-tu que mon frère a un appartement à Laramie ? poursuivit-il. Il le préfère à celui qu'il a à Cheyenne. Enfin, quand il ne sillonne pas le pays pour donner des conférences et des formations destinées aux autres cardiologues…

Julie ne fit aucun commentaire, ne voulant pas prolonger une conversation qui risquait de l'obliger à expliquer pourquoi son fils était inscrit dans une école militaire.

Elle avait entendu parler du grand Cole Montgomery, un as du remplacement de la valve mitrale et de la cathétérisation cardiaque, en poste au Johns Hopkins Hospital, à Baltimore. Il était la fierté de Cattleman Bluff. Elle se demanda pourquoi Trevor avait choisi de s'installer ici et de devenir médecin généraliste au lieu de se consacrer à une spécialité médicale plus lucrative, à l'instar de son frère aîné.

— Bon, tu es certainement la candidate la plus qualifiée pour le poste que je propose, reprit-il. J'ai besoin de quelqu'un capable de travailler dur et de façon indépendante. Le fait que tu sois aussi sage-femme est un gros atout. Tu es probablement beaucoup plus douée que moi pour faire naître des bébés.

Il la gratifia d'un sourire éblouissant. De belles lèvres. Des dents d'une blancheur éclatante. Oui, elle se souvenait de ce sourire.

— Au cours des cinq dernières années, j'ai aidé à mettre au monde au moins une centaine de bébés. Et j'ai connu un certain nombre d'accouchements difficiles.

— C'est génial, Julie ! Nous avons besoin de ce genre de compétence, ici.

Il croisa les doigts et appuya ses coudes sur le bureau.

— Tu te demandes probablement pourquoi j'embauche quelqu'un.

— Tu as trop de travail ?

— Pas vraiment. Le problème, c'est que mon père a eu dernièrement quelques soucis de santé et je dois l'aider davantage au ranch. Si tu prends ce poste, tu devras certains jours assurer toute seule le fonctionnement du cabinet médical. Est-ce que cela te conviendrait ?

— Mais oui.

Dans les deux derniers emplois qu'elle avait occupés à Los Angeles, elle avait souvent dû prendre la place d'un médecin, alors qu'elle était loin de toucher le même salaire, avait-elle fait remarquer à ses patrons. Le fait était que le travail ne lui faisait pas peur.

— Parfois, on ne voit pas un chat, puis, brusquement, tout le monde tombe malade, reprit Trevor. C'est totalement imprévisible. Mais j'ai besoin d'être rassuré quant au fait que mes patients sont en de bonnes mains lorsque je suis au ranch.

— Si tu me donnes ce poste, je m'y consacrerai totalement, je te le promets.

— Tu as besoin de ce job ?

Ce n'était pas le moment de jouer les timides.

Bien sûr que j'en ai besoin !

— Oui. Cette école militaire coûte très cher et, d'après ce que j'ai pu voir, tu es le seul, dans cette ville, à pouvoir m'offrir un emploi.

— C'est assez juste.

Il se redressa dans son fauteuil et prit un bloc de papier et un stylo.

— Bon, si cela ne te fait rien, je dois avoir avec toi un entretien approfondi pour pouvoir évaluer ton expérience médicale.

Génial… Il allait lui poser des questions pièges et l'interroger sur les traitements les plus récents. Mais là, elle était en terrain connu et se sentait sûre d'elle.

— Allez-y, docteur Montgomery.

Vingt minutes plus tard, après avoir passé l'entretien d'embauche le plus difficile de sa carrière, Julie s'aperçut qu'elle avait les mains moites. Si jamais elle n'obtenait pas ce job, qu'allait-elle faire maintenant que James était déjà entré à l'académie militaire ?

— Si je t'engage, dit Trevor, je te laisserai deux semaines pour t'habituer au fonctionnement du cabinet et faire connaissance avec les patients. Je dois te dire aussi que je me suis mis à l'informatique. Tout est archivé sur ordinateur. Il te faudra peut-être un peu de temps pour te familiariser avec cette façon de faire, mais, au bout du compte, tu…

— J'ai l'habitude de travailler sur ordinateur. Tout dépendra du système que tu utilises.

A Los Angeles, l'hôpital du comté avait tardé à s'informatiser et le système d'exploitation mis en place s'était révélé peu pratique, mais, finalement, elle s'en était bien tirée.

— Parfait. Alors, as-tu des questions à me poser ?

Es-tu marié ? As-tu des enfants ?

— Aurai-je une couverture sociale ? Et quand prendra-t-elle effet ? Enfin, je veux dire, si tu m'engages…

Comme elle devait sembler être aux abois !

— Dès que le contrat sera signé et que tu auras terminé ta période d'adaptation, tu bénéficieras de tous les avantages sociaux.

Trevor appuya sur le bouton de l'interphone.

— Oui, docteur ? dit Rita d'un ton déférent.

— Pouvez-vous m'apporter un formulaire d'embauche ?

Julie respira un grand coup.

— Alors, tu m'engages ?

— Mais oui, si ce poste te convient, répondit Trevor avec un sourire.

— Merci.

Soulagée, elle sourit à son tour.

Rita arriva, tenant à la main une liasse de feuillets qu'elle tendit à Julie.

Celle-ci se tourna vers Trevor.

— Tu veux sans doute avoir le temps de déjeuner avant

que tes patients de l'après-midi arrivent, ou bien peut-être veux-tu téléphoner à ta femme… Aussi, si tu préfères, je peux aller dans la salle d'attente pour remplir ce formulaire.

— Mais non, ce n'est pas la peine. Le cabinet est fermé le mardi après-midi. Autrement, je t'aurais présenté Charlotte, mon infirmière. Par ailleurs, je dois finir de compléter le dossier de M. Waverly. Tu peux très bien rester là, si tu veux. Et il n'y a pas de Mme Montgomery…, ajouta-t-il d'un ton dégagé. Je n'ai que mon père et, pour être franc, dîner avec lui tous les soirs est déjà largement suffisant.

Il lui sourit par-dessus l'écran de son ordinateur comme pour lui pardonner de s'être montrée curieuse au sujet de sa vie privée. Elle détourna la tête, faisant mine d'être totalement concentrée sur les papiers qu'elle devait remplir.

Il semblait très à l'aise pour évoquer le fait qu'il était encore célibataire. Julie se demanda si cela était lié à son choix de rester dans cette petite ville, à s'occuper de son père, tandis que son frère passait son temps à voyager et possédait deux domiciles.

Tout en remplissant les cases du formulaire d'embauche, elle ne pouvait s'empêcher de jeter de temps en temps des regards furtifs vers Trevor, penché sur son ordinateur. Ses cheveux acajou étaient toujours épais et ondulés. Après tant d'années, elle se souvenait encore de la façon dont elle avait passé les doigts dans cette chevelure la nuit où ils avaient couché ensemble.

Un bref instant, leurs regards se croisèrent. L'un et l'autre baissèrent aussitôt les yeux, mais ce contact visuel avait suffi à ébranler de nouveau les nerfs de Julie.

Cet homme avait le droit de savoir.

Mais elle avait besoin de ce job. Pas question de lui révéler la vérité ! En tout cas, pas maintenant. Oh ! Seigneur ! Pourquoi avait-elle eu l'idée de revenir ici ?

Elle était au bout du rouleau et James avait besoin… d'un père.

La bouche sèche et les mains moites, elle acheva de remplir le formulaire puis le tendit à Trevor. Il appuya aussitôt sur le bouton de l'interphone et demanda à Rita de s'occuper de toute cette paperasserie avant de s'en aller.

— Tu veux commencer demain ? demanda-t-il à Julie tandis qu'il remettait le document à Rita.

— Le plus tôt sera le mieux…

Il sourit puis lui jeta un regard anxieux qui inquiéta Julie. Avait-il changé d'avis ? Il suivit Rita jusqu'à la porte qu'il referma soigneusement derrière elle, ce qui excita davantage encore la curiosité de Julie. Que mijotait-il ?

— Ecoute…, dit-il en se mordillant la lèvre inférieure.

Au lieu de s'installer de nouveau derrière son bureau, il vint s'asseoir près d'elle. Elle avait vu juste, concernant ce qu'il portait aux pieds — c'étaient bien des bottes de cow-boy, en cuir noir. Elle préféra les fixer plutôt que de lever les yeux vers Trevor.

— Je voudrais te demander de bien vouloir me pardonner, dit-il.

Quoi ? Incapable de cacher sa surprise, elle resta là, bouche bée, haussant les sourcils, les yeux écarquillés. Trevor avait l'air sincèrement contrit, mais elle avait encore du mal à le croire.

— Sérieusement ?

— Oui. J'ai tout gâché, cette nuit-là. Ce que j'ai fait n'avait rien d'honorable. J'ai profité de…

— Attends une seconde. J'étais sans doute un peu ivre — nous l'étions tous les deux —, mais je savais quand même ce que je faisais. J'avais le choix. Et si je n'ai pas fait le bon, cela ne change rien à l'affaire.

A présent, c'était lui qui fixait le bout de ses bottes.

— Tu sais, cela n'aurait pas dû se passer ainsi pour ta première fois. Une jeune fille mérite d'avoir un peu de romantisme et qu'on lui fasse la cour la première fois qu'elle se donne à un homme. Et je n'ai même pas eu la décence de te présenter mes excuses.

Voilà qu'il se montrait chevaleresque avec elle ! Mais c'était trop tard… Elle avait attendu pendant des jours et des jours un appel téléphonique qui n'était jamais venu, aussi avait-il laissé passer sa chance de se racheter. Cependant, elle décida de considérer les choses sous un angle pratique.

— Maintenant que j'ai trente et un ans, je peux affirmer sans me tromper que la vie n'est pas toujours ce qu'elle devrait être.

Sans réfléchir, elle lui prit le bras et le pressa.

— Nous étions tous les deux légèrement éméchés et, pour tout dire, j'étais allée à cette fête avec l'espoir de t'y voir. Et j'ai cru rêver quand tu t'es intéressé à moi.

Comment avait-elle pu être aussi naïve ? N'importe quel mâle se serait intéressé à une jeune fille de cet âge dès lors qu'elle se montrait consentante. Oui, elle avait appris cela à ses dépens, et la leçon avait été dure.

— Ce qui n'excuse en rien mon comportement, dit Trevor. On ne perd sa virginité qu'une fois dans sa vie.

Certes, il disait vrai, mais combien de filles vivaient leur première fois comme un conte de fées romantique ? Si elle se fiait aux confidences de ses amies d'alors, c'était rarement le cas. Et, aussi bizarre que cela pouvait paraître, ce triste constat l'avait aidée à panser son cœur blessé.

— J'avais ce poids sur la conscience et je voulais t'en parler, Julie. Mettre les choses au point puisque tu vas travailler avec moi…

Il regarda la main qu'elle tenait toujours posée sur son bras, et sur son annulaire qui ne portait pas d'alliance.

— Je me suis trompé, cette nuit-là, reprit-il. Je n'avais pas compris que tu n'étais pas comme les autres filles du collège universitaire. J'ai profité de toi, de ta pureté et de ta simplicité. Je t'en prie, pardonne-moi.

Le remords qu'elle lisait au fond des yeux noirs la touchait, ébranlant quelque peu le cynisme dans lequel elle s'était réfugiée depuis des années.

En fait, elle avait refermé ce chapitre de sa vie il y avait bien longtemps déjà. Quel risque avait-elle d'être enceinte la première fois où elle faisait l'amour ? Elle avait vraiment joué de malchance… Lorsqu'elle avait pris conscience qu'elle attendait un enfant alors que Trevor n'avait jamais tenté de reprendre contact avec elle, elle avait compris qu'il lui faudrait affronter la dure réalité : être mère célibataire alors qu'elle avait à peine dix-huit ans. Dès cet instant, elle avait tiré un trait sur cette fête et sur Trevor.

Mais, aujourd'hui, il s'agissait de décrocher un emploi et non de revenir sur la perte de sa virginité et ses conséquences.

— J'accepte tes excuses.

Pour être honnête, beaucoup de choses lui pesaient encore en songeant à cette époque. Admise à l'université de Denver, elle s'était installée dans une résidence d'étudiants et avait commencé les cours quand, au bout de deux mois, inquiète de ne pas avoir ses règles, elle avait fait un test de grossesse et découvert qu'elle était enceinte. Pourtant, Trevor avait utilisé un préservatif.

Elle avait téléphoné à sa mère qui avait toujours nourri de grands projets pour elle, depuis toujours une élève modèle. Mais quel autre choix aurait-elle eu avec une mère institutrice et un père qui était le principal du lycée de Cattleman Bluff ?

Mise au courant de sa grossesse, sa mère n'avait pas hésité une seconde : elle lui avait conseillé d'avorter.

— Ce bébé gâcherait ta vie.

Son père s'était alors emparé du téléphone.

— Ces Montgomery vont penser que tu n'en veux qu'à leur argent, avait-il lancé avec hargne. Ils n'hésiteront pas à t'humilier publiquement, et nous avec.

Apparemment, pour ses parents, son bébé et elle n'avaient à leurs yeux aucune importance et une seule chose comptait : elle avait jeté la honte sur sa famille.

Leur attitude l'avait conduite à douter de la réaction de Trevor qui venait juste de commencer ses études de médecine. Elle avait préféré taire ses sentiments et garder le silence.

Il ne l'avait jamais rappelée. Visiblement, il ne pensait plus à elle. Elle en avait beaucoup souffert et s'était retrouvée très seule dans une ville qui était nouvelle pour elle, sans ami, avec des parents qui lui disaient de se débarrasser du bébé.

Le chagrin, la colère et une bonne dose d'immaturité l'avaient poussée à prendre sa décision. Contre l'avis de ses parents, elle avait gardé l'enfant.

Elle avait aussi choisi de cacher sa grossesse à Trevor,

n'ayant pas envie de l'entendre lui dire d'avorter. Elle n'avait pas voulu non plus briser le rêve qu'il avait de devenir médecin. En ne lui donnant pas signe de vie, il avait prouvé qu'il ne se souciait pas d'elle. Elle avait craint aussi qu'il nie avoir couché avec elle, ce qui aurait gâché le souvenir de la nuit exceptionnelle qu'elle avait connue avec le garçon dont elle avait rêvé durant tout un été.

Julie lança un coup d'œil à l'homme assis près d'elle, affichant un sourire confiant, et fit de son mieux pour ne pas lui laisser deviner ses pensées.

A dix-huit ans, elle était trop jeune, trop immature, trop blessée pour agir de façon rationnelle. Elle avait voulu tout cacher à Trevor. Maintenant, après toutes ces années, il lui fallait assumer la décision qu'elle avait prise à l'époque et la justifier d'une façon ou d'une autre.

L'estomac noué, elle avait du mal à respirer.

— Je veux que tu saches que mon attitude envers toi sera toujours respectueuse et strictement professionnelle, dit Trevor.

— Je t'en remercie. Tu me donnes donc ce poste ? Et pas seulement à cause de ce qui s'est passé entre nous autrefois ?

Il lui sourit.

— Je t'attends ici demain matin à 8 heures. Notre premier patient arrivera à 8 h 30.

Elle hocha la tête, consciente que son cœur battait trop fort, trop vite. Sachant qu'elle devrait faire face à cet homme tous les jours, elle ne pouvait pas rester dans le mensonge plus longtemps, au risque de ne pas pouvoir faire son travail correctement, ce qui était hors de question.

Levant les yeux, elle vit que Trevor la regardait, l'air perplexe. Il avait sans doute compris que quelque chose n'allait pas.

Elle lui devait la vérité. Ne venait-il pas de prendre un risque énorme en évoquant leur passé et en lui exprimant ses regrets ? N'avait-il pas le droit de connaître les conséquences qu'avait eues cette fameuse nuit ? Comment allait-il réagir ?

Le moment était venu de tout lui avouer.

— Trevor… Heu… Au sujet de cette nuit-là…

Elle gardait les yeux fixés droit devant elle, incapable pour l'instant de croiser son regard.

James est le plus beau cadeau que t'a fait la vie. Tu ne dois pas avoir honte de ton fils. Dis tout, maintenant!

— Je t'ai parlé de mon fils, James. Il a douze ans. Douze ans et neuf mois, pour être précise.

Allait-il faire le calcul ?

Les nerfs à vif, elle se força à le regarder. Pourvu qu'il ne l'accuse pas de mentir ! S'il le faisait, elle serait obligée de renoncer à ce job avant même de l'avoir commencé.

— Eh bien, puisque nous mettons tout sur la table aujourd'hui, je veux que tu saches que… c'est toi le père.

2.

Trevor avait le souffle coupé comme s'il venait de recevoir un coup de poing dans le plexus solaire. Julie Sterling — la fille avec qui il avait eu une aventure d'une seule nuit, le dernier soir des vacances d'un été particulièrement génial — venait de lui annoncer une nouvelle incroyable. Il était le père d'un garçon de douze ans dont il ignorait totalement l'existence.

— Qu'est-ce que tu dis ? murmura-t-il, partagé entre l'incrédulité et la colère.

La tête haute, Julie le regardait fixement. A trente et un ans, elle faisait beaucoup plus jeune que son âge.

A vrai dire, en cet instant précis, elle ressemblait beaucoup à la jolie gamine dotée de boucles brunes et de grands yeux noisette avec laquelle il avait eu autrefois une brève aventure. Elle avait toujours ses taches de rousseur et les cils les plus fournis qu'il ait jamais vus. Il y avait deux minutes à peine, il s'était dit que ce pourrait être génial de renouer avec elle. Elle était devenue si belle ! Il s'était même demandé si elle réagirait avec autant de fougue qu'à l'époque de ses dix-huit ans.

Et puis, soudain, elle avait lancé cette bombe, lui révélant la nouvelle la plus extravagante qu'il ait entendue de toute sa vie.

Il avait donc un fils ?

— Je te dis la vérité. Je te la dois. Je suis tombée enceinte cette nuit-là.

Il devait se lever. Il avait besoin de respirer. De donner un coup de poing dans le mur. Essayait-elle de le piéger ?

Appuyé contre son bureau, les mains enfoncées dans les poches de son jean, il alla droit au but.

— Tu es sûre que ce garçon est de moi ?

La question était brutale, et frisait même l'insulte, mais il avait besoin de temps pour assimiler une information qui bouleversait sa vie.

Il était père ? Et s'il n'en avait pas envie ? Julie lui avait-elle seulement laissé le choix ?

Les mains croisées sur les genoux, elle acquiesça.

— Comme tu l'as rappelé tout à l'heure, j'étais vierge. Ensuite, je ne me suis pas mise à coucher avec tout le monde. Selon l'obstétricien, ma grossesse datait de cette nuit-là.

— Ecoute, je suis désolé de ce qui est arrivé. Mais là, je suis vraiment sous le choc.

Il ne se serait pas senti plus mal en point s'il s'était fait charger par un taureau furieux.

— C'est compréhensible.

— Pourquoi ne m'as-tu rien dit ?

— Je ne voulais pas gâcher ta première année à la faculté de médecine. Je ne voulais pas que tu te sentes des obligations envers moi.

Elle regarda le plancher.

— Je ne voulais pas que tu me dises de…

— Ecoute, je ne sais pas ce que j'aurais fait, à l'époque. J'aurais aimé avoir mon mot à dire, mais je suis absolument sûr que je ne t'aurais pas demandé de te débarrasser de… de lui. Il s'appelle James, n'est-ce pas ?

— James Monty Sterling.

— Monty ? Tu sais que c'est le surnom de mon père, n'est-ce pas ?

Elle hocha la tête.

C'était donc là le seul lien qu'elle avait établi avec sa famille à lui, se dit-il. Un surnom. Les dents serrées, il lutta contre la colère qu'il sentait monter en lui.

— Ce n'était pas bien de ta part, dit-il.

Elle lui lança un regard apeuré.

— Peut-être, mais c'est ce que j'ai fait. Je ne vais pas m'en excuser. Cependant, si tu ne veux plus me donner ce poste, je le comprendrais.

Serait-il capable de la côtoyer tous les jours, se demandant ce qu'aurait été la vie de son fils s'il avait pu s'en occuper ?

James aurait-il eu besoin d'aller dans une école militaire s'il avait eu un père pour veiller sur lui ? Pourrait-il jamais pardonner à Julie ? Il n'avait pas les réponses à toutes ces questions, mais il savait qu'il ne pouvait pas ne pas l'engager. Sous prétexte de vouloir se venger d'elle, il réussirait seulement à faire du mal à ce gamin. Son instinct lui soufflait que ce ne serait pas juste.

Durant toutes ces années, Julie ne lui avait jamais demandé d'argent ni aucune aide quelconque. Elle disait qu'elle n'avait pas voulu le mettre au courant de sa grossesse pour ne pas le perturber dans ses études, mais elle-même avait renoncé à tous ses projets, assumant seule les conséquences d'un acte qu'ils avaient commis à deux.

Soudain, il sentit sa colère s'estomper.

Non, ce n'était pas bien qu'elle lui ait caché si longtemps qu'il était père, mais il avait fallu bien du courage à Julie pour lui avouer aujourd'hui la vérité, et aussi pour se porter candidate au poste qu'il proposait.

Cette pensée fit disparaître en lui toute trace de ressentiment. Sans réfléchir, il s'agenouilla devant elle et lui prit la main.

— Comme tu peux l'imaginer, Julie, j'ai besoin d'un peu de temps pour assimiler la nouvelle. Je n'ai jamais été marié et je n'ai pas d'enfant, alors l'idée d'être le père d'un garçon qui a déjà presque treize ans est pour moi hallucinante.

— Je comprends.

Elle laissait sa main dans la sienne, mais gardait les yeux baissés.

— Ne t'inquiète pas pour ton job, je t'engage. Mais, honnêtement, en ce qui concerne ma paternité, il va me falloir du temps pour réfléchir à ce que je vais faire.

— Bien sûr.

Elle osa enfin le regarder en face.

— Je préfère, pour l'instant, que cela reste strictement entre nous. J'adore mon fils, il en sera toujours ainsi, et je ne m'attends pas à ce que tu changes soudain de vie.

— Laisse-moi un peu de temps pour y voir plus clair, d'accord ?

— Mais oui. Sache que je suis venue te voir uniquement pour avoir ce job, Trevor.

— Je te crois.

— Alors, ne parlons plus de cela et, maintenant, occupons-nous du travail que j'aurai à faire pour toi, tu veux bien ?

— Si seulement c'était aussi facile, Julie... mais c'est d'accord.

Il se redressa, secouant la tête comme si cela pouvait l'aider à donner un sens à ce qu'il venait d'apprendre.

— J'aimerais bien le rencontrer. Dis-le-lui.

— Si cela doit arriver, je tiens à ce que nous faisions cela ensemble. Promets-le-moi.

— D'accord.

— Je n'imposerai rien, dit-elle en se levant de sa chaise. Mais, maintenant, tu es au courant.

Il acquiesça d'un hochement de tête.

— Alors, je te verrai demain matin ?

— Sûr.

Encore sous le choc, Trevor ne trouvait plus rien à dire. Il garda les yeux fixés sur Julie tandis qu'elle se dirigeait vers la porte, tenant sur son bras son gros manteau d'hiver. Le tailleur bleu marine très classique qu'elle avait choisi pour se rendre à cet entretien d'embauche soulignait parfaitement la finesse de sa taille et la rondeur de ses hanches. Il admira le galbe des mollets, se rappelant combien il avait aimé ses jambes lorsqu'il l'avait vue en short, cet été-là. Ah, elle lui avait fait beaucoup d'effet... et, durant toutes ces années écoulées, il n'en avait même pas pris conscience.

Il posa alors la question qui lui brûlait les lèvres.

— As-tu une photo de James ?

Elle s'arrêta net et se retourna.

— Bien sûr. Tu veux la voir ?

— Oui, s'il te plaît.

Elle fouilla dans son sac et sortit un portefeuille en cuir rouge qu'elle ouvrit. Elle trouva aussitôt la photo qu'elle cherchait et la tendit fièrement à Trevor.

— Il est grand pour son âge, dit-elle.

Il s'empara du cliché. S'il avait douté une seconde d'être

le père de James, il lui suffisait de regarder la photo pour en avoir la certitude. Le gamin était son portrait craché à l'époque où lui-même avait douze ou treize ans, mais avec les boucles châtain clair et les taches de rousseur de sa mère.

— Merci, dit-il.

— Tu veux la garder ? J'en ai plein d'autres.

— Oui, bien sûr. Merci.

Comment aurait-il pu refuser ?

Julie afficha un petit sourire réservé, mais plein d'espoir.

— Alors, à demain matin, dit-elle.

Tandis qu'elle se dirigeait vers la sortie, il rangea la photo de James dans le tiroir de son bureau.

Et maintenant, qu'était-il censé faire ?

Au lieu de rentrer directement chez lui et de se retrouver face à son père, Trevor préféra monter Zebulon pour aller inspecter lui-même une clôture qui semblait abîmée. Cette sortie à cheval lui permettait aussi de digérer la stupéfiante information que venait de lui livrer Julie.

Après avoir obtenu son diplôme au collège universitaire — en trois ans au lieu de quatre, tant il avait travaillé dur —, il était revenu au ranch en attendant d'entreprendre ses études médicales. Il avait appris à travailler beaucoup et à s'amuser tout autant. Cet été-là, une fois qu'il en avait terminé avec ses tâches au ranch, il partait tous les week-ends faire la fête en ville, jugeant qu'il l'avait bien mérité.

Juché sur Zebulon, Trevor sentait l'air frais lui emplir les poumons. Mais il ne pouvait chasser de son esprit ni Julie ni James Sterling, son fils.

Remontant dans le passé, il se rappela comment il avait rencontré Julie. Il était facile alors pour la jeunesse locale d'organiser une fête. Une vieille grange abandonnée, un feu de camp, des bottes de paille en guise de sièges, les radios des voitures diffusant de la musique… Il n'en fallait pas plus pour que tout le monde s'amuse ! Ces rassemblements — c'était le nom donné à ces fêtes improvisées — remportaient toujours un franc succès.

A vingt et un ans, Trevor n'était plus un adolescent, mais, comme il avait pris l'habitude, à l'université, de s'amuser le week-end, il avait continué pendant les vacances d'été.

Etant le seul à avoir obtenu le diplôme du collège universitaire, il jouissait d'un grand prestige auprès des autres jeunes. C'était au cours d'une de ces fêtes qu'il avait remarqué Julie pour la première fois. Ayant demandé à l'un de ses camarades qui elle était, il avait appris qu'elle avait dix-huit ans et venait juste de terminer le lycée. Ils avaient passé la plus grande partie de l'été à se croiser, mais quelque chose avait empêché Trevor de lui faire des avances. Il n'avait aucune envie de s'engager et peut-être son instinct l'avait-il averti qu'elle risquait de lui créer des ennuis.

Des ennuis ? Avec ce visage d'ange et ce corps qui était une invitation au péché ?

Oh ! oui, des ennuis ! De gros ennuis. Et il n'avait pas su les éviter.

— Veux-tu danser avec moi ? avait-elle demandé ce soir-là, l'air innocent, si jolie dans sa petite robe d'été.

C'était le dernier week-end que Trevor passait ici avant de partir à la faculté de médecine de Boston. Il avait résisté tout l'été, mais, peut-être à cause du feu de camp qui parait la chevelure de Julie de reflets dorés, il avait accepté la bière qu'elle lui tendait et la danse qu'elle lui proposait. Il se rappelait même avoir pensé : *C'est sans doute la chose la plus stupide que j'aie jamais faite.* Mais il n'avait pu s'empêcher de la suivre. Et ils avaient dansé un slow.

Il avait déjà bu deux bières et savait qu'il n'aurait pas dû parler à cette fille, encore moins danser avec elle, mais il n'avait pas pu lui résister en la voyant là, devant lui, avec un si joli sourire.

Zebulon s'arrêta brusquement. Arraché à ses souvenirs, Trevor s'aperçut qu'ils avaient déjà atteint la clôture et, de fait, deux poteaux étaient tombés par terre. Il envoya un texto à Jack, le contremaître du ranch, pour lui indiquer l'endroit et, attendant la réponse, il se rappela le regard brillant, quoique circonspect, qu'avait Julie, cet été-là, et à quel point il s'était senti attiré par elle.

Alors il avait profité de l'innocence d'une jeune fille qui se montrait plus que consentante.

Elle avait raison. Elle aurait pu ruiner les projets qu'il avait alors si elle lui avait révélé qu'il l'avait mise enceinte. Mais elle n'avait rien dit. Cela montrait qu'elle avait du cran.

Maintenant qu'elle allait venir tous les jours au cabinet médical, il n'avait d'autre choix que de se couler dans le personnage de l'Homme de Fer. La magnifique chevelure et la beauté de Julie le troublaient beaucoup trop. Oui, s'il voulait pouvoir travailler avec elle, il se devait de rester insensible à son charme.

Il avait été très malheureux lorsque Kimberley l'avait rejeté comme un chien galeux quand, en quatrième année de médecine, il avait choisi de devenir médecin généraliste au lieu d'opter pour une spécialité plus prestigieuse. Cette rupture brutale lui avait cependant appris, avantage certain, à se blinder le cœur.

Son téléphone portable émit un signal indiquant que Jack avait bien reçu son message.

En temps normal, Trevor aurait pensé à apporter avec lui le matériel nécessaire pour réparer la clôture, mais aujourd'hui il avait été tellement perturbé par les révélations de Julie qu'il n'avait songé qu'à seller son cheval et à partir avec lui. Il leva les yeux vers un ciel sans nuages puis regarda au loin le bétail qui errait dans les prés enneigés.

Il replongea dans ses souvenirs. Le soir où il avait couché avec Julie, il n'entrait pas dans ses projets de mettre une fille enceinte. Loin de là. Une semaine avant, il avait découvert que sa mère avait subi une biopsie de l'endomètre qui se révélait inquiétante et nécessitait de procéder à des examens plus approfondis. Se faisant du souci pour elle, et aussi pour son premier semestre à la faculté de médecine qu'il se devait de réussir brillamment pour rivaliser avec son frère aîné dont il admirait l'intelligence exceptionnelle, il avait décidé de profiter de ce dernier week-end pour se détendre avant de s'immerger complètement dans le travail.

Et il avait dansé avec cette fille à la chevelure sauvage et aux immenses yeux noisette.

Zebulon se mit à hennir et Trevor aperçut alors Jack qui venait vers lui. L'homme lui fit de grands signes de la main, puis, arrivé à sa hauteur, il s'arrêta.

— Merci pour l'info, dit-il. Nous ne pouvons pas nous permettre de laisser encore d'autres bouvillons s'échapper. Pas avec ces loups qui se montrent de plus en plus dans les parages.

— En effet.

— Tant que nous n'aurons pas le budget pour équiper les troupeaux avec des puces électroniques, nous devrons nous débrouiller comme nous l'avons toujours fait.

Le marquage des bêtes et les clôtures semblaient aujourd'hui tellement démodés… Agé d'à peine quarante ans, Jack plaidait en faveur des méthodes d'élevage modernes.

Tiberius — Monty — Montgomery, lui, était de la vieille école. Les nouvelles technologies ne l'intéressaient pas. Il ne cherchait pas à les apprendre ni à les utiliser pour gérer le ranch. Il exigeait que les comptes soient encore écrits à la main dans des registres. Trevor devait alors transférer ces données sur son propre ordinateur lorsqu'il rentrait chez lui.

— Je parlerai avec mon père du coût que représenterait la pose de puces électroniques sur le bétail, et des économies réalisées à long terme.

— Très bien. Peut-être qu'il vous écoutera, vous.

Trevor en doutait sérieusement.

Les hommes échangèrent un sourire et chacun reprit sa route.

Trevor était encore en proie à ses ruminations, obsédé par le souvenir de cette soirée passée avec Julie treize ans plus tôt. Il se souvenait très bien du moment où, s'apercevant que Julie était vierge, il s'était arrêté et l'avait regardée.

— Tu es sûre ? lui avait-il demandé.

Tout en faisant la grimace, elle s'était pressée contre ses hanches, l'encourageant à continuer. Il s'était bientôt laissé emporter par son désir, sans prendre conscience que Julie allait perdre sa virginité, couchée sur une botte de paille au fond d'une grange. C'était après avoir fait l'amour avec elle qu'il avait soudain ressenti une certaine culpabilité. Il allait lui en parler lorsque deux de ses amies à elle l'avaient appelée depuis la porte de la grange, lui disant qu'elles partaient et qu'elle ferait bien de rentrer avec elles.

Julie avait bondi, rajusté sa robe et ses sous-vêtements, puis elle l'avait embrassé une dernière fois avant de disparaître avec ses amies.

Ils ne s'étaient jamais revus.

Il devait partir le lundi suivant, et Julie n'en savait rien. Il était resté couché dans le foin, regardant le ciel obscur à travers les trous du toit de la grange, se disant qu'il avait fait quelque chose dont il aurait dû s'abstenir. Quelque chose qui lui avait donné beaucoup de plaisir, mais qu'il regrettait. Et il ne l'avait même pas raccompagnée chez elle.

Au moins n'avait-elle pas perdu sa virginité sur la banquette arrière de la vieille guimbarde qu'il conduisait cet été-là, un tacot que lui avait refilé son frère aîné. Faire l'amour dans une grange était quand même plus romantique…

Il se souvint d'avoir utilisé un préservatif, comme il l'avait fait durant toutes ses années passées au collège universitaire. Il n'avait mis aucune fille enceinte… sauf Julie.

Zebulon galopa jusqu'à l'écurie, visiblement impatient d'être brossé et nourri. Trevor mit pied à terre, tout en essayant de chasser de son esprit Julie et cette fameuse nuit. Il aurait dû au moins lui dire au revoir. Cela aurait été la moindre des choses. Il aurait dû lui téléphoner et lui dire aussi qu'il regrettait de lui avoir pris sa virginité. Mais il n'en avait rien fait. Il était parti à la faculté de médecine sans jeter un regard derrière lui, et bientôt il avait oublié Julie et la nuit qu'ils avaient partagée.

Jusqu'au jour où il avait reçu sa lettre de candidature pour le poste qu'il proposait dans son cabinet médical.

La façon dont il s'était excusé auprès d'elle au bout de tant d'années n'avait rien eu de glorieux. Il s'était senti obligé de le faire et s'en était acquitté avec maladresse. Il se trouvait vraiment minable.

Tandis qu'il regagnait la maison, le seul endroit où il ait jamais vécu mises à part ses années de collège et celles passées à la faculté de médecine, il serra les mâchoires en songeant combien il lui serait difficile, pendant le dîner, de cacher à son père les pensées qui le tourmentaient. Mais il s'y efforcerait parce que c'était là un sujet qu'il ne voulait *pas* aborder pendant le repas.

Toutefois, en embauchant Julie aujourd'hui, il se donnait une chance de réparer les torts qu'il avait eus envers elle treize ans plus tôt. Peut-être lui restait-il encore une chance de retrouver un peu de son honneur. Et aussi de faire la connaissance de son fils et de devenir le père que ce garçon méritait d'avoir.

A cette idée, il fut saisi d'une peur panique.

Le lendemain matin, Julie tint parole et arriva au cabinet médical avec un quart d'heure d'avance, l'estomac noué. Charlotte, l'infirmière, était là pour l'accueillir. Proche de la cinquantaine, la silhouette trapue, elle avait des cheveux bruns légèrement grisonnants qu'elle nouait en queue-de-cheval. Elle portait une blouse d'une blancheur éclatante. Julie eut l'impression que cette femme adorait son métier.

— Alors, c'est vous, notre nouvelle infirmière praticienne ? dit-elle en lui donnant une solide poignée de main. Ravie de faire votre connaissance. Appelez-moi Lotte, comme le font tous mes amis. Que diriez-vous si je vous faisais faire le tour des locaux avant que vous ne suiviez le Dr Montgomery comme son ombre ?

Julie, qui à force de penser à Trevor avait à peine fermé l'œil de la nuit, lui sourit.

— Avec plaisir. Merci.

Un quart d'heure plus tard, après avoir vu les différentes salles d'examens et la pièce où étaient stockés le matériel médical et le linge, Julie rejoignit Trevor dans son bureau.

— Bonjour, dit-il.

Elle faillit s'arrêter en voyant son visage mal rasé et ses yeux battus. Elle comprit à quel point, la veille, elle avait profondément bouleversé tout son univers.

Oui, ils avaient tous les deux des choses à gérer, et il ne leur serait pas facile de travailler ensemble.

Julie le salua, le souffle court. La faute en était à ces yeux noirs étincelants. Et à sa chemise western impeccablement repassée. Pourquoi remarquait-elle de tels détails ?

Elle avait pris grand soin, aujourd'hui, de s'habiller de façon confortable mais élégante, optant pour un pantalon noir, un fin sweater bleu glacier et des bottes en cuir à talons plats. Pour dégager son visage, elle avait entouré ses cheveux d'un foulard bleu qu'elle avait roulé et noué sur la nuque.

A Los Angeles, les médecins et les infirmières praticiennes ne portaient plus de blouses blanches. Julie était curieuse de voir si on allait lui en donner une ici, en sachant que des études avaient montré que ces blouses véhiculaient des germes au lieu d'en protéger les médecins et les patients.

— Laisse-moi te montrer notre système d'archivage, proposa-t-il.

En se penchant vers l'ordinateur portable où s'affichait le dossier du premier patient de la matinée, elle sentit le parfum de l'after-shave de Trevor, ce qui déclencha chez elle une réaction bien trop forte à une heure aussi matinale.

Elle se concentra sur les informations qui apparaissaient à l'écran et Trevor lui expliqua les différentes fenêtres et les entrées dont elle devrait se servir.

— Ne t'inquiète pas, je ne te demanderai pas de faire cela avant que tu y sois prête.

Le sourire qu'il lui adressa la déstabilisa plus qu'il ne la rassura. Comment réussirait-elle à travailler ici si elle devait être toujours dans cette proximité ? Il lui fallait changer d'attitude, et le plus rapidement possible. Si Trevor réussissait à rester serein et professionnel, alors elle devait pouvoir y parvenir, elle aussi.

Il semblait avoir déjà oublié la nouvelle de la veille et, même si cela faisait mal, d'une certaine façon, elle s'en réjouissait.

Trevor se leva, son ordinateur sous le bras, et se dirigea vers la salle d'examens n°1 où attendait Donald Richardson, un garçon de vingt-sept ans qui travaillait au ranch et qui souffrait d'un diabète de type 1. Il se plaignait surtout d'une congestion nasale qui le gênait depuis une dizaine de jours et d'un mal de tête qui avait commencé quatre ou cinq jours auparavant.

Après l'avoir salué amicalement et lui avoir présenté Julie, Trevor examina le conduit nasal de son patient. Lotte avait noté sur la fiche médicale de Donald que celui-ci avait de la fièvre. Trevor diagnostiqua une infection des sinus.

— Enlève ta chemise, je vais ausculter tes poumons.

Lorsque le garçon fut torse nu, Trevor afficha un air mécontent.

— Qu'est-ce que c'est ? demanda-t-il en désignant l'épaule où s'étalait un tatouage très coloré.

— Mon nouveau tatouage, répondit Donald d'un ton penaud.

Trevor semblait toujours contrarié, et Julie supposa que c'était à cause du risque de complication que cette pratique faisait courir aux diabétiques.

— As-tu apporté tes relevés quotidiens du taux de sucre dans le sang ?

Ouvrant son ordinateur, Trevor afficha les résultats des analyses les plus récentes de son patient, puis il prit le petit carnet que lui tendait Donald. Après avoir vérifié les taux de sucre sanguin au cours des derniers quinze jours et le nombre de piqûres d'insuline, il partagea ses infos avec Julie qui lut sur l'écran que le dernier test de Donald était inférieur à 70. C'était un très bon résultat.

— Tu sais que tes reins ne fonctionnent pas bien depuis un moment et, si tu ne parviens pas à contrôler ton taux de sucre, te faire faire un tatouage peut être dangereux.

Donald baissa la tête, comme s'il était las d'entendre parler de cette histoire de diabète chaque fois qu'il voulait se lancer dans quelque chose de nouveau.

— J'ai fait attention à l'hygiène et il n'y a aucun signe d'infection.

— Tant mieux. Mais veux-tu m'accorder une faveur ? La prochaine fois où tu décideras de t'offrir un tatouage, ou un piercing, ou toute autre pratique invasive, laisse-moi d'abord te faire faire des analyses de laboratoire. Tu n'as vraiment pas intérêt à mettre ta vie en danger. Si tu as un taux de sucre élevé dans le sang, un tatouage risque de favoriser le développement de bactéries qui peuvent alors se répandre dans ton organisme et créer beaucoup de problèmes. Et cela, tu n'en as pas besoin.

— J'ai très bien contrôlé mes taux de sucre.

— Je vois cela. Je me fais simplement l'avocat du diable.

Julie avait l'impression que Donald surveillait son poids et il paraissait en bonne santé. Mais l'apparence extérieure ne reflétait pas toujours ce qui se passait au niveau microscopique, à l'intérieur du corps.

— Je comprends. Vous veillez sur moi, c'est tout.

— Tant qu'on se comprendra, toi et moi.

— D'accord, c'est promis. Mais, franchement, il est beau, non ? ajouta Donald en désignant son tatouage d'inspiration tropicale. Chaque fois qu'ici il fera plus froid qu'au pôle Nord, je regarderai ce dessin et je rêverai que je suis à Hawaï.

Trevor sourit.

— Voilà encore un endroit où tu serais obligé de faire beaucoup d'efforts pour stabiliser ton taux de sucre dans le sang. Un climat chaud et poisseux favorise…

— … le développement des bactéries. J'ai compris, doc.

Ils échangèrent un sourire contraint et Julie lutta pour garder son sérieux.

— Bon, dit Trevor, ce que je te prescris pour soigner l'infection des sinus pourra aider aussi à lutter contre une éventuelle infection causée par ton tatouage.

Il rédigea l'ordonnance qu'il donna au jeune homme.

— Si jamais tu remarques une douleur, un gonflement, une rougeur, une inflammation ou du pus sur ton tatouage ou à proximité, préviens-moi tout de suite.

— Je le ferai, docteur Montgomery, c'est promis, dit Donald en reboutonnant sa chemise.

— Et je t'ai prescrit des antibiotiques que tu dois prendre pendant sept jours. Après, si tu n'es pas complètement guéri, appelle-moi.

— Oui, promis.

— Ah, je te présente Julie Sterling, notre nouvelle infirmière praticienne.

Après avoir salué Donald d'un petit signe de tête, Julie

suivit Trevor qui se dirigeait déjà vers la salle d'examens n°2. Durant la consultation, il avait enregistré sur son ordinateur toutes les données pertinentes concernant Donald Richardson. Julie se demanda combien de temps lui serait nécessaire pour devenir aussi performante que lui dans l'utilisation de ce logiciel.

Dès qu'il pénétra dans la salle n°2, il se lava les mains, comme il l'avait fait avant d'examiner Donald. Ce faisant, il s'adressa à son nouveau patient d'un ton cordial. Julie se dit que, si elle devait le noter sur l'attitude qu'il avait envers les malades, elle lui donnerait la meilleure note. Il savait s'y prendre avec les gens — elle-même en avait fait l'expérience, autrefois.

Seigneur ! Elle devait effacer cette image de son esprit. Et vite.

Toute la matinée, Trevor et Julie se concentrèrent sur les patients et leurs traitements. La proximité physique que leur imposait l'exiguïté des salles d'examens provoquait chez Julie une sensation de chaleur qu'elle s'efforçait de dissimuler sous une impassibilité et un calme apparents. Elle avait beau faire, elle ne pouvait ignorer le trouble qui s'emparait d'elle dès qu'elle était près de Trevor.

A midi, Lotte entra comme une tornade dans le bureau de Trevor. Celui-ci était en train d'expliquer les codes correspondant aux différentes maladies, aux traitements et aux laboratoires, et Julie avait l'impression que son cerveau allait exploser sous ce flux d'informations. Aussi se réjouit-elle lorsque Trevor lui tendit une feuille où figuraient tous ces codes… jusqu'au moment où leurs doigts se touchèrent, ce qui déclencha aussitôt chez elle des picotements qui faillirent lui faire perdre la tête.

— Venez avec moi, madame Sterling, dit Lotte. Puis-je vous appeler Julie ?

— Bien sûr.

Julie pria le ciel que ni Lotte ni Trevor n'aient remarqué la rougeur qui, elle en était sûre, avait enflammé ses joues.

— Je vais vous montrer la salle à manger, reprit Lotte. Avez-vous apporté votre déjeuner ?

Julie s'était sentie si nerveuse, ce matin, à l'idée de revoir Trevor après ce qui s'était passé la veille qu'elle avait complètement oublié de se préparer un pique-nique.

— Je n'ai rien pris avec moi.

— Alors, je vais vous indiquer les différents cafés que vous pourrez trouver en ville.

Prenant Julie par le bras, Lotte l'entraîna hors du bureau tandis que Trevor gardait les yeux rivés à l'écran de son ordinateur. Au moment de sortir de la pièce, Julie se retourna pour surprendre le regard du médecin fixé sur elle et, aussitôt, elle ressentit des picotements. Mais ce contact visuel ne dura qu'un bref instant, Trevor s'absorbant de nouveau dans sa tâche. Cela signifiait-il qu'il ne voyait en elle qu'une collaboratrice et non un être humain ?

— Je te revois à 13 heures, alors ? dit-elle.

Il hocha la tête sans lever les yeux de son ordinateur.

— Oui, à tout à l'heure.

Elle avait le sentiment qu'il était fâché contre elle, et elle ne pouvait lui en faire le reproche. Mais éprouvait-il le moindre intérêt pour James ?

Comprenant que Lotte ignorait sans doute qu'elle avait grandi ici et connaissait la ville comme sa poche, elle la laissa lui indiquer ses endroits favoris. L'un des cafés qu'elle mentionna était nouveau et Julie décida de le tester.

Pour une petite bourgade comme Cattleman Bluff dont la principale fierté était de posséder l'arche de bois de cervidés la plus longue de tout le Wyoming, la rue principale semblait accueillir à présent tout un tas de nouveaux magasins. Remarquant une boutique de mode et une librairie spécialisée dans les livres rares, Julie se promit d'y venir faire un tour plus tard.

Le café qu'elle avait choisi était décoré à l'ancienne et elle se jucha sur le dernier tabouret en vinyle rouge resté libre devant le comptoir, puis elle passa sa commande : une soupe aux légumes faite maison et un sandwich au jambon.

Elle avait avalé la moitié de son sandwich lorsqu'elle entendit la jeune serveuse annoncer à un client que son déjeuner était prêt d'un ton beaucoup plus chaleureux que celui qu'elle avait eu avec Julie.

— Merci, dit une voix masculine.

Surprise, Julie se retourna et vit Trevor s'emparer du sac que la serveuse lui tendait en le gratifiant d'un grand sourire plein d'espoir.

— J'ai préparé votre repas exactement comme vous l'aimez, docteur Montgomery.

— Je sais que je peux toujours compter sur vous, Karen. Je vous remercie. Mettez cela sur mon compte, voulez-vous ?

La jolie serveuse l'accompagna jusqu'à la porte et Julie remarqua que Trevor échangeait avec elle quelques mots avant de s'en aller. Se fixaient-ils un rendez-vous ? Qui pouvait le savoir ? De toute façon, cela ne la regardait pas. Pourtant, son pouls s'était accéléré lorsqu'elle avait vu Trevor parler avec cette ravissante jeune femme, et elle s'en voulut d'avoir eu une telle réaction.

Ayant terminé son frugal repas, elle demanda l'addition.

— Oh ! c'est déjà payé ! dit la serveuse. Le Dr Montgomery s'en est occupé.

Surprise, Julie nota que la serveuse l'observait attentivement.

— Oh ! Eh bien, alors, il ne me reste plus qu'à le remercier.

Lorsqu'elle s'éloigna du comptoir, elle aurait juré avoir entendu la dénommée Karen murmurer : « Je suis sûre que vous le ferez… »

A cet instant, Julie se demanda si, plus qu'elle-même, cette jeune personne pensait avoir des droits sur Trevor Montgomery…

Elle était bien incapable de répondre à cette question, mais elle était sûre d'une chose : demain, elle apporterait son déjeuner au cabinet médical et éviterait à l'avenir de revenir dans ce café.

*
* *

Les rendez-vous de l'après-midi relevant de la simple routine, Trevor suggéra à Julie de passer le reste de la journée avec Lotte et Rita et de s'entraîner avec elles à travailler sur l'ordinateur. Cette proposition la ravit, après avoir dû le côtoyer toute la matinée, ce qui avait déclenché chez elle tout un tas de réactions parfaitement inappropriées.

Sauf que, peu de temps après, il vint la chercher.

— Dans la salle d'examens n°3, j'ai une patiente à qui il faut faire une procédure I et D. Veux-tu t'en occuper ?

I et D. Incision et drainage. Elle comprit que c'était pour lui l'occasion de juger de ses capacités.

— Bien sûr. S'agit-il d'un furoncle ou d'un abcès ?

— D'un furoncle.

Abandonnant ce qu'elle était en train de faire avec Lotte et Rita, elle le suivit. Il la présenta à Molly Escobar, une bibliothécaire de cinquante-six ans qui avait sous l'aisselle droite un furoncle gros comme une balle de ping-pong. La zone, tout autour, était rouge, enflammée et suppurante.

S'appuyant sur l'expérience qu'elle avait acquise en matière de petite chirurgie, Julie commença par nettoyer la peau avec un antiseptique. Elle procéda ensuite à une anesthésie locale avant d'utiliser un scalpel à lame stérile pour faire une petite incision pour évacuer le pus. Tout en s'activant, elle gardait à l'esprit qu'un furoncle ressemblait à un MRSA, une infection provoquée par le *staphylococcus aureus*, une bactérie résistant à la méticilline. Par prudence et pour gagner du temps, elle décida d'utiliser d'emblée un antibiotique à large spectre, capable de lutter à la fois contre les staphylocoques et les streptocoques.

Après avoir drainé le furoncle et nettoyé le périmètre alentour, elle fit quatre points de suture, puis posa une gaze stérile et recouvrit le tout d'un pansement qui devrait être renouvelé tous les jours.

— Je vais demander à notre infirmière de vous montrer comment refaire le pansement et je souhaite vous revoir lundi prochain pour effectuer une visite de contrôle. D'accord ?

Durant toute l'intervention, Trevor n'avait pas dit un mot. Il avait observé chacun de ses gestes et exprimé son approbation en clignant des yeux toutes les fois qu'elle s'était tournée vers lui. Jamais il ne lui avait donné l'impression de se sentir obligé de lui prodiguer le moindre conseil.

Quand Charlotte vint chercher Mme Escobar pour l'emmener dans la salle de soins, Julie se retrouva seule avec Trevor qui lui sourit.

— Tu as un toucher délicat, Julie, dit-il en laissant son regard s'attarder sur elle plus longtemps qu'il n'était nécessaire.

Elle eut aussitôt l'une de ces réactions qu'elle redoutait tant.

— Merci.

Elle devait s'éloigner de lui. Maintenant.

— Je vais enregistrer les données dans l'ordinateur, ajouta-t-elle avant de quitter précipitamment la pièce.

A 17 heures, le cabinet médical ferma ses portes. Julie, accompagnée de Lotte et de Rita, marcha jusqu'au parking et s'aperçut qu'elle avait garé sa voiture à côté de celle de Trevor. Comme elle ouvrait sa portière, elle vit qu'il était là. Elle lui jeta un regard furtif et fut troublée en découvrant qu'il avait les yeux braqués sur elle.

— Docteur Montgomery ? lança un homme depuis l'autre bout du parking.

Trevor se tourna vers lui et lui sourit.

— Qu'y a-t-il, Connor ?

Julie observa l'homme d'âge moyen et pauvrement vêtu tandis qu'il s'approchait de Trevor.

— Je me disais que vous pourriez peut-être me donner un conseil pour…

Lotte, dont la voiture était garée tout près et qui n'avait rien perdu de la scène, intervint.

— Vous savez bien, monsieur Parker, que vous devez prendre rendez-vous pour ce genre de chose.

— Tout va bien, Charlotte, dit Trevor. Vous pouvez rentrer chez vous.

Julie partageait l'avis de l'infirmière — cet homme aurait dû prendre rendez-vous. Pourtant, elle ne dit rien, curieuse de voir ce qui allait se passer.

— Merci, docteur, reprit Connor. Avec ce temps froid, à force de rester dans mes bottes toute la journée et une bonne partie de la nuit — j'ai un deuxième job comme agent de sécurité au Turner's Hardware —, j'ai attrapé une mycose au pied et je me demandais si vous n'auriez pas des échantillons de cette crème que vous m'aviez donnée la dernière fois.

— Non, je n'en ai pas, mais je peux vous apprendre un truc qui ne vous coûtera pas un sou : urinez sur votre pied lorsque vous êtes sous la douche. Prenez soin de boucher le trou d'évacuation et laissez tremper votre pied dans le bac pendant une minute ou deux. Faites-moi savoir si cela a marché.

L'homme paraissait perplexe, mais aussi reconnaissant et désireux d'essayer ce remède de bonne femme.

— Merci, docteur. Je vous dirai si ça m'a fait de l'effet.

Comme il s'en allait, Julie fut incapable de se taire plus longtemps.

— Tu n'espères pas que cela va le guérir de sa mycose, n'est-ce pas ?

— Ma grand-mère ne jurait que par l'urine pour soigner ses crevasses aux pieds. De même que s'en servir pour se débarrasser des champignons qu'on peut avoir aux pieds est une pratique ancienne.

— Les fongicides topiques comportent environ 40 % d'urée, alors que l'urine n'en a que… disons, 2,5 % au maximum ?

— Et alors ?

Un bras posé sur le toit de sa voiture, il la regardait fixement, l'air contrarié.

— Ton traitement ne lui sera pas d'un grand secours. Peut-être a-t-il besoin d'un puissant fongicide et même d'un traitement interne.

Sans se presser, il prit une grande bouffée d'air, comme si la patience était sa principale vertu.

— Ecoute, l'assurance santé de ce type est si bas de gamme qu'il ne peut pas se permettre de venir consulter ni d'acheter des médicaments dont, par ailleurs, on ne connaît pas l'efficacité réelle. Sans compter que le fait d'ingérer des médicaments peut entraîner des effets secondaires et abîmer le foie ou le cœur. Cet homme a six enfants et une femme qui a de gros problèmes de santé et, tu l'as entendu, il a deux jobs. J'essaye simplement de lui faire faire des économies, c'est tout.

Il l'observait comme s'il la défiait d'oser le contredire.

— D'accord, je comprends.

Elle monta dans sa voiture et, juste avant de démarrer, elle ne put s'empêcher de revenir une dernière fois sur le sujet.

— As-tu des échantillons pour des gens comme lui ? Ou bien ne fais-tu confiance qu'aux bonnes vieilles méthodes homéopathiques ?

Trevor continuait de la fusiller du regard.

— J'aide quand je peux, mais j'ai aussi un cabinet médical à gérer et des salaires à verser. De toute façon, les habitants du Wyoming ont toujours eu recours à des remèdes maison, surtout durant les longs hivers où il est presque impossible de voir un médecin.

Julie renonça à discuter plus longtemps.

— J'en prends bonne note.

Elle mit le moteur en marche et démarra en se disant qu'elle achèterait quelques médicaments de base et les apporterait au cabinet médical pour en faire profiter des gens comme Connor.

Son premier jour de travail avec le père de son fils avait commencé dans une certaine gêne et s'était terminé de façon houleuse. Elle n'avait certes pas imaginé que la journée s'achèverait par une discussion de ce genre.

Que lui réservait celle du lendemain ?

Trevor avait-il prévu d'évoquer de nouveau avec elle leur situation ou bien, comme elle avait suggéré qu'ils n'en parlent plus, l'avait-il prise au mot, allant même jusqu'à oublier ce qui était arrivé ? Eh bien, si tel était le cas, Trevor Montgomery baisserait sérieusement dans son estime.

Désirant terminer sa journée d'essai sur une note positive parce que c'était devenu chez elle un mode de survie, elle donna un léger coup de klaxon en quittant le parking. Elle vit dans le rétroviseur que Trevor la regardait s'en aller, puis il se décida à lui faire un signe de la main.

Ce n'était pas le geste le plus amical du monde, et il ne signifiait pas grand-chose. La vérité, c'était qu'elle avait elle-même fixé les règles du jeu — « ne parlons plus de cela » — et Trevor les appliquait à la lettre. Cependant, le fait qu'aujourd'hui il n'ait pas posé une seule question sur James faisait mal.

Jetant un dernier coup d'œil dans le rétroviseur juste avant de tourner dans la rue, elle se consola en voyant qu'au moins Trevor n'arborait plus son air renfrogné.

3.

Le jeudi matin, Trevor avait très mauvaise mine, comme s'il n'avait pas dormi de la nuit. Les yeux cernés, mal coiffé, il avait visiblement omis de se raser.

— Puis-je te voir dans mon bureau ?

Julie le suivit dans le couloir en proie à une certaine culpabilité en le voyant dans cet état. Mais combien de nuits blanches avait-elle passées pour s'occuper de leur fils ?

Une fois dans le bureau, il referma soigneusement la porte et resta là, debout, ne quittant pas Julie des yeux.

— J'ai besoin de savoir tout sur James. Depuis le premier jour.

— Euh… je n'ai pas encore ouvert tous mes cartons, mais j'ai ses albums de bébé, avec les photos et les principales étapes de sa vie. Veux-tu les voir ?

Il hocha la tête.

— Je passerai les chercher chez toi ce soir.

— D'accord.

Elle allait quitter le bureau lorsque lui revint à la mémoire quelque chose qui lui avait paru très injuste le jour où cela s'était produit.

— L'ironie du sort veut que son premier mot ait été *papa*.

Trevor, jusque-là si éteint, parut se réveiller. Un éclat nouveau brillait dans son regard.

— Tu me fais marcher !

Elle secoua la tête.

— Il avait six mois, et il jouait avec ses orteils dans son berceau. Quand il m'a vue, son visage s'est illuminé et il a dit : *ah... pa... pa.* Pour tout te dire, j'ai fondu en larmes.

Après avoir gardé les yeux fixés sur ses chaussures pendant un moment, elle leva la tête.

Trevor, raide comme une statue, la regardait.

— Je viendrai ce soir. Prépare ces albums.

— D'accord.

Le plus surprenant ensuite fut que, dès l'instant où le cabinet médical ouvrit ses portes, Trevor se comporta comme si rien ne s'était passé entre eux. Charmeur, il était le Dr Montgomery qui accueillait chaleureusement les patients et jouait avec elle au parfait mentor, l'aidant à prendre ses marques. Un vrai professionnel qui savait très bien séparer travail et vie privée.

Ce soir-là, à 19 heures, Trevor se présenta chez elle. Elle avait facilement retrouvé les boîtes contenant les souvenirs de la petite enfance de James et en avait extrait les deux premiers albums de bébé.

Présumant que Trevor ne faisait que passer les chercher, elle les avait posés sur une petite table près de la porte d'entrée.

Lorsqu'elle lui ouvrit, elle lui trouva encore l'air fatigué, presque épuisé. Il avait eu une longue journée, tout comme elle.

— Bonsoir… Tiens, les voilà, dit-elle en poussant les albums vers lui.

Sans dire un mot, il les prit et les contempla comme s'il s'agissait du Saint-Graal. Si seulement elle pouvait savoir à quoi il pensait !

— Tu peux les garder aussi longtemps que tu veux, mais je tiens à les récupérer.

Il la regarda et hocha la tête.

— Merci.

Comme elle l'avait prévu, il ne s'attarda pas et elle lui en fut reconnaissante. S'il lui avait posé les milliers de questions qu'elle lisait dans ses yeux, il lui aurait fallu toute la nuit pour y répondre.

Le lendemain matin, à peine était-elle arrivée au travail que Trevor vint la retrouver.

— Il faut que je te parle.

— D'accord. Laisse-moi poser mes affaires et j'arrive.

Au lieu de l'attendre, il la suivit jusque dans son bureau comme si ce qu'il avait à lui dire ne pouvait attendre. Il avait toujours son air fatigué. Sans doute avait-il encore passé une mauvaise nuit.

— J'ai un tas de questions à te poser et j'ai besoin que tu y répondes. Dîne avec moi ce soir.

Il voulait avoir des informations sur son fils. Comment aurait-elle pu dire non ?

— D'accord.

— Nous partirons directement après le travail, à moins que tu n'aies d'autres plans ?

— Non, cela me va.

A peine le cabinet médical fermé, Trevor se montra à la porte du bureau de Julie.

— Nous prendrons ma voiture, dit-il.

Dès qu'il eut mis le moteur en marche, il entra dans le vif du sujet.

— Je dois dire que tu as fait un travail formidable en gardant toutes ces traces des premiers mois de James. Tu as dû consacrer un temps fou à la réalisation de ces albums.

— Je te remercie. En fait, j'ai adoré le faire. Avec lui, il y avait quelque chose de nouveau tous les jours.

N'en avait-elle pas trop dit ? Ne soulignait-elle pas le fait que lui-même n'avait rien connu de toutes ces expériences ? Peut-être, mais Trevor ne fit aucun commentaire dans ce sens.

— Tu as noté qu'il avait subi une intervention chirurgicale à quatorze mois, dit-il.

— Oui, il présentait une cryptorchidie.

— Tu plaisantes ? Figure-toi que, lorsque je suis né, l'un de mes testicules n'est pas descendu, et j'ai dû, moi aussi, subir la même opération à l'âge de dix-huit mois.

Qu'y avait-il d'étrange à cela ? Julie savait que, chez les petits garçons en bonne santé, un sur trente connaissait ce problème à la naissance mais, dans la plupart des cas, cela s'arrangeait tout seul sans le recours à une intervention chirurgicale.

— On m'a demandé à l'époque s'il y avait eu des précédents dans la famille, mais, bien sûr, je l'ignorais.

— Pour être honnête, je dois avouer que j'ai encore du mal à imaginer que je suis père. Je… je ne sais pas par où commencer mon interrogatoire.

— Je répondrai à toutes tes questions.

— Et si je ne sais pas lesquelles poser ?

— Je t'aiderai, c'est promis.

Elle commençait seulement à prendre conscience que la vie de beaucoup de personnes allait être bouleversée du fait qu'elle avait décidé de révéler la vérité à Trevor. La sienne, déjà. Celle de Trevor. Celle de son fils. Comment James réagirait-il en apprenant qu'il avait un père vivant dans le Wyoming ? Cette question la tourmentait. Son fils était la seule personne encore tenue dans l'ignorance de cette histoire. Elle redoutait ce qui se passerait lorsqu'il saurait tout. Surtout après l'horrible incident survenu avec son ex petit ami, Mark.

Combien de vies avait-elle gâchées en gardant le silence si longtemps ?

Ils se rendirent dans ce café où elle s'était promis de ne jamais remettre les pieds.

Mais quelle importance s'il était l'amant de cette jeune femme ? Julie savait qu'elle n'avait aucun droit sur lui. Sa vie avait été chamboulée à cause d'elle et il essayait simplement de donner un sens à tout cela. C'était la seule raison de leur présence ici.

Elle picora distraitement dans son assiette tandis que Trevor la bombardait de questions sur sa grossesse, la naissance de James, ses premiers mois, ses premières années. Il avait regardé de près les albums et retenu toutes les étapes de la vie de son fils. Il souriait en évoquant certaines photos ou certains détails.

Il voulut savoir comment s'était passée la première journée d'école de James. Elle lui raconta quelques anecdotes sur son entrée à la maternelle, et d'autres qui s'étaient déroulées en primaire. Ce retour dans le passé — un passé dont Trevor avait été absent — était presque une torture pour elle, mais il avait le droit de tout connaître de l'enfance de son fils.

Elle nota que lui aussi avait à peine touché à son dîner.

Vers 22 heures, alors qu'elle avait la voix enrouée à force de répondre à toutes ces questions, Trevor consulta sa montre.

— Le restaurant va bientôt fermer. Nous ferions mieux de nous en aller.

Même si elle était touchée de l'intérêt qu'il avait manifesté pour James, Julie était soulagée que cet interrogatoire en règle touche à sa fin.

Trevor la ramena jusqu'au parking du cabinet médical pour qu'elle puisse récupérer sa voiture.

— Pourras-tu me prêter d'autres albums de photos ?

— Bien sûr.

— Merci.

Il semblait sincèrement reconnaissant, ce qui prouvait qu'il était meilleur qu'elle. Si les rôles avaient été inversés, si c'était lui qui lui avait caché quelque chose d'aussi important, elle aurait été furieuse et le lui aurait fait savoir.

Comme elle montait dans sa voiture, elle remarqua que Trevor restait là, attendant qu'elle démarre.

Elle se félicita d'avoir tout le week-end pour se ressaisir avant de devoir de nouveau se trouver face à Trevor.

Un vendredi après-midi, presque deux semaines après avoir été engagée, Julie s'activait à personnaliser son petit bureau en y installant une plante verte dans un gros pot en céramique bleue et en accrochant au mur son diplôme d'infirmière praticienne. Elle se réjouissait à l'idée que, dès le lundi suivant, elle pourrait travailler de façon autonome, sans être obligée de suivre Trevor comme son ombre. Désormais, elle aurait ses propres patients.

Quelqu'un frappa à la porte.

— Entrez !

Trevor apparut et s'avança dans la pièce.

— Ces deux semaines se sont plutôt bien passées, dit-il avec un sourire. Je dois reconnaître que tu apprends vite.

— Merci. J'ai été à bonne école, à Los Angeles, et j'ai eu mon baptême du feu. Il y avait tellement de patients qui attendaient qu'on s'occupe d'eux qu'on n'avait pas vraiment beaucoup de temps pour se former. On apprenait sur le tas, il fallait se débrouiller très vite tout seul.

— J'espère que tu ne vas pas t'ennuyer ici. Nous ne voyons pas souvent des blessures par balle ou par arme blanche, contrairement à ce qui se passe à Los Angeles.

Elle sourit.

— J'en suis ravie. Travailler aux urgences n'était pas ma tasse de thé.

Il l'observa un moment comme s'il essayait de deviner ce qui pouvait être sa tasse de thé.

— Ecoute, cela m'a vraiment fait bizarre de découvrir que j'étais père et je te suis très reconnaissant de m'avoir prêté ces albums de photos.

— C'était la moindre des choses.

Il se gratta la nuque, cherchant visiblement à gérer une situation embarrassante.

— Je pense que nous devrions dîner ensemble, ce soir, et discuter de ce que nous devons faire.

Ce qu'ils devaient faire ? Cela voulait-il dire qu'il avait envie de rencontrer James ?

— Dîner ensemble ? Ce soir ?

Elle commençait à peine à s'habituer à travailler avec lui et, le vendredi précédent, elle avait été incapable d'avaler quoi que ce soit tandis qu'il lui posait une foule de questions sur James. Comment pourrait-elle s'asseoir en face de lui, contemplant son beau visage, et lui dire qu'elle n'était pas prête à accepter une rencontre entre James et lui ?

— Tu as peut-être des projets ? s'enquit-il, l'air dubitatif.

Pourquoi pensait-il que c'était peu probable ?

Bien sûr, elle n'avait aucun projet pour ce soir, mais si Trevor savait à quoi elle pensait, en ce moment…

— Je sais que je te demande cela à la dernière minute, et si tu as prévu autre chose…, reprit-il.

— Non, je n'ai rien prévu.

— Alors, qu'en dis-tu ? Allons dîner quelque part pour

discuter tranquillement. Je connais un endroit où nous ne serons pas dérangés. Mais peut-être est-ce trop tôt pour dîner ? Nous pouvons y aller un peu plus tard, si tu préfères.

A présent, il semblait peu sûr de lui, ce qu'elle trouva plutôt touchant chez quelqu'un qui, d'habitude, se contrôlait parfaitement. Peut-être ne serait-il pas question de James, ce soir. Peut-être serait-ce pour eux l'occasion de se connaître un peu mieux. L'idée lui plut.

— Non. Maintenant, c'est très bien. Donne-moi seulement deux minutes.

— D'accord, dit-il, l'air soulagé. Je serai dans mon bureau. Rejoins-moi quand tu seras prête.

Elle hocha la tête, s'interrogeant sur ce qu'allait être cette soirée, et se sentit soudain nerveuse. Elle serait capable de répondre aux questions que Trevor lui poserait sur James, mais si ce n'était pas son objectif en l'invitant ce soir ? S'il ne voulait que passer du temps avec elle ? En tête à tête ?

Elle se rendit aux toilettes pour se recoiffer et se mettre une touche de rouge à lèvres. L'honnêteté l'obligeait à reconnaître que si elle ressentait le besoin de se rafraîchir c'était surtout parce qu'elle voulait plaire à Trevor. Oui, elle était prête à l'admettre.

Quelques minutes plus tard, elle alla retrouver Trevor dans son bureau.

— Je suis prête.

Levant les yeux de la revue médicale qu'il était en train de lire, il lui sourit, le regard admiratif.

— Allons-y, alors.

Rita et Charlotte ayant déjà quitté le cabinet médical, Trevor éteignit les lampes, activa le système d'alarme et verrouilla la porte de derrière. Julie qui l'observait le trouvait très séduisant dans son jean, son blouson et ses bottes sexy. Mon Dieu ! Où était passée sa bonne résolution de ne pas se laisser troubler par lui ?

La nuit était glaciale, ce qui sortit Julie de l'espèce de torpeur dans laquelle elle avait sombré. Elle leva les yeux vers le ciel pendant que Trevor achevait de fermer et de sécuriser le cabinet médical. A Los Angeles, elle n'avait pas l'occasion de voir autant d'étoiles.

— On y va ? demanda Trevor.

A son tour, il leva les yeux pour contempler le ciel.

— C'est beau, n'est-ce pas ?

— Magnifique…

Elle respira à pleins poumons, essayant de se délivrer des craintes qui l'assaillaient à l'idée de dîner avec le père de son fils.

Ce soir, le comportement de Trevor était très différent de celui qu'il avait eu le vendredi précédent. Il paraissait détendu et désireux de lui accorder toute son attention.

— Veux-tu que nous prenions deux voitures ou préfères-tu venir dans la mienne ?

Elle n'y avait pas réfléchi.

— Euh… je pourrais te suivre avec la mienne, non ?

— J'ai encore une meilleure idée. L'endroit où je veux t'emmener est tout près de la maison de tes parents. Si je te suivais jusque-là pour que tu laisses ta voiture chez toi ? Ensuite, nous irons au restaurant dans la mienne.

Julie n'avait aucune idée du tour que prendrait la conversation ce soir. Peut-être parleraient-ils de James. Peut-être pas. Elle se dit qu'un verre de vin l'aiderait à se relaxer, aussi ferait-elle mieux de laisser Trevor prendre le volant.

— Très bien, faisons cela.

Elle vit à son regard qu'il était content de la décision qu'elle avait prise.

Le trajet jusqu'à Dusty Road Lane, la rue où se trouvait la maison dans laquelle Julie avait grandi, ne dura pas plus d'un quart d'heure. Elle rangea sa voiture dans le garage et se hâta de rejoindre Trevor qui l'attendait devant le portail. Il était sorti de son véhicule, un SUV gris métallisé, pour lui ouvrir la portière du côté passager.

— Merci, dit-elle en passant devant lui.

Une bouffée de son eau de Cologne lui parvint. Lui aussi s'était rafraîchi. Flattée de cette attention, elle dissimula un petit sourire.

La radio diffusait une chanson d'amour appartenant au

répertoire de la country. A Los Angeles, elle avait rarement l'occasion d'écouter ce style de musique. Cela lui fit plaisir d'entendre de nouveau ces paroles et ces mélodies toutes simples qui lui rappelaient son adolescence. Elle sentit sa nervosité se dissiper.

— Alors, où allons-nous ? demanda-t-elle. Est-ce que je connais l'endroit ?

— Je ne pense pas. Quand tu vivais ici, existait-il dans les parages un restaurant appelé Rustler's Hideaway ?

— Non, je n'en ai pas le souvenir. Mais c'est sans doute un endroit fréquenté par les adultes.

Elle eut un petit rire, consciente d'avoir dit quelque chose d'un peu absurde. Mais dans cette ville elle n'avait que des souvenirs d'enfance ou d'adolescence et ne fréquentait alors que les snacks, les salons de glaces ou le vieux bowling. Pas les restaurants.

— Tu as raison, dit Trevor. On y sert les meilleurs steaks de tout le Wyoming. Je le sais parce que c'est mon père qui fournit la viande.

Julie ne mangeait plus de bœuf depuis qu'elle était partie s'installer en Californie, treize ans auparavant. Non parce qu'elle était devenue végétarienne, mais parce que sa bourse d'études et son job à temps partiel dans une librairie ne lui permettaient pas de s'offrir de la bonne viande. Après tant d'années, son estomac serait-il encore capable de digérer un steak, surtout si, comme c'était probable, la conversation devait tourner principalement autour de James ?

Elle songea à demander si les affaires des Montgomery marchaient bien, mais elle eut peur que Trevor interprète mal sa question. Elle n'attendait de lui aucune aide financière. Il lui avait donné ce qu'elle espérait de lui : un emploi.

Le restaurant, qui n'était qu'à dix minutes de chez elle, devait être récent, car Julie n'en avait aucun souvenir. Doté d'une vue imprenable sur la vallée, l'établissement semblait très élégant avec nappes blanches, chandeliers et fleurs qu'elle aperçut par la façade vitrée. Un restaurant de grande classe dont les tables paraissaient être déjà toutes occupées.

— Nous allons sans doute devoir patienter, dit-elle.

Trevor l'aida à sortir du SUV et secoua la tête.

— Il y a toujours un box réservé pour mon père.

Ah, c'était donc ainsi qu'on vivait dans ce monde-là, songea Julie.

Malgré l'angoisse qui l'étreignait à l'idée de dîner avec Trevor, la bonne odeur de viande grillée la fit saliver. Un steak accompagné d'un verre de vin rouge, de pommes de terre au four, d'une salade du jardin et de pain frais lui apparaissait pour le moment comme le meilleur repas du monde.

Mais lorsque Trevor la guida vers l'entrée du restaurant en posant sa grande main chaude au creux de ses reins, le frisson qui la traversa l'amena à se demander si elle allait pouvoir avaler la moindre bouchée.

Trevor servit un second verre de vin à Julie car il avait noté qu'elle avait apprécié le premier. En fait, elle semblait tout apprécier, ce soir.

Dans le box situé dans un coin tranquille de la salle, la lueur des bougies et une musique douce en fond sonore créaient une ambiance apaisante et raffinée, comme l'avait voulu le propriétaire du Rustler's Hideaway. Le chef cuisinier et sa femme avaient quitté New York pour une vie plus paisible dans le Wyoming dont la population, au dernier recensement, n'excédait pas cinq cent mille habitants.

Trevor avait prévu de parler de James durant la soirée, mais il tardait à aborder le sujet tant il prenait plaisir à regarder Julie dévorer son dîner. Il était fasciné par l'éclat de ses grands yeux et par son incroyable chevelure bouclée, si indisciplinée. Cependant, il restait prudent. Depuis que Kimberley l'avait rejeté, il avait pris soin de garder son cœur à bonne distance, une attitude qui lui réussissait, même si ce n'était pas le cas pour ses conquêtes. En se comportant ainsi, la vie lui était plus facile. Avec la maladie de son père et les responsabilités qu'il devait assumer au ranch et au cabinet médical, il avait déjà assez à faire sans s'encombrer d'une idylle romantique.

Julie lui laissant diriger la conversation, ils n'avaient parlé jusqu'à présent que de ses deux premières semaines passées au cabinet médical.

Comme ils avaient terminé leur faux-filet, le serveur apparut.

— Désirez-vous un dessert ou un café, docteur Montgomery ?

Trevor consulta Julie du regard.

— Pour moi, ce sera un décaféiné, dit-elle.

— Je prendrai la même chose, déclara Trevor.

Le serveur s'étant éloigné, Trevor décida d'aborder enfin le sujet qui lui tenait à cœur.

— Parle-moi de James. C'est un préadolescent, maintenant. Dis-moi ce qu'il aime. Ce qu'il fait. Dis-moi tout. D'abord, pourquoi est-il inscrit dans une école militaire ?

Il souffrait de ne rien savoir de ce gamin qui était sa chair et son sang.

Un bref instant, le regard de Julie se voila, puis il reprit son éclat.

— C'est un garçon génial, et je ne dis pas cela parce que je suis sa mère. Sincèrement, il est formidable.

Elle sourit.

— Intelligent, curieux, il est aussi très drôle. Il a un don pour imiter les gens. Et il est très bon en mathématiques. C'est un grand lecteur, il dévore tous les récits d'aventure. Que te dire d'autre ?

Elle leva les yeux vers le plafond, comme si elle réfléchissait.

— Il adore les jeux vidéo, reprit-elle. Il ne semble pas encore avoir trouvé son sport favori, mais il se débrouille plutôt bien dans n'importe quelle activité physique.

Croisant enfin son regard, Trevor éprouva quelque chose qu'il n'avait pas ressenti depuis l'âge de ses premiers rendez-vous. L'impression d'être amoureux.

Un constat qui le surprit… Mais pas vraiment.

— L'été dernier, mon ami Mark l'a envoyé camper dans une petite ferme à Malibu, dit-elle. Il y a passé deux semaines et, à son retour, il était très excité et ne cessait de parler de son séjour là-bas. Il avait adoré s'occuper des porcelets. Il m'a même raconté qu'il avait assisté à la naissance d'un poulain, ajouta-t-elle avec un rire léger. Il a trouvé ça à la fois violent et intéressant. Par ailleurs, tu seras content de savoir qu'il s'était pris d'affection pour tous les chevaux de la ferme.

— Alors, il faudra que je lui montre le ranch et peut-être même que je l'emmène faire une promenade à cheval. Sait-il monter ?

Elle marqua une hésitation.

— Il a déjà fait des sorties à cheval, mais pas souvent. Ecoute, je ne suis pas sûre que ce soit une bonne idée.

— De l'emmener au ranch ? De lui faire rencontrer son grand-père ?

Comment étaient-ils censés apprendre à se connaître, son fils et lui ? Julie le laisserait-elle seulement exprimer son point de vue ? Jusqu'à présent, il n'avait pas eu son mot à dire et cela lui restait encore sur le cœur.

— Ecoute, James traverse une période difficile, en ce moment, expliqua-t-elle. En septembre dernier, lorsqu'il a repris l'école, il était impatient de raconter à ses amis ce qu'il avait fait pendant l'été, mais ils se sont moqués de lui, le traitant de paysan. Après, James n'a plus jamais parlé de son séjour à la ferme, et il s'est mis à fréquenter une nouvelle bande de gamins, changeant sa façon de s'habiller et de se comporter.

Elle regarda Trevor en affichant l'air à la fois perdu et soucieux d'une mère désemparée. Il connaissait bien cette expression pour l'avoir vue chez sa propre mère lorsque lui-même était adolescent.

— Soudain, c'était devenu le jour et la nuit, reprit Julie. Et je n'avais rien vu venir. Un jour, il s'est fait arrêter pour vol à l'étalage et… C'est à ce moment-là que j'ai découvert d'autres choses et que j'ai décidé de le ramener à la maison.

A la maison. Trevor était content d'entendre ces mots dans la bouche de Julie. Cela voulait dire que, dans le Wyoming, elle se sentait chez elle. Une découverte qui le remplissait d'espoir sans qu'il sache vraiment pourquoi.

En voyant l'air pensif de Julie, il se demanda quelles étaient ces « autres choses » qu'elle avait découvertes à propos de James. Peut-être l'apprendrait-il lorsqu'il aurait fait la connaissance de son fils.

Son fils. Il était père. Et il ne connaissait pas son enfant. Il se résolut à poser la question qui pesait si lourd sur son cœur.

— Comment as-tu pu ne jamais me parler de ce garçon ? Peut-être pas au début, mais après ? Durant ces douze années ?

A cet instant, le serveur apporta le café, ce qui laissa un répit à Julie. Après avoir mis de la crème et du sucre dans sa tasse, elle braqua ses grands yeux sur lui.

— Qu'aurais-tu fait si tu avais appris que tu allais avoir un enfant avec une fille que tu connaissais à peine, et alors que tu commençais tes études de médecine ?

Il but une gorgée avant de répondre.

— Franchement, je ne sais pas ce que j'aurais fait à l'époque. Mais tu as eu douze ans pour me mettre au courant et tu as choisi de garder le silence. Je me dis que j'aurais pu faire ce qu'il fallait pour mon fils, quel que soit son âge.

— Faire ce qu'il fallait ? Tu veux dire épouser une femme que tu ne connaissais pas pour la seule raison qu'elle était enceinte de toi ? dit-elle d'une voix enrouée.

— C'est une façon un peu rude de résumer la situation.

— Mais c'est la vérité. Si, apprenant que j'allais avoir un bébé, tu t'étais cru obligé de m'épouser, tu aurais compromis ton avenir et tu aurais été malheureux. Après, les années passant, j'ignorais si tu étais marié, si tu avais des enfants. Et si tu m'avais épousée par devoir, je n'aurais jamais su si tu tenais vraiment à moi. Peut-être ne serais-je jamais devenue infirmière. Non, Trevor, cela n'aurait pas été une bonne chose.

— J'aurais aimé avoir au moins mon mot à dire, mais tu ne m'en as pas donné l'occasion.

Relevant le menton, les lèvres serrées, Julie ne dit rien. Pendant un moment, ils burent leur café en silence.

— J'aimerais rentrer chez moi, maintenant, Trevor.

Elle n'avait pas l'air fâchée, mais résignée. Bien qu'il ait encore des millions de questions à lui poser, il comprit qu'il lui faudrait attendre que Julie ait plus confiance en lui. Il leva la main pour appeler le serveur et demander l'addition.

— Je vais aux toilettes, dit Julie tandis que Trevor sortait son portefeuille de sa poche.

— D'accord. Je t'attends dans le hall.

Le trajet du retour s'effectua dans un silence pesant. Heureusement, il ne dura que dix minutes, même s'il parut beaucoup plus long à Trevor.

Arrivant devant la maison de Julie, il vit qu'aucune lumière ne brillait à l'extérieur lui permettant de rentrer chez elle en toute sécurité et décida de la raccompagner. Après avoir coupé le moteur, il sortit du SUV pour ouvrir la portière de sa passagère et l'aider à descendre du véhicule.

Comme il la prenait par le bras, il la sentit se raidir. Visiblement, elle n'appréciait pas l'attention qu'il lui manifestait. Pourtant, lorsqu'elle buta sur quelque chose dans le chemin et qu'il l'aida à retrouver son équilibre, il l'entendit lâcher un « merci » du bout des lèvres.

Il attendit pendant qu'elle cherchait sa clé dans son sac. Elle ouvrit la porte et appuya sur le commutateur qui actionnait l'éclairage de la véranda. Ebloui par la lumière, Trevor cligna des yeux.

— Je te remercie pour ce dîner, Trevor. Et aussi pour m'avoir donné ce job.

Il ne voulait pas en rester là. Il était plus décidé que jamais à lui dire exactement ce qu'il avait en tête. Il y réfléchissait depuis deux semaines.

— Je t'en prie, Julie, accorde-moi encore une minute. Je voudrais que tu écoutes ce que j'ai à te dire.

Elle lui lança un regard suspicieux, mais ne protesta pas.

— Je veux que tu saches plusieurs choses, reprit-il. La première, c'est que j'ai le plus grand respect pour toi en tant qu'infirmière praticienne. La façon dont tu as tout assimilé pendant ces deux semaines est vraiment remarquable. Et sache aussi que, jusqu'au moment où l'ambiance s'est détériorée, au restaurant, j'ai beaucoup apprécié ce dîner avec toi. C'est génial de te revoir après toutes ces années, d'en apprendre un peu plus sur ta vie. En tout cas, je trouve que tu es une femme exceptionnelle.

Elle leva une main dans un geste de protestation. Sans doute en faisait-il un peu trop, mais qu'importe ! Il était résolu à lui dire les choses telles qu'il les ressentait. Par ailleurs, lorsqu'il l'avait attendue dans le hall du restaurant, à la fin du dîner, il avait pris une décision qui la concernait, elle, et non plus seulement James. Ce soir, il ne la quitterait pas avant de lui en avoir parlé.

— Ecoute, sans doute n'est-ce pas très judicieux de ma part de sortir avec l'une de mes salariées, mais j'aimerais vraiment que l'on refasse cela de temps en temps. Il ne s'agit pas d'un rendez-vous amoureux, mais d'une sortie entre collègues. Je souhaiterais mieux te connaître, et en apprendre davantage sur James.

Julie voulut intervenir, mais il l'en empêcha d'un geste de la main. Il ne voulait pas être interrompu avant d'avoir tout dit.

— Je te laisserai décider du moment où je pourrai rencontrer mon fils, si toutefois tu m'autorises à faire sa connaissance. Je respecterai ta décision, quelle qu'elle soit, même si elle doit me faire souffrir. Garde seulement à l'esprit que je veux le rencontrer, et aussi qu'il sache que je suis son père. Je veux établir un lien avec lui.

Il posa sa main sur celle de Julie qui n'avait pas lâché la poignée de la porte. Il voulait la forcer à le regarder droit dans les yeux avant de lui annoncer la décision qu'il avait prise au restaurant.

— Je voudrais aussi avoir une chance de réparer le mauvais départ que nous avons pris, toi et moi, il y a treize ans. J'étais très attiré par toi, à l'époque, et maintenant que je te connais mieux, tu m'attires toujours. Il ne s'agit pas seulement d'une attirance physique, c'est toute ta personne que j'apprécie.

Il voulait lui faire comprendre qu'il ne cherchait pas à la draguer. Il avait vraiment envie de la connaître, *elle*, de découvrir la femme qu'elle était devenue. Il n'exigerait rien de plus de sa part. Si Julie préférait n'avoir avec lui que des liens professionnels, il s'y résignerait, mais ne pouvaient-ils pas être aussi des amis ? Cela lui paraissait logique, et aussi sans danger, pour l'un comme pour l'autre. Pourtant, en la voyant ce soir sous ce ciel étoilé et…

— Si je t'ai parlé de notre fils, Trevor, c'est parce que je me sentais obligée de le faire pour lui. Je l'ai mis dans une école militaire parce que je crois qu'il a besoin d'avoir des modèles masculins. Je ne sais pas encore quand il me semblera que le moment est venu de vous présenter l'un à l'autre, mais je pense comme toi que tu mérites d'avoir une chance de le rencontrer. Je ne peux pas garantir ce qui se passera ensuite.

— Cela me paraît raisonnable.

Au moins était-ce un début.

— Mais je suis beaucoup plus hésitante en ce qui concerne le reste de ta proposition.

Il fit la grimace.

— Le mot est peut-être mal choisi.

— Tu as compris ce que je voulais dire, Trevor. Je ne suis pas sûre que ce soit une bonne idée de sortir ensemble.

— De nous donner des rendez-vous ?

— Est-ce vraiment ce que tu as envie de faire ?

— Pour être franc, je ne sais pas ce que je veux.

— Nous sommes pratiquement des étrangers l'un pour l'autre.

— Je le pense aussi, alors faisons en sorte que ce ne soit plus le cas.

— C'est un peu trop simple pour moi, dit-elle avec un sourire mitigé.

— Moi, j'aime que les choses soient simples.

Surtout quand il s'agissait des femmes. Avant tout, pas de complications. Pourtant, en regardant Julie, il ne savait plus très bien où il en était. S'il ne voulait pas s'engager dans une relation avec une femme, pourquoi faisait-il une exception pour elle ?

Eh bien, Montgomery, peut-être parce qu'elle est la mère de ton fils.

Elle lui lança un regard angoissé.

— Je ne peux pas me permettre de perdre mon job.

— Je le sais, et je te promets que le fait de nous voir et de sortir ensemble en tant que collègues et amis potentiels n'aura aucune incidence sur ton emploi. Je te demande juste de me donner une chance étant donné que je suis le père de ton fils.

Un long silence plana pendant lequel Julie mordilla nerveusement sa lèvre inférieure en jouant avec ses clés. Trevor retenait son souffle.

— C'est sans doute la chose la plus stupide que j'aie jamais faite, même si, en fait, la plus stupide de toute ma vie ce fut de tomber enceinte à dix-sept ans… Mais c'est d'accord.

La façon dont elle avait dit cela rappela à Trevor le soir où elle l'avait invité à danser : « Tu veux danser avec moi ? » Il se rappela avoir pensé alors : *C'est sans doute la chose la plus stupide que j'aie jamais faite, mais…*

Assailli par ses souvenirs, il oublia les limites qu'il s'était fixées — entre Julie et lui, il n'y aurait rien de plus qu'une amitié — et, se penchant vers elle, il déposa un bref baiser sur ses lèvres.

Un baiser chaste qui pourtant le surprit. Les lèvres de Julie étaient si douces, et elle n'avait manifesté aucune résistance. Une bouffée de tendresse avait alors submergé Trevor qui pensait, depuis le jour où Kimberley l'avait laissé tomber, ne plus pouvoir en éprouver.

Ce baiser était comme un retour dans le passé.

Il s'écarta de Julie. En la voyant les yeux clos, une expression douce et rêveuse sur son visage éclairé par la lumière de la véranda, il se souvint du premier baiser qu'ils avaient échangé, par une nuit d'été, treize ans auparavant.

— Bonne nuit, dit-il d'une voix rauque.

Elle ouvrit les paupières.

— Bonne nuit.

— Je te verrai lundi.

— Je serai là.

Il fit quelques pas dans le chemin puis il s'arrêta net et se retourna.

— Tu sais, je me rappelle encore la façon dont nous nous sommes embrassés, la toute première fois. C'est resté gravé ici, ajouta-t-il en pointant son index sur sa tempe.

Elle secoua la tête en esquissant un sourire incrédule,

mais il était clair que ce qu'il venait de dire lui faisait plaisir. Il se demanda si, elle aussi, se rappelait leur premier baiser.

Lui adressant un dernier sourire, il regagna sa voiture, tout en songeant qu'il n'avait pas été tout à fait honnête avec elle. Oui, il se rappelait très bien leur premier baiser, mais il ne pouvait pas laisser Julie Sterling lui faire perdre de nouveau la tête. Elle avait raison, c'était stupide de leur part de sortir ensemble, même s'ils prétendaient n'être que des collègues et des amis, et il le lui dirait dès lundi.

Soupirant, il se glissa derrière son volant. Le retour de Julie accompagnée d'un fils dont il avait jusque-là ignoré l'existence le plongeait dans une situation extrêmement compliquée… Le plus difficile pour lui étant de savoir ce qu'il était censé faire, à présent.

4.

Lorsque Trevor l'avait embrassée, Julie s'était sentie prise de vertige. Après son départ, elle resta un moment sous la galerie, écoutant la voiture s'éloigner, avant de se décider à rentrer dans la maison.

Trevor voulait qu'ils sortent ensemble, comme des collègues, en amis. Qu'est-ce que cela voulait dire ? Elle n'était pas favorable à cette idée. S'il avait pris cette décision, c'était sans doute parce qu'il éprouvait de la culpabilité et qu'il voulait réparer ses torts, ce qu'elle avait toujours redouté. S'il souhaitait la fréquenter, ce n'était pas pour elle, mais pour le bien de James.

Elle ne l'empêcherait pas de voir son fils lorsque le moment serait venu, mais elle resterait à l'écart. Si Trevor s'imaginait qu'ils formaient une famille, il se trompait.

Elle alla dans la cuisine où elle se servit un verre d'eau qu'elle but devant l'évier, en regardant les grands pins du jardin à travers la fenêtre. S'installer dans la maison de ses parents n'avait pas été facile pour elle. Elle avait donné la plupart des meubles à la boutique de récupération de la ville, ne conservant que quelques pièces qu'elle avait toujours aimées, comme le gros buffet en chêne de la salle à manger, et le bureau en merisier de son père. Il y avait aussi ce tableau qu'affectionnait sa mère et qui, prétendait celle-ci, aurait un jour une grande valeur. Ce n'était pas pour cette raison que Julie l'avait gardé, mais parce qu'elle en aimait les couleurs et que son sujet — une grande prairie de l'Ouest — exprimait une solitude qui la touchait. Chaque fois qu'elle regardait cette toile, elle croyait sentir sur ses joues le souffle chaud d'une brise d'été.

Lorsqu'elle avait annoncé à sa mère qu'elle était enceinte, on aurait cru que c'était la fin du monde. Sa mère avait fondu en larmes et, secouée par les sanglots, elle avait murmuré que Julie n'avait plus d'avenir. Cette grossesse ruinait tous les projets qu'elle et son mari avaient conçus pour leur fille.

Comme à son habitude, Cynthia Sterling s'était rapidement ressaisie. « Débarrasse-toi de cet enfant, avait-elle dit. Termine tes études comme nous l'avons prévu. Nous pouvons faire en sorte que tu oublies cette histoire et que tu continues d'avancer dans la vie. »

Voyant que Julie lui tenait tête et refusait de suivre ses conseils, elle était devenue très dure.

« Que vas-tu faire ? Dire aux Montgomery que tu veux ruiner la vie de leur fils ? Sois certaine qu'ils t'accuseront de vouloir profiter de la fortune de leur famille. Ils répandront plein d'horreurs sur toi et tu regretteras de les avoir mis au courant. »

Chaque fois que Julie repensait à ces moments-là, la douleur l'étreignait. Heureusement que sa tante Janet, qui vivait en Californie, avait vu les choses autrement. Elle avait réussi à convaincre Andrew et Cynthia, sa sœur, de laisser leur fille venir vivre chez elle le temps de sa grossesse. Ils avaient accepté, gardant l'espoir qu'à la naissance du bébé Julie choisirait de le faire adopter et de continuer ses études dans un collège universitaire du Colorado comme si de rien n'était.

Erreur !

Julie avait aimé son bébé dès qu'elle avait vu la première échographie, et tante Janet s'était immédiatement attachée à James, elle aussi. C'était grâce à elle et à son aide que Julie avait pu traverser les moments difficiles de sa vie de jeune maman, ses parents se contentant d'envoyer de temps en temps un peu d'argent.

Elle avait accouché en mai et avait repris ses études à temps partiel en septembre. Elle avait eu le cœur brisé de laisser son bébé à la crèche, mais le programme dans lequel elle s'était inscrite proposait la gratuité de ce mode de garde. Comment aurait-elle pu refuser cette solution ? Le semestre suivant, elle avait doublé le nombre de ses unités et, impressionnée par la qualité des soins qu'elle avait reçus pendant sa grossesse, durant l'accouchement et, ensuite, dans le suivi pédiatrique, elle avait décidé de devenir infirmière.

Elle avait trouvé un travail à temps partiel dans une librairie et décroché quelques bourses offertes aux étudiantes qui avaient un bébé, mais c'était sa tante qui lui avait assuré une vraie sécurité financière. Sachant que, chez Janet, elle aurait toujours le gîte et le couvert, Julie avait eu l'esprit libre pour découvrir les joies et les frustrations liées à la maternité. Sa tante, qui avait accepté d'être la marraine de James, et elle étaient restées très proches l'une de l'autre au fil des années. C'était elle que Julie avait appelée lorsqu'elle avait appris que son fils venait d'être arrêté pour vol à l'étalage. Ensuite, elles s'étaient mutuellement soutenues lorsque s'était produit ce terrible accident de la route dans lequel les parents de Julie avaient trouvé la mort. Au moment où elle avait touché l'argent qu'ils lui laissaient, elle avait tenu à en donner la moitié à sa tante afin de la rembourser de tout ce qu'elle avait dépensé pour elle et pour James.

Julie alla s'asseoir à la table de la cuisine. Comme la vie semblait simple, autrefois, lorsqu'elle vivait dans cette maison ! Aujourd'hui, c'était tout le contraire.

En songeant à ses parents, elle sentit les larmes monter à ses yeux. Elle leur pardonnait les décisions brutales qu'ils avaient voulu lui imposer — sans succès. « C'est pour ton bien », avaient-ils répété, mais ces mots avaient creusé un fossé entre eux. Julie ne leur avait plus jamais fait confiance.

Maintenant, elle se trouvait face au même problème avec son fils. Qu'est-ce qui était le mieux pour James ? Rencontrer son père ? Au risque de creuser un fossé entre elle et son enfant ?

Elle se rendit dans la salle de bains afin de se préparer pour la nuit mais, lorsqu'elle se glissa entre les draps, le sommeil ne vint pas.

La soirée qu'elle venait de passer avec Trevor avait ravivé le souvenir de cette nuit d'été qui avait changé sa vie.

Elle avait mûri, depuis. Elle avait su tenir tête à ses

parents, obtenu son diplôme d'infirmière, puis était devenue infirmière praticienne et sage-femme. Mais sa plus grande réussite, c'était son fils.

Son fils qui avait besoin d'un homme pour le guider dans la vie, et dont le père vivait à seulement cent cinquante kilomètres de l'école militaire.

Cette nuit, elle aurait bien du mal à trouver le sommeil.

Le lundi matin, Julie se faufila dans son bureau en évitant de croiser Trevor et commença immédiatement ses consultations. Après avoir vu deux patients dont l'un avait la grippe et l'autre une sérieuse bronchite, elle entra dans la salle d'examens suivante pour s'occuper d'Alex Bronson.

Agé de trente-cinq ans, du genre costaud, il travaillait comme vacher, un travail pénible et exigeant, fait par tous les temps, qui entraînait un vieillissement prématuré.

— Bonjour, dit Julie. Qu'est-ce qui vous amène, aujourd'hui ?

Elle connaissait déjà la réponse, mais elle voulait entendre Alex lui exposer la situation.

— J'ai un chancre qui me fait souffrir et aussi un mal de gorge depuis plus de quinze jours.

Julie l'examina et découvrit quelques grosseurs sur le côté droit de son cou et sous la mâchoire. Lorsqu'elle lui fit ouvrir la bouche pour regarder sa gorge, elle fronça les sourcils. Une leucoplasie.

— Depuis quand avez-vous mal dans la bouche ?

— Oh ! ça ? C'est simplement le chancre dont je vous ai parlé. Cela a commencé un peu avant que je m'enrhume.

— Vous avez eu un rhume ?

— En fait, pas un rhume habituel, mais je ne me sentais pas bien et, comme je vous ai dit, ma gorge me faisait mal. Cela remonte à un mois environ.

— Vous fumez ?

— Non, madame.

— Vous chiquez ?

Elle savait déjà ce qu'il allait répondre car elle avait vu l'état de ses dents.

— Oui, un peu.

La douleur provoquée par le chancre qu'Alex semblait prendre à la légère inquiétait Julie. Surtout parce que le patient ne montrait aucun symptôme d'un rhume, mais il avait de gros ganglions et les muqueuses enflammées. Ce qui la préoccupait le plus, c'était la plaque blanche qu'elle avait vue au fond de la gorge. Elle craignait qu'il ne s'agisse d'un cancer, mais elle ne voulait pas paniquer cet homme qui donnait par ailleurs l'impression d'être en bonne santé.

— Par sécurité, je vais vous prescrire des antibiotiques, mais je voudrais aussi que vous alliez consulter un ORL à Laramie, dit-elle.

Alex haussa les sourcils.

— Un ORL ? Pourquoi ? Ce n'est qu'un rhume.

— Un rhume ne dure pas plus de huit à dix jours et votre mal de gorge devrait avoir disparu, à présent. En fait, ce qui me préoccupe, ce sont des taches que j'ai vues dans votre bouche. Comme vous chiquez, nous ne saurions être trop prudents.

Elle ouvrit un placard et trouva ce qu'elle cherchait.

— Me permettez-vous de faire un prélèvement dans votre bouche ? demanda-t-elle.

— Pour quoi faire ?

— Je vais prendre quelques cellules en surface et envoyer l'échantillon au laboratoire pour vérifier s'il y a ou non des anomalies. Ouvrez la bouche, s'il vous plaît.

Après avoir effectué le prélèvement, Julie s'installa devant son ordinateur afin de demander à l'ORL de Laramie un rendez-vous en urgence pour son patient. Après avoir envoyé son message, elle se tourna vers Alex.

— Pendant que j'attends la réponse, je voudrais que vous vous soumettiez à quelques examens supplémentaires, dit-elle.

Elle utilisa l'interphone pour demander à Charlotte de venir. Alex était en train de remettre sa chemise lorsque l'infirmière apparut.

— Pouvez-vous emmener M. Bronson pour lui faire une prise de sang, et ensuite une radiographie du thorax ?

— Bien sûr, dit Charlotte.

— Et pouvez-vous aussi mettre ceci sur le plateau des échantillons à envoyer au laboratoire d'analyses ?

Julie lui tendit une partie du prélèvement qu'elle venait de faire et qu'elle avait placée dans une petite boîte portant le nom du patient.

Tandis que Charlotte emmenait le patient, Julie aperçut Trevor. Il se tenait devant son bureau, lisant une lettre. Franchement, il exagérait ! Comment pouvait-on être aussi sexy ? Visiblement, il ne s'était pas rasé de tout le week-end et cette barbe de trois jours le rendait encore plus séduisant. Il portait une veste bleu marine sur une chemise en coton à petits carreaux bleus et bruns. Comme il avait roulé ses manches jusqu'aux coudes, on pouvait voir le bronzage de ses bras et la grosse montre en argent qui ornait son poignet. Julie adorait ce style chez un homme. Trevor avait opté pour un jean qui mettait en valeur ses longues jambes et, pour changer, il avait troqué ses bottes habituelles contre des chaussures en cuir marron.

Julie se rappela leur baiser, et la panique la saisit. Elle ne pouvait pas rester là, à le dévorer des yeux. Retournant dans la salle d'examens, elle prépara un second échantillon du prélèvement auquel elle avait procédé sur Alex. Après quoi, elle courut presque jusqu'au laboratoire à la recherche des colorants spécifiques dont elle avait besoin pour analyser les cellules. Elle prit un flacon de toluidine, un colorant bleu, et en versa quelques gouttes sur l'échantillon en veillant à ce que celui-ci soit bien imprégné. Après avoir évacué l'excès de toluidine, elle recouvrit délicatement l'échantillon d'une fine enveloppe et, le tenant à la main, se dirigea vers le bureau de Trevor.

Elle frappa, bien que la porte fût ouverte.

Il était assis derrière sa table de travail et triait son courrier. Levant les yeux, il lui sourit.

— Hé, bonjour. Tu as été très occupée, aujourd'hui.

Visiblement, il était heureux de la voir.

— En effet. Je me demandais si tu accepterais de jeter un coup d'œil à un échantillon que j'ai prélevé ce matin sur Alex Bronson. L'état de sa bouche m'inquiète.

Trevor tourna sa chaise vers le microscope posé sur un coin de son bureau et fit signe à Julie d'approcher.

— Voyons cela. Tu as envoyé un échantillon au laboratoire central ?

— Bien sûr. J'ai aussi demandé un rendez-vous à l'ORL de Laramie pour Alex. J'ai un mauvais pressentiment.

Trevor prit l'échantillon pour le placer sous l'objectif du microscope. Il l'examina en silence, puis, se focalisant sur une zone, il augmenta le grossissement.

— Cela ne me dit rien qui vaille, commenta-t-il.

Il s'écarta pour laisser la place à Julie et ce qu'elle vit l'inquiéta. Le colorant avait mis en évidence plusieurs noyaux de cellules de forme anormale. Elles seraient identifiées lors de l'analyse en laboratoire, mais pour Julie il n'y avait guère de doute : un cancer de la bouche semblait plus que probable.

— Oh ! non ! murmura-t-elle.

— Depuis des années, je ne cesse de dire à Alex d'arrêter de chiquer. J'ai fait aussi beaucoup de conférences pour informer les gens des dangers de cette pratique, mais on dirait que cela ne sert à rien de les mettre en garde tant ces cow-boys ont la tête dure.

— J'imagine que nous n'avons plus qu'à attendre et voir comment tout cela évolue. Je vais aller regarder si j'ai reçu un message concernant le rendez-vous que j'ai demandé en urgence pour Alex. Je ne voudrais pas qu'il quitte le cabinet aujourd'hui sans que la date soit fixée.

— Tu as fait du bon travail, Julie.

Elle lut dans les yeux de Trevor de la sincérité, de l'admiration, et aussi autre chose qu'elle n'osait pas nommer.

— Merci, murmura-t-elle.

Elle quitta le bureau, encore troublée par le parfum d'eau de Cologne de Trevor qui lui avait empli les narines lorsque, tout près de lui, elle avait examiné l'échantillon.

Après une matinée bien chargée, Trevor reçut un appel téléphonique d'une de ses patientes. Francine Jardine, enceinte de son troisième enfant, lui annonça que le travail était commencé et qu'elle n'avait plus le temps de se rendre à l'hôpital de Laramie. Il raccrocha et prévint Rita.

— Annulez tous mes rendez-vous de l'après-midi, je dois aller faire un accouchement à domicile.

Lorsqu'il arriva chez Francine, il l'examina rapidement et téléphona ensuite à Julie.

— J'ai besoin de toi chez les Jardine, dit-il. C'est urgent. Le col est complètement dilaté et le bébé est en position transverse. Nous devons le tourner.

— J'arrive. Où habite ta patiente ?

— Charlotte te donnera toutes les indications nécessaires. Je dois retourner auprès d'elle.

Peut-être serait-il obligé de procéder à une césarienne dans cette maison avant la fin de la journée si Julie et lui ne parvenaient pas à mettre le bébé la tête en bas.

Un quart d'heure et six contractions plus tard, Julie arriva, apportant avec elle du matériel et des médicaments destinés à détendre Francine. Elle avait aussi pris une réserve d'oxygène portable qu'elle donna par voie nasale à la patiente.

— As-tu déjà dû mettre un bébé dans la bonne position ? demanda Trevor.

— J'ai eu deux cas où l'enfant ne s'était pas retourné. Nous avons ralenti le travail afin d'avoir le temps de transporter la patiente à l'hôpital pour qu'elle subisse une césarienne. Mais j'ai aussi réussi à plusieurs reprises à opérer un retournement interne.

— Très bien. J'espère qu'à nous deux nous parviendrons à réussir cette manœuvre. Mais moi, j'ai de grosses mains de rancher, qui sont parfaites pour faire naître des veaux… Alors, écoute, même si le col est complètement dilaté, je crois que tes mains seront plus adaptées que les miennes pour manipuler ce bébé.

Julie acquiesça. Trevor vit une certaine tension dans son regard, mais il savait que, dans de telles circonstances, il ne pouvait avoir de meilleure aide que la sienne.

— Mais si c'est nécessaire, je ferai une césarienne sur place parce qu'il nous serait impossible d'arriver à temps à l'hôpital de Laramie, reprit-il.

Après avoir expliqué à Francine ce qui allait se passer, Julie l'examina puis elle commença à manipuler la tête du bébé pour l'amener en position basse.

La manœuvre parut durer une éternité mais, grâce à Francine qui se montrait très coopérative, Julie finit par engager la tête de l'enfant dans la bonne position. Quarante minutes plus tard, Trevor accueillait le bébé dans ses mains.

— C'est une fille ! dit-il en donnant le nouveau-né à Julie.

Inondée de sueur et paraissant épuisée, Francine Jardine sourit.

— Cette petite sera aussi têtue que moi, dit-elle tandis que Julie lui posait le bébé sur la poitrine avant de couper le cordon ombilical.

Trevor regardait les deux femmes, se demandant si Julie avait eu cette même expression d'amour inconditionnel sur le visage lorsqu'elle avait tenu James pour la première fois dans ses bras. Qui l'avait accompagnée pendant son accouchement ? S'était-elle retrouvée toute seule ?

Il sentit son cœur se serrer comme chaque fois qu'il songeait à son fils et à Julie. Tandis qu'il rangeait dans un gros sac en plastique tous les instruments qu'il avait utilisés, il ne put s'empêcher d'avoir des regrets. Si seulement il avait repris contact avec elle après la nuit qu'ils avaient passée ensemble…

Il respira un grand coup, remerciant le ciel de l'issue heureuse de cet accouchement, et aussi du retour de Julie dans sa vie.

— Les enfants de Mme Jardine vont bientôt rentrer de l'école, dit Julie. Je vais rester auprès d'elle, mais peut-être que Charlotte pourrait trouver quelqu'un pour garder les petits en attendant que leur père rentre à la maison et que la maman et le bébé fassent connaissance ?

— Excellente idée, commenta Trevor.

Il prit son portable et téléphona à Charlotte pendant que Julie et Francine s'extasiaient devant la dernière-née de la famille.

Tandis qu'il observait Julie, Trevor ressentit une bouffée de désir. Alors que le respect et l'admiration qu'il avait pour elle ne cessaient de grandir, il éprouvait aussi autre chose — un désir animal. Une pure attirance physique.

Ce n'était pas ce qui était censé se passer entre sa nouvelle employée et lui. Découvrir qu'il avait un fils avait été un choc violent auquel il n'était pas préparé, mais constater à présent qu'il était attiré par la mère de ce garçon n'était pas du tout bon signe. Depuis des années, ses relations avec les femmes n'étaient que physiques, et cela lui convenait parfaitement. Mais ce comportement était impossible avec une collègue, surtout quand c'était une amie.

Que son cœur et son corps soient ainsi attirés par Julie Sterling compromettait le scénario qu'il avait mis au point depuis longtemps déjà, et dans lequel les femmes ne devaient occuper qu'une position secondaire.

Il ne pouvait accepter que, maintenant, tout change.

5.

Le vendredi matin, Julie arriva au travail avec le sourire aux lèvres. La veille, elle avait eu James au téléphone et savait qu'elle pourrait le voir dimanche après quatre semaines de séparation. Elle était impatiente de le serrer dans ses bras. Il lui avait paru en forme, mais avait avoué qu'il souffrait du mal du pays. Dans l'intérêt de son fils, Julie savait qu'elle devait rester ferme et s'assurer qu'il terminerait le semestre.

Comme elle ouvrait son ordinateur, elle prit conscience qu'elle avait passé la semaine sans que Trevor ne lui propose un autre rendez-vous « qui n'en était pas un ». Elle entendait sa voix résonner dans le couloir tandis qu'il parlait au téléphone. Il avait l'air heureux.

Regardant son agenda, elle constata que sa journée allait être bien remplie. C'était ce qu'elle aimait : venir en aide aux patients, découvrir ce qui n'allait pas chez eux et trouver la meilleure façon de les soigner. Elle adorait son métier.

Merci, Trevor Montgomery, de m'avoir donné ce job.

Soudain, elle le vit apparaître dans l'encadrement de la porte.

— Salut, dit-il en souriant.

Elle lui rendit son sourire.

— Bonjour.

— Je viens d'avoir mon frère au téléphone. Te souviens-tu de Cole ?

Cole avait huit ans de plus qu'elle et, tout ce dont elle se souvenait, c'était que tout le monde parlait de ce garçon, à commencer par ses parents à elle.

« Regarde ça, Julie… » Son père ou sa mère lui montrait alors un article du journal local qui faisait état du dernier succès de Cole Montgomery : il venait de remporter le prix de géographie de l'Etat, ou bien il avait participé à la compétition nationale de décathlon des lycéens. Il avait été capitaine de l'équipe la seule et unique fois où le lycée de Cattleman Bluff avait gagné. Elle avait vu le trophée trôner dans une vitrine du hall du lycée où il devait encore se trouver aujourd'hui.

Elle se rappelait aussi quelque chose au sujet d'un accident qui s'était produit un été, durant le concours de rodéo des juniors.

— Qui ne connaît pas Cole ? Mais je ne l'ai jamais rencontré.

— Alors, tu vas en avoir l'occasion. Il vient faire un saut au ranch pour voir notre père. J'ai pensé que ce serait bien si tu dînais avec nous ce soir.

— Ce soir ?

Une fois de plus, Trevor la prenait au dépourvu, attendant la dernière minute pour lui proposer quelque chose.

— Je sais que je te préviens un peu tard, mais Cole vient juste de me mettre au courant de sa visite.

Ce devait être une habitude chez les Montgomery, pensa-t-elle.

— Ne préféreriez-vous pas rester en famille, tous les trois ?

Trevor se gratta la nuque.

— Cole et papa ont tendance à se chamailler et, pour être honnête, j'ai pensé que tu pourrais faire diversion. La présence d'une dame les obligera à bien se tenir.

Elle se mit à rire.

— Tu plaisantes !

— Tu dois me prendre pour un minable, reprit-il, l'air gêné. La vérité, c'est que j'ai voulu toute la semaine t'inviter à dîner, seulement je n'en ai jamais trouvé l'occasion.

— Alors, nous allons encore essayer de ne plus être des étrangers l'un pour l'autre ?

— Je crois que nous devrions, répondit-il d'un ton sincère.

Elle poussa un soupir. Comment résister à tant de charme ?

— Bon, qu'aurons-nous à ce dîner ?

Trevor afficha un grand sourire.

— Je n'en ai pas la moindre idée, mais sois assurée que

Gretchen préparera un petit plat spécial en l'honneur de l'aîné des fils Montgomery, son chouchou.

Quel effet cela faisait-il d'être moins aimé que son frère ? se demanda Julie. Fille unique, elle ignorait ce genre de problème.

— Qui est Gretchen ?

— Elle est devenue notre cuisinière lorsque maman est tombée malade, il y a des années de cela. Elle était déjà âgée, à l'époque, alors, maintenant, elle doit approcher des soixante-dix ans. J'espère qu'elle ne va pas se tuer au travail pour Cole et moi.

Il avait dit cela comme une plaisanterie, mais avec une pointe d'inquiétude dans la voix.

— Elle adore cuisiner, et tu as intérêt, ce soir, à finir ton assiette ! ajouta-t-il.

A cet instant, Charlotte arriva presque en courant.

— Docteur Montgomery ! Alan Lightfoot, qui travaille au ranch, est arrivé avec une vilaine coupure. Je crois qu'il faut le suturer.

Julie s'organisa rapidement avec Trevor pour la soirée, insistant pour se rendre au ranch avec sa propre voiture. Après quoi, Trevor se rua dans la salle d'examens où attendait son nouveau patient. Décidément, ce vendredi était aussi chargé que l'avait été le reste de la semaine.

En allant elle aussi à la rencontre de son premier patient, Julie se demanda pourquoi elle avait l'estomac noué à la perspective de se rendre à un dîner qui n'aurait lieu que dans plusieurs heures. La question qui la préoccupait le plus, c'était de comprendre pourquoi Trevor avait insisté pour qu'elle rencontre sa famille.

En sortant de la ville en cette soirée du mois de mars où les jours étaient encore courts, Julie continua de rouler doucement, se fiant au GPS qu'elle avait installé dans sa petite voiture. Au milieu de ces plaines qui semblaient s'étendre à l'infini, il était très facile de se perdre. Si l'on s'engageait sur la mauvaise route, on risquait d'errer très longtemps avant de retrouver son chemin… si toutefois on y parvenait.

Au moment où elle commençait à croire qu'elle avait raté le bon embranchement, elle aperçut à l'entrée d'une longue route sinueuse un panneau indiquant « Circle M Ranch ». Elle poussa un soupir de soulagement puis respira à fond pour essayer de chasser la peur qui s'emparait d'elle à l'idée de voir bientôt Trevor dans son cadre de vie. Sans compter qu'elle allait faire la connaissance de son père et de son frère.

— Détends-toi, Sterling…, murmura-t-elle. Ce n'est pas comme si Trevor comptait annoncer ce soir à son père qu'il venait de découvrir qu'il avait un fils.

Du moins l'espérait-elle.

Elle roula encore un long moment avant d'apercevoir au loin, à la sortie d'un virage, une imposante demeure, un ranch devant lequel s'étendait du faux gazon bordé d'arbres. De l'autre côté de l'allée pavée, un peu à l'écart, se dressaient une grange et des écuries. L'ensemble était parfaitement éclairé par des projecteurs disposés dans la cour.

En approchant, elle remarqua un jeu de couleurs intéressant sur la façade de bois de la maison. Au premier abord, celle-ci semblait plus rouge que brune, comme les granges d'autrefois, mais, en y regardant de plus près, le bois paraissait naturellement délavé, avec des touches de rouge, de brun, de jaune et même de vert à certains endroits. Julie se demanda si c'était là un effet des projecteurs.

Un silo recouvert du même bois vieilli se trouvait au centre de l'immense ranch, donnant l'impression qu'il avait été bâti autour de lui. Tout au bout de la bâtisse, le toit était rehaussé, laissant la place à un étage.

Le souffle coupé, Julie était impatiente de découvrir l'intérieur.

Trevor avait dû la voir arriver car, avant qu'elle ait fini de garer sa voiture, il apparut sur le vaste perron et descendit les marches pour venir à sa rencontre.

— Je n'étais jamais venue dans cette partie de la ville lorsque je vivais ici, dit-elle en sortant de sa petite berline.

— Oui, nous sommes un peu loin de tout. Tu n'as pas eu trop de mal pour nous trouver ?

— Non, mais le panneau qui indique « Circle M Ranch » est un peu trompeur, dans la mesure où, lorsqu'on le voit, on est encore loin d'être arrivé.

Elle savait que les Montgomery possédaient des milliers d'hectares et de têtes de bétail, ce qui faisait leur notoriété dans tout le Wyoming, même si les deux fils de Monty avaient choisi la médecine plutôt que l'élevage.

— Entre, et viens te réchauffer. Papa est impatient de te rencontrer.

— Vraiment ?

Il la prit par le bras et la guida vers le perron.

— Mais oui ! Il savait que je t'avais embauchée. Et je dois dire que j'ai souvent vanté tes mérites depuis ton arrivée au cabinet médical.

Elle apprécia ce compliment sur ses compétences professionnelles.

— Merci.

Une fois à l'intérieur, comme Trevor l'aidait à se débarrasser de son manteau, elle remarqua que, ce soir, il arborait la parfaite tenue du cow-boy : jean, chemise écossaise bleue, ceinture en cuir repoussé marron foncé, bottes western. Il était vraiment dans son élément et Julie eut du mal à détourner les yeux de ce spectacle fascinant.

— Viens, je vais te présenter mon père et mon frère.

Il l'emmena dans le salon, une pièce immense avec une hauteur de plafond impressionnante. Une énorme cheminée en pierre occupait une bonne partie d'un des murs. Au fond de la salle, un petit escalier menait à une loggia qui abritait une bibliothèque.

— Papa, Cole, voici Julie Sterling, ma nouvelle infirmière praticienne.

— Ravi de faire votre connaissance, jeune dame, dit Tiberius Montgomery. Merci de me permettre de voir mon fils un peu plus souvent.

Notant qu'il s'appuyait sur une canne, Julie se demanda s'il lui arrivait encore de monter jusqu'à la bibliothèque.

— Je suis si contente de vous rencontrer, monsieur Montgomery, répondit-elle en serrant la main qu'il lui tendait.

— Je vous en prie, appelez-moi Monty, comme tout le monde.

Elle sourit. Si le vieil homme avait les cheveux argentés et le visage fatigué, l'éclat de ses yeux verts témoignait encore de sa vivacité et de son énergie.

Elle salua ensuite Cole. Légèrement plus grand que Trevor, il en imposait avec son visage aux traits volontaires qui donnaient l'image d'un homme de caractère. Ses épais cheveux noirs étaient coupés plus court que ceux de Trevor et il était vêtu avec l'élégance raffinée d'un citadin.

Ce fut à ce moment-là que Julie remarqua ses cicatrices. Cole en avait une sur chaque tempe et deux sur le front, au-dessus de chaque sourcil. Elle les identifia comme étant les marques laissées par le port d'une veste de halo, un dispositif dont on équipe les personnes souffrant de fractures des cervicales. Il y avait donc bien eu un accident. Etait-ce arrivé lors du rodéo des juniors ? Cela lui rappelait de vagues souvenirs.

— Ravie de vous rencontrer, dit-elle.

— Tout le plaisir est pour moi. Et merci de seconder mon frère. Il a beaucoup à faire, entre le ranch et le cabinet médical.

— Il est vrai que nous avons beaucoup de travail.

A cet instant, une femme à la silhouette trapue, avec des cheveux teints en roux, apparut dans l'ouverture en arceau qui donnait sur le silo.

— Le dîner est prêt, annonça-t-elle.

Avec son air sévère et ses grosses et solides chaussures, Gretchen, la cuisinière de la famille, donnait l'impression d'avoir la poigne nécessaire pour gérer une maison remplie d'hommes.

— Eh bien, allons-y, alors, dit Monty.

Pour gagner la salle à manger, ils traversèrent la partie arrondie de la maison correspondant au silo. Le parquet, les objets anciens évoquant l'Ouest, les tableaux accrochés au mur, tout, ici, donnait l'impression d'être dans un musée. Peut-être que la mère de Trevor avait été une artiste, se dit Julie.

Les délicieuses odeurs émanant de la cuisine changèrent le cours de ses pensées.

La salle à manger, une longue pièce rectangulaire, avait un côté constitué d'immenses baies vitrées. Ils prirent tous place à l'une des extrémités de la table rustique qui pouvait accueillir aisément une douzaine de convives.

Tandis que les plats se succédaient, la conversation roula sur divers sujets : le voyage de Cole, l'accident arrivé le matin même au vacher que Trevor avait soigné, la rééducation à domicile que Monty devait faire et qu'il détestait.

Julie comprit que, ces dernières années, le vieil homme avait eu plusieurs attaques, des accidents ischémiques temporaires. Rien d'étonnant à ce que Trevor se soit senti tenu de rester à Cattleman Bluff.

Derrière Monty, un tableau accroché au mur représentait le portrait d'une jolie femme, et Julie sut de qui Trevor et Cole tenaient leur épaisse chevelure noire. Ce portrait était certainement celui de leur mère qui avait du sang indien dans les veines.

Trevor avait dû remarquer l'attention qu'elle portait au tableau.

— C'est un autoportrait, dit-il.

— Est-ce ta mère ? C'était donc une artiste ?

— Oui.

— Alors, Julie, quel effet cela vous fait-il d'être revenue au pays ? demanda Monty, visiblement désireux de recentrer la conversation sur son invitée. Trevor m'a dit que vous aviez grandi à Cattleman Bluff.

— Je suis en train de me réadapter. J'ai vécu si longtemps en Californie que je suis devenue frileuse. J'ai l'impression d'avoir toujours froid, ici.

— Le printemps sera bientôt là, répliqua Monty en trempant un morceau de pain dans le jus de viande avant de l'avaler d'un air gourmand. Vous aurez plus chaud…

— Comment va le travail, Cole ? s'enquit Trevor alors que Julie lui passait un plat de carottes et de pommes de terre sautées.

— Tout se passe au mieux.

Les trois hommes semblaient apprécier la cuisine de Gretchen. Ils s'exprimaient par de courtes phrases pour profiter au maximum de ce délicieux et solide repas.

— Que faites-vous exactement ? demanda Julie.

— Je me suis attaqué à une nouvelle méthode non invasive qui permet de remplacer les valves mitrales en utilisant la même technique que l'angioplastie.

— Il est trop modeste, intervint Trevor. C'est lui qui a inventé cette méthode.

— Vous passez à travers l'artère de l'aine ? dit Julie.

Cole hocha la tête, trop occupé à mâcher un morceau de viande pour vouloir en dire davantage.

— Oui, intervint Trevor. Cole a acquis une grande renommée et, maintenant, il passe son temps dans les avions pour aller montrer aux autres médecins, à travers tout le pays, comment utiliser cette méthode.

— C'est extraordinaire…

Elle le pensait sincèrement. A cet instant, elle surprit dans le regard de Trevor une expression fugitive, peut-être un peu triste.

— Voyager tout le temps est assez pénible, mais si cela peut éviter à beaucoup de gens de subir des opérations cardiaques plus invasives, je suis content de le faire, dit Cole. Et, jusqu'à présent, je ne peux pas me plaindre car le taux de réussite a été spectaculaire.

— Je sais qu'un dîner n'est pas le meilleur moment pour parler de chirurgie, mais peut-être voudrez-vous m'expliquer plus tard comment vous procédez au changement d'une valve mitrale défectueuse en passant par l'artère fémorale.

— J'en serais ravi, Julie.

Elle jeta un coup d'œil à Monty qui affichait un grand sourire. Il avait deux fils dont il pouvait être fier, mais il semblait accorder moins d'importance à la nature solide et fiable de Trevor qu'à la brillante personnalité de Cole.

Après le dîner, alors qu'ils quittaient la table, Cole expliqua sa technique à Julie qui la trouva fascinante. Elle fut quelque peu surprise d'entendre ensuite Trevor lui proposer d'aller prendre le café avec lui sur le perron, mais elle accepta.

Comme il l'aidait à enfiler son manteau, ils entendirent le ton monter entre Cole et Monty qui avaient commencé à discuter dans le salon.

— Viens t'asseoir dehors avec moi. Je vais allumer les lampes chauffantes du perron.

Trevor sourit en revoyant l'air étonné de Julie lorsqu'il lui avait fait cette proposition, sans guère lui laisser le choix, à vrai dire. S'asseoir dehors ? La nuit ? Avec ce froid ?

— Allez, viens. Tu apprécieras la fraîcheur de l'air après le copieux repas que nous a préparé Gretchen.

Elle avait accepté avec un petit sourire contraint et, à présent, ils étaient tous les deux installés dans de confortables fauteuils, protégés du froid par les lampes chauffantes disposées tout autour du perron.

— Alors, que penses-tu de mon frère aîné ? C'est un type formidable, non ?

— Absolument. Il s'est brisé les cervicales, n'est-ce pas ?

Le fait qu'elle ait compris, en voyant les cicatrices de Cole, à quoi elles étaient dues impressionna Trevor. Elle avait vraiment d'excellentes connaissances en médecine.

— Bien observé, commenta-t-il. Oui, il avait l'habitude de participer au rodéo des juniors, même si ma mère y était opposée. Il était très bon. Et puis, un jour, il a fait une mauvaise chute et s'est brisé les cervicales. Il a dû être opéré et porter une veste de halo orthopédique pendant trois mois. Il avait quinze ans et maman le traitait tout le temps comme s'il était l'une de ses fragiles tasses à thé.

Trevor se mit à rire en se rappelant les disputes enflammées qui avaient lieu à l'époque entre Cole et leur mère.

— C'est cet accident qui a décidé Cole à devenir médecin. Il était fasciné par tout ce qui se passait à l'hôpital. Malgré la gravité de l'accident, je pense que c'était l'un de ces événements majeurs qui changent la vie d'une personne.

Comme le jour où Julie lui avait révélé qu'il était père.

Il but une gorgée de café, heureux d'avoir de nouveau Julie auprès de lui. Mais quelles étaient ses intentions à l'égard de cette femme, la mère d'un fils qu'il n'avait encore jamais rencontré ? Il n'en savait rien. Pourtant, il devait prendre une décision.

— Tu sais, toi et moi, nous avons quelque chose en commun, dit-elle soudain.

— Vraiment ? Quoi donc ?

A part avoir fait un enfant ensemble, il ne voyait pas ce qu'ils pouvaient avoir en commun tous les deux.

— L'un comme l'autre, nous nous sommes retrouvés dans des situations où nos rêves ont été confrontés à une réalité qui nous a empêchés de les réaliser. Moi, je suis tombée enceinte. Et toi, voyant la santé de ton père décliner, tu es resté auprès de lui pendant que ton frère parcourait la planète, attirant toute l'attention sur lui.

Trevor pensait avoir surmonté le ressentiment qu'il avait eu envers son frère aîné en voyant celui-ci mener une vie passionnante et jouir d'une totale liberté. Pourtant, les commentaires de Julie réveillèrent en lui une bouffée de cette animosité dont il s'était cru débarrassé.

— Si je ne savais pas que tu disais vrai, je pourrais essayer de prétendre que ce n'est pas ça du tout. Que j'ai fait le choix de vivre ici et de reprendre le cabinet médical de la ville lorsque le vieux Dr Stewart est parti à la retraite.

— C'est la seconde chose que nous avons en commun. Nos parents nous ont transmis une maison, que nous ayons envie ou non de vivre ici.

Elle avala une gorgée de café, le regard perdu dans la nuit.

Ses parents à elle étaient morts dans un accident de voiture, songea-t-il. Quant à lui… Le cancer de sa mère avait été diagnostiqué alors qu'il poursuivait ses études à la faculté de médecine, et il avait dû alors modifier ses projets. Il rêvait de devenir chirurgien, mais il y avait renoncé, car cela l'aurait obligé à partir dans une grande ville, loin de sa mère qui entrait dans le stade terminal de sa maladie. Il avait donc opté pour la médecine générale, moins prestigieuse, certes, que la chirurgie, mais qui permettait de venir en aide à une multitude de gens. Il avait pu faire son internat non loin de chez lui et rentrer régulièrement à Cattleman Bluff pour être auprès de sa mère. Lorsque le Dr Stewart lui avait signalé qu'il prendrait sa retraite quand Trevor aurait terminé son internat, le chemin avait paru dès lors tout tracé. Il n'avait même pas eu de vraie décision à prendre.

Tandis que Cole se faisait un nom dans le domaine de la cardiologie, Trevor était resté auprès de sa mère durant les trois derniers mois qui lui restaient à vivre. Grâce à lui, elle avait même pu bénéficier d'une hospitalisation à domicile et terminer ses jours dans la maison qu'elle adorait.

Ces derniers moments passés avec elle étaient sans prix pour lui, même si son choix de devenir médecin généraliste lui avait fait perdre Kimberley, la femme avec qui il avait cru passer le reste de sa vie. A présent, c'était la santé défaillante de son père qui le retenait ici.

— Là encore, tu as raison, dit-il. La gestion du ranch représente un tel travail que notre contremaître et son équipe ne peuvent l'assumer seuls. Papa a besoin aussi de mon aide. Mais, en ce qui te concerne, je pensais que si tu étais revenue à Cattleman Bluff c'était surtout à cause de ton fils ?

Elle hocha la tête.

— Je m'étais déjà renseignée sur les écoles militaires en Californie, mais elles étaient beaucoup trop chères pour moi. Et puis, il y a eu l'accident de mes parents. La vie est vraiment bizarre, parfois.

Ils restèrent silencieux un moment, mais Trevor était sûr que Julie songeait à tout un tas de choses. Peut-être que, s'il se taisait, elle allait se confier à lui.

— Je peux dire aujourd'hui qu'avoir eu mon bébé si jeune, un bébé qui bouleversait tous mes plans, a été un vrai cadeau pour moi. Il a fallu que j'assume, et tu sais quoi ? Je ne regrette rien, bien au contraire. Même si cela a été difficile de devenir mère, de reprendre mes études, de plonger dans l'âge adulte et d'élever un fils, non, je ne regrette rien. Pour rien au monde je ne voudrais avoir vécu autre chose.

L'expression de bonheur et de fierté qui s'était peinte sur son visage laissa brusquement la place à un air sombre et à un froncement de sourcils qui trahissaient son changement d'humeur. Sans réfléchir, Trevor lui prit la main et la pressa dans la sienne.

Etait-ce à cause de ce geste ? Soudain, elle fondit en larmes, comme si le poids du monde était devenu trop lourd à porter. Ne sachant que faire, il garda le silence, prêt à l'écouter.

— Je doutais d'être une bonne mère et je me trouvais égoïste. Je n'ai pas connu beaucoup d'hommes car j'avais trop souvent entendu des histoires horribles où les hommes s'en prenaient aux enfants de leur petite amie. Cela me faisait peur, tu comprends ?

Oui, il la comprenait. Malheureusement, il connaissait la fréquence des cas de violence ou d'abus sexuels sur mineurs pour en avoir reçu les victimes dans son cabinet médical.

— James méritait d'avoir un homme qui s'intéresse vraiment à lui, poursuivit Julie. Mais il a eu des problèmes, et je me suis dit alors que quelqu'un aurait peut-être pu arranger cela.

Lui ? Si seulement il en avait eu la possibilité, mais la vie ne lui avait pas donné cette chance. Les choses s'étaient passées autrement.

— Je me sens coupable, je n'aurais pas dû le priver de son père.

Pour la première fois, elle le regarda droit dans les yeux.

— Je n'aurais pas dû te cacher sa naissance. Je suis désolée.

— Ecoute, Julie, nous sommes dans une drôle de situation, mais ça ne sert à rien de te faire des reproches.

Un vague souvenir lui revint à la mémoire. Julie n'avait-elle pas dit qu'elle fréquentait quelqu'un avant de revenir dans le Wyoming ?

— Ne m'as-tù pas parlé d'un type qui t'avait aidée à envoyer James dans un camp de vacances l'été dernier ?

Elle prit une longue inspiration.

— Oui. Nous sortions ensemble et cela s'est révélé être une grosse erreur. Je croyais avoir trouvé quelqu'un de bien. Mark était génial avec James et j'ai pensé que nous finirions peut-être par former une vraie famille.

Elle jeta un regard à Trevor puis détourna les yeux.

— Il m'a même demandé de l'épouser. Mais j'ai finalement découvert que si Mark m'avait aidée à payer le séjour de James c'était pour rester seul avec moi. Lorsque mon fils est rentré, Mark l'a pris à part pour lui expliquer comment les choses allaient se passer à l'avenir. Une fois que nous serions mariés, nous l'enverrions dans un internat parce que, lui a-t-il dit, je ne voulais plus l'avoir à la maison.

Elle ne put retenir ses larmes.

— James m'a raconté tout cela après avoir été arrêté pour vol à l'étalage. Le pauvre était dans tous ses états et j'ai voulu savoir ce qui l'avait poussé à commettre une telle action. C'est là que j'ai appris ce que Mark lui avait dit, les horreurs qu'il lui avait racontées.

Ses pleurs redoublèrent.

— Mon fils a cru que je ne l'aimais plus. J'ai tout gâché en me liant à un homme qui lui a fait du mal. Cela l'a poussé à faire des bêtises et, maintenant, il est loin de moi, dans un internat…

Trevor mourait d'envie de la consoler. Et il aurait voulu tordre le cou à ce Mark.

— Crois-moi, Julie, James ne pouvait pas avoir une meilleure mère que toi. Tu as pris la bonne décision en jetant ce sale type dehors et en revenant ici, chez toi. Ton fils sait que tu l'aimes.

Elle sourit à travers ses larmes.

— Je l'espère.

— Je le sais.

Trevor n'avait pas l'habitude de consoler les femmes, ni d'essayer de les connaître vraiment. Pas depuis que Kimberley l'avait rejeté. Mais le fait d'être assis là, près de Julie, réveillait en lui un sentiment qu'il avait cru à jamais disparu. Il n'aurait su dire si cela lui plaisait ou non, mais il était là, près d'elle, et elle méritait toute son attention.

Bon, s'il l'avait invitée à dîner ce soir pour lui faire rencontrer son père et son frère, ce n'était sûrement pas seulement dans le but de la revoir. Il pensait à son fils et à son envie de le connaître.

— Je suis un peu triste en t'entendant raconter toutes les épreuves que James a dû traverser. Je regrette de n'avoir pas eu la chance de tenir mon rôle de père auprès de lui, et j'aurais aimé que cela se passe autrement. Peut-être n'est-il pas trop tard ? Je souhaiterais rattraper le temps perdu. Me laisseras-tu essayer ?

Julie leva la tête. En un instant, son regard humide passa de l'effroi à l'espoir. Elle avala sa salive.

— Dimanche, l'école autorise les visites des familles. Veux-tu venir ?

6.

Trevor insista pour prendre le volant, le dimanche matin, pour aller à Laramie, un trajet qui durait environ une heure trente. A 8 heures, il passa chercher Julie chez elle. Elle nota qu'il s'était rasé de près et avait tenté de discipliner son épaisse chevelure. L'idée qu'il avait fait tout cela pour plaire à James la toucha.

Tentant de ne pas se laisser trop troubler par sa présence et son parfum, elle jeta un coup d'œil au programme de la journée. L'accueil des familles avait lieu à 10 heures et devait être suivi d'une visite des dortoirs. Il lui faudrait attendre 11 heures pour se retrouver seule avec son fils. Elle avait prévu de présenter James à Trevor après le déjeuner, sans lui dire, bien sûr, qu'il était son père. Ensuite, elle les laisserait tous les deux en tête à tête pour qu'ils puissent parler chevaux, ranchs, ou de tout autre sujet qui les intéressait. Elle espérait que James ne trouverait pas étrange qu'à sa première visite elle vienne accompagnée d'un inconnu, surtout après ce qui s'était passé avec Mark.

— Apparemment, quelque chose te tracasse, dit Trevor.

Autant lui avouer la vérité.

— Je me demandais simplement comment James allait réagir en voyant que je ne suis pas venue seule.

— Tu penses que c'est une erreur ? Dans ce cas, je peux très bien attendre quelque part à Laramie pendant que tu…

— Mais non ! Il n'en est pas question. C'est toi qui conduis, tu as su me rassurer en me disant que j'avais bien fait de mettre James dans cette école et, surtout, tu es son père. Comment pourrais-je te demander d'attendre dehors ?

Il la gratifia de son sourire irrésistible. Non, elle ne pouvait pas se permettre de succomber au charme de Trevor ! Les choses étaient déjà assez compliquées comme cela.

— Tu pourrais lui dire que tu avais besoin que quelqu'un t'emmène à Laramie et que je me suis proposé.

— Non, je ne veux pas mentir à mon fils.

— J'essayais juste de trouver une solution.

— Je comprends, et j'apprécie ton envie de m'aider.

— Je te propose autre chose : tu lui dis que tu te sentais nerveuse à l'idée de faire ce long trajet en voiture pour aller le voir après une séparation de quatre semaines. Je t'ai donc offert de prendre le volant à ta place afin que tu n'aies pas à conduire sur l'autoroute. Tout ça est en grande partie vrai. Nous laisserons seulement de côté le fait que je suis son père.

Elle réfléchit quelques instants.

— D'accord… Et je te remercie, parce que c'est la vérité, j'ai l'esprit ailleurs, en ce moment. J'aurais du mal à fixer mon attention sur la route.

— Content de pouvoir te rendre service.

Parfois, songea-t-elle, Trevor se montrait si courtois qu'il semblait s'être échappé du siècle dernier. Il ressemblait à ces personnages qu'on voyait dans les vieux westerns et qui saluaient en touchant le bord de leur chapeau.

— Et toi ? demanda-t-elle.

Elle venait de prendre conscience que lui aussi pouvait avoir des raisons de se sentir nerveux.

— Tu veux savoir si je fixe mon attention sur la route ?

S'il feignait de ne pas avoir compris sa question, c'était pour tenter d'alléger l'atmosphère, et elle lui en fut reconnaissante.

— Te sens-tu nerveux ?

— A l'idée de rencontrer un fils dont j'ignorais encore l'existence il y a trois semaines ? Mais non, bien sûr ! ironisa-t-il.

— Tu es pourtant d'un calme impressionnant.

— Ce n'est qu'une façade.

— Si je ne me trompe pas, tu as mis de la laque, ce matin ?

Machinalement, il se passa une main dans les cheveux.

— Il y en a trop ? Je veux faire bonne impression.

— Dès que tu mettras ton chapeau, le naturel reviendra au galop.

Elle faisait allusion au grand feutre marron foncé posé sur la banquette arrière.

— Oui, c'est l'intérêt de ces chapeaux, ils donnent l'air authentique… Dis-moi, ton garçon a-t-il déjà rencontré un vrai cow-boy ?

— Il n'y en a pas beaucoup à Los Angeles.

Trevor laissa échapper un petit rire.

— J'imagine. Et s'il ne m'aimait pas ?

— Comment serait-ce possible ?

Elle aimait tout chez Trevor, au risque d'en être troublée et de souffrir, mais les raisons qu'elle avait d'aimer cet homme étaient totalement différentes de celles que pourrait avoir son fils. Et si jamais James n'aimait pas Trevor à cause de ce qui s'était passé avec Mark ?

Le nœud qu'elle avait à l'estomac ne cessait de grossir à mesure qu'ils approchaient de Laramie.

Ils continuèrent leur route en silence, n'échangeant que quelques mots de temps en temps.

Une fois arrivés à l'école militaire, ils se garèrent sur le parking avant de rejoindre les parents qui attendaient déjà devant l'auditorium. A 10 heures précises, les portes s'ouvrirent et les familles, guidées par les élèves les plus âgés, furent invitées à s'asseoir.

Bientôt, les différentes classes firent leur entrée. L'uniforme des cadets rappela à Julie celui des officiers de police : une chemise bleu clair à épaulettes, avec des écussons sur les manches longues, et un pantalon gris avec une bande noire le long de la jambe. Le cœur battant à tout rompre, Julie saisit la main de Trevor. Ce contact la rassurait.

James apparut avec les autres élèves de sa classe. Il regardait droit devant lui et marchait d'un pas décidé. Julie se dit qu'il lui faudrait un certain temps avant de s'habituer à sa coupe de cheveux, toute militaire, surtout que James, le mois précédent, avait encore les cheveux très longs et qu'elle aimait le voir ainsi, avec son épaisse crinière bouclée.

— C'est lui…, murmura-t-elle en le montrant du doigt à Trevor. Au deuxième rang, le quatrième.

— Il est plus grand que je ne pensais…

— Ces temps-ci, il n'arrête pas de grandir.

Il sourit et lui tapota la main tandis qu'il gardait les yeux fixés sur James.

Après le discours de bienvenue adressé aux parents commença la visite des dortoirs. Les chambres comportaient deux ou trois lits superposés et toutes étaient impeccablement rangées. Les élèves de dernière année qui servaient de guides aux familles expliquèrent que, levés à 6 heures et couchés à 22 heures, les cadets étaient responsables d'eux-mêmes et de leur emploi du temps, et qu'aucune excuse n'était acceptée.

Vint enfin le moment où Julie put retrouver son fils. Il se tenait dans le foyer de l'école, avec tous ses camarades, et Julie eut l'impression qu'il était beaucoup plus mûr que lorsqu'elle l'avait amené ici, il y avait tout juste un mois.

Lorsque James l'aperçut, son regard s'illumina et il esquissa un petit sourire.

Ne pleure pas. Ne pleure pas !

Jusqu'à présent, jamais Julie n'avait fait le rapprochement. Ce sourire était la version enfantine de celui, irrésistible, de Trevor.

— Est-ce que je peux te serrer dans mes bras ?

— Salut, maman…, dit James en acceptant son étreinte sans protester.

Ne voulant pas abuser de sa bonne volonté, elle l'embrassa sur le front puis s'écarta.

— Salut, James.

Habituellement, dans ce genre de circonstance, elle aurait dit : *mon bébé*, ou *mon chéri*, ou *mon cœur*. Mais, dans l'intérêt de son fils, elle préférait se montrer plus sobre.

— Tu as l'air en forme, ajouta-t-elle. Comment ça va ?

— Pas mal. C'est mieux que je le pensais.

Julie espérait que James lui disait la vérité.

Par-dessus son épaule, elle jeta un regard à Trevor qui se tenait à l'écart, comme convenu. Elle voulait respecter le plan qu'ils s'étaient fixé et Trevor l'avait bien compris.

— Veux-tu une limonade ? proposa James comme ils passaient devant une table chargée de gâteaux et de boissons.

Qui était ce gamin si poli ? Non pas que James se soit jamais montré grossier avec elle, mais, d'habitude, il ne se comportait pas avec un tel formalisme lorsqu'ils étaient tous les deux.

— Bonne idée. Merci.

En parfait gentleman, James prit les deux verres et guida sa mère vers une table située un peu à l'écart. Durant une heure, Julie l'écouta parler de l'école, de son fonctionnement, des programmes scolaires, de la salle d'études, de l'extinction des feux, le soir, des cours de sport obligatoires. Son instinct de mère ne détectait aucun signal d'alarme. De nouveau, elle espéra de tout son cœur avoir pris la bonne décision en inscrivant James dans cet établissement.

Ce fut bientôt l'heure du déjeuner. Le repas terminé, Julie jugea que le moment était venu de présenter Trevor à James.

— J'ai amené quelqu'un avec moi, aujourd'hui, commença-t-elle. C'est mon nouveau patron, le Dr Montgomery. Je lui ai parlé de toi et il a eu la gentillesse de me conduire jusqu'ici.

Après un bref instant d'hésitation, James se détendit.

— Génial… Où est-il ?

Elle se retourna. Trevor était juste derrière elle, en train de parler avec d'autres parents, tout en les gardant, elle et James, dans son champ de vision périphérique. Elle lui fit signe, le cœur battant. Il lui sourit. Dieu, qu'il était beau ! pensa-t-elle. Et leur fils lui ressemblait comme deux gouttes d'eau.

Il s'approcha d'un pas nonchalant, attendant que Julie fasse les présentations.

— James, voici le Dr Montgomery. Et voici James, Trevor.

Le médecin et l'enfant échangèrent un sourire et une poignée de main tandis que Julie se demandait ce que Trevor pouvait bien ressentir à cet instant.

Trevor serra la main du garçon en espérant que son sourire amical et son air détendu ne laissaient pas transparaître le flot d'émotions qui l'agitaient intérieurement. C'était tellement étrange cette impression qu'il avait de rencontrer son double — le garçon qu'il était à treize ans.

— Comment ça va ? demanda-t-il.

Il s'en voulut de n'avoir rien trouvé de mieux à dire.

— Très bien.

— C'est un bel endroit pour faire ses études.

— Sans doute.

Si seulement il trouvait le moyen de nouer une vraie conversation avec ce garçon !

— Tu sais, ta mère s'est éloignée, elle ne peut pas nous entendre. Si tu as envie de me parler franchement, je suis toute oreille.

James arbora un air pensif.

— Parfois, j'ai l'impression d'être enfermé.

— Tu ne peux pas faire ce que tu veux quand tu veux ?

James secoua la tête.

— Tu n'as jamais un moment à toi ?

— Si nous avons terminé tous nos devoirs et nos leçons correspondant aux cours du matin, après la séance de sport, nous avons une heure de libre avant le dîner. Ensuite, nous devons faire le travail qui nous a été donné pendant les cours de l'après-midi. Tout doit être terminé avant l'extinction des feux.

— Parviens-tu à finir ton travail à temps ?

— Quelquefois.

— Comment utilises-tu alors tes moments de liberté ?

— A la maison, je faisais du skateboard. Mais, ici, je n'en ai pas.

— Crois-tu que si tu avais un skateboard cela te motiverait pour terminer tes devoirs et tes leçons en temps voulu ?

James lui lança un regard plein d'espoir, puis il hocha la tête.

— Veux-tu que j'en parle à ta mère ? Non pas que j'aie la moindre influence sur elle, mais elle semble être quelqu'un de très raisonnable.

— Ce serait génial. Merci.

— Alors, c'est entendu, je le ferai. Au fait, ta mère m'a dit que tu aimais les chevaux ?

James acquiesça d'un hochement de tête.

— Est-ce que je t'ai dit que je vivais dans un ranch ?

— Non, monsieur, je l'ignorais.

Trevor eut envie de le reprendre et de lui faire abandonner ce *monsieur*, si solennel. Mais comment James pourrait-il l'appeler ? Pas par son prénom, au cas où, un jour, il lui dirait *papa*. Et *Dr Montgomery* lui paraissait trop pompeux..

— J'ai remarqué qu'ici on appelait les élèves par leur nom de famille.

— C'est exact, monsieur.

— Pourquoi ne m'appellerais-tu pas Montgomery au lieu de me dire *monsieur* ?

— D'accord.

James paraissait surpris. De toute évidence, il ne s'attendait pas à revoir Trevor après cette visite.

— Bon, je te parlais du ranch. Nous élevons des bovins, mais nous avons aussi des chevaux.

— C'est génial.

— Oui, et j'ai découvert aujourd'hui que, si les élèves sont à jour de tout leur travail de classe, ils peuvent passer le week-end avec leurs parents.

A présent, il avait capté toute l'attention de James.

— Voilà ce que je te propose, ajouta-t-il. Voudrais-tu venir faire du cheval chez moi le week-end prochain ? A condition, bien sûr, que ta mère soit d'accord et que tu aies bien travaillé toute la semaine.

— Vous croyez qu'elle acceptera ? demanda James, plein d'espoir.

— Je ne vois pas pourquoi elle dirait non. J'apprécie ta compagnie et je connais quelques beaux endroits où j'aimerais t'emmener. Après tout, je suis son patron, alors je crois que nous avons de sérieuses chances qu'elle dise oui.

James sourit et Trevor sentit quelque chose s'ouvrir dans sa poitrine. Il voulait être le père que son fils n'avait jamais eu. Il voulait rattraper le temps perdu.

Mais il devait se montrer patient.

Chaque chose en son temps. Ce garçon avait déjà connu suffisamment de changements dans sa vie ces dernières semaines sans avoir encore à digérer la nouvelle incroyable que l'homme qui se tenait devant lui était son père. Une telle révélation risquait de le pousser à se replier sur lui-même.

Soudain, une voix se fit entendre dans le haut-parleur.

— Les visites vont bientôt être terminées. Vous avez cinq minutes pour vous dire au revoir. Cadets, vous devez être en rangs avec votre compagnie à 14 heures précises.

Trevor aurait voulu serrer le garçon dans ses bras, mais il se retint et échangea avec lui une solide poignée de main. Julie, elle, étreignit son fils de toutes ses forces.

— Maman, je sais que je me suis mal comporté et j'essaye de réparer mes erreurs, murmura James.

— Je le sais, mon cœur. Tu sais que je t'aime plus que tout, et je veux le meilleur pour toi. En ce moment, je crois que cette école est ce qu'il y a de mieux pour toi.

— Oui, sans doute.

— J'espère qu'un jour tu comprendras.

Ils s'embrassèrent une dernière fois, offrant à Trevor le spectacle de l'amour le plus sincère qui ait jamais existé, celui d'une mère pour son enfant. C'était ce genre d'amour qu'il avait éprouvé pour sa propre mère jusqu'au dernier jour.

A présent, il voulait vivre la même expérience que Julie, ouvrir son cœur et ressentir un amour sans limites pour le fils dont il venait à peine de découvrir l'existence. Il était conscient d'avoir des années à rattraper, mais il ferait de son mieux. Inviter James au ranch était déjà un début.

Il s'éclaircit la voix.

— Julie ?

Elle se tourna vers lui, les yeux humides.

— Oui ?

— Je ne veux pas te mettre dans l'embarras, bien sûr, mais James et moi avons pensé que ce pourrait être agréable de faire de temps en temps des balades à cheval au ranch. Est-ce que tu serais d'accord ?

Les yeux de Julie brillèrent d'un nouvel éclat.

— Je trouve que c'est une merveilleuse idée.

— Génial ! s'exclama James.

— Tu te rappelles qu'on a passé un marché, n'est-ce pas, James ? demanda Trevor.

— Oui, monsieur.

— Tu sais que tu peux m'appeler Montgomery.

— D'accord, Montgomery. Je respecterai le marché, promis.

La dernière sonnerie retentit et Julie réussit à voler encore un baiser à James avant qu'il ne rejoigne la compagnie Charley à laquelle il appartenait. Trevor ressentit une fierté dont il n'avait jamais fait l'expérience jusque-là et, pourtant, il connaissait à peine ce garçon.

Comme Julie s'accrochait à son bras, il éprouva soudain le sentiment d'être un père de famille.

— C'est un gamin génial, dit-il.

— Oui, je le pense aussi. Maintenant, je sais que j'ai pris la bonne décision en l'inscrivant ici.

— C'est également mon avis.

Ils échangèrent un sourire et Trevor comprit que sa rencontre avec James marquait pour lui le commencement d'une nouvelle vie.

— J'ai pensé à quelque chose, dit-il en ouvrant la portière pour permettre à Julie de s'installer sur le siège du passager. Je voudrais offrir à James un skateboard.

Il fit le tour de la voiture, donnant ainsi le temps à Julie de réfléchir à sa proposition.

— Sérieusement ? demanda-t-elle lorsqu'il prit place derrière le volant.

— Cela pourrait le motiver pour achever en temps voulu son travail de classe. Il m'a dit qu'on leur donnait une heure de temps libre avant le dîner à condition qu'ils aient terminé les devoirs et les leçons correspondant aux cours de la matinée.

— Les élèves ont vraiment beaucoup de travail dans cette école. James m'a dit qu'il avait l'impression d'être enfermé.

— Il m'a dit la même chose. Difficile de ne pas s'apitoyer un peu sur lui, mais tout ça, c'est pour son bien.

— Je sais, je ne cesse de me le répéter. Ne crois-tu pas que la sortie à cheval serait suffisante pour le motiver ?

— Oui, probablement, mais j'ai envie de lui donner quelque chose qu'il pourra conserver et qui, peut-être, l'aidera à penser à moi lorsqu'il s'en servira.

— C'est très gentil. Alors, quelle opinion as-tu de lui ?

Trevor se raidit. Il ne pouvait pas lui dire ce qu'il pensait vraiment, lui avouer que tout avait changé en un après-midi, et qu'à partir d'aujourd'hui il voulait faire partie de la vie de cet enfant.

— C'est un gentil garçon.

Julie ne se contenta pas de cette réponse.

— Dis-moi ce que tu penses *vraiment* ?

— J'ai l'impression d'avoir fait un voyage dans le temps et de m'être rencontré à l'époque où j'avais son âge.

Et j'ai envie d'être un père, dans le plein sens du terme.

7.

Ce soir-là, Trevor insista pour que Julie accepte de dîner avec lui avant qu'il la raccompagne chez elle. Ils s'arrêtèrent au Sweet Pea Dinner, un restaurant situé dans Main Street, à Cattleman Bluff. Julie se rappela qu'étant enfant elle y venait quelquefois le samedi soir avec ses parents pour déguster le poulet frit, spécialité de la maison.

— Oh ! toutes ces bonnes odeurs me font saliver ! dit-elle tandis qu'une serveuse les guidait vers un box situé près d'une fenêtre. Finalement, je crois que j'ai très faim.

Les banquettes en vinyle noir, la table en Formica beige, les rideaux de dentelle, rien ne semblait avoir changé au fil des années.

— J'ai remarqué que tu n'avais presque rien mangé au déjeuner, observa Trevor.

— J'étais trop nerveuse pour avaler quoi que ce soit. Je me demandais comment James réagirait en te voyant.

— Si quelqu'un avait des raisons d'être nerveux, c'était bien moi.

— L'étais-tu ?

— Très, mais cela ne s'est pas si mal passé, non ?

— Non. Cette journée a été formidable, conclut-elle avec un sourire.

Ils passèrent leur commande et, en attendant d'être servis, ils burent leurs sodas en grignotant de délicieux biscuits faits maison.

— J'imagine que tu devras venir avec moi à Laramie le week-end prochain pour signer l'autorisation de sortie de James, dit Trevor.

— Bien sûr. Je vais finir par être jalouse d'avoir à le partager avec toi, mais je veux qu'il apprenne à te connaître.

— Pourquoi ne dînerais-tu pas ce soir-là au ranch, avec nous ? Ainsi, nous pourrions le ramener ensemble à l'école.

Cela voulait dire qu'elle allait passer beaucoup de temps avec Trevor. Mais comme elle souhaitait le meilleur pour James et que cela impliquait que son père prenne sa place auprès de lui, elle était prête à accepter ce que Trevor lui proposait. Pour l'instant.

On leur apporta le poulet frit qu'ils avaient commandé, accompagné d'une purée de pommes de terre et de haricots verts, le tout arrosé d'une sauce maison. Ils attaquèrent avec plaisir ce repas rustique, tout en évoquant les différents moments de cette journée mémorable.

Julie n'avait encore jamais vu le regard d'un homme briller ainsi en parlant de son fils, et elle n'eut aucun mal à croire Trevor lorsqu'il lui dit qu'elle avait élevé un enfant génial.

— Mais tu viens juste de le rencontrer, et n'oublie pas qu'il s'est fait arrêter pour vol à l'étalage…

— Je sais reconnaître une bonne nature quand j'en croise une. Il a commis une erreur, c'est tout. Il demandait de l'aide, et tu as su la lui donner. Tu as fait ce qu'il fallait.

Ces mots rassurèrent Julie, lui donnant une confiance en elle qui, jusqu'à présent, lui avait souvent fait défaut.

— Merci, dit-elle.

Comme le repas touchait à sa fin, la serveuse leur apporta deux tartes à la pêche avec le café.

— Lorsque ce gâteau figure au menu, je ne peux m'empêcher d'en prendre un, dit Trevor.

— Il se trouve que je réussis assez bien le crumble aux pommes, au cas où cela t'intéresserait.

Il haussa les sourcils tandis qu'une lueur espiègle brillait dans son regard.

— Et tu ne m'en avais encore rien dit ?

— Je ne raconte pas à tout le monde que je sais cuisiner.

— Je comprends. Tu ne veux pas qu'un homme s'intéresse à toi pour de mauvaises raisons.

— Si cela se savait dans Cattleman Bluff, les hommes

viendraient se battre devant ma porte. Bien sûr, ils auraient tous plus de cinquante ans, mais une mère célibataire ne peut pas se montrer trop difficile.

Trevor éclata de rire.

— Si mon père n'avait pas les bons petits plats de Gretchen, il serait sûrement le premier à se mettre sur les rangs.

— Tu penses que j'aurais une chance avec ton père ? demanda Julie d'un ton rieur.

Soudain, Trevor redevint sérieux.

— Certainement pas parce que c'est moi qui, le premier, me mettrai sur les rangs lorsque tu décideras de sortir avec quelqu'un.

Ces propos atteignirent Julie en plein cœur. Si elle sortait avec Trevor, elle risquait de gâcher le lien qui commençait à se nouer entre James et lui, et cela, elle ne le voulait pas. Pourtant, Trevor continuait de faire des allusions sur ce sujet. Mais peut-être se trompait-elle ? Peut-être voulait-il plaisanter, et elle avait le tort de le prendre trop au sérieux. Peut-être cherchait-il simplement à lui être agréable.

— Le jour où je ferai un crumble aux pommes, tu seras le premier averti, d'accord ?

Pourquoi ai-je dit cela ?

— Marché conclu, répondit-il.

Il insista pour payer l'addition et le retour se fit dans un silence gêné. Voyant Trevor plongé dans ses pensées, Julie s'attendait à ce qu'il la dépose rapidement chez elle avant de rentrer au ranch.

Mais elle se trompait. Lorsqu'il s'arrêta devant sa maison, il sortit pour lui ouvrir la portière, comme il le faisait toujours, et l'accompagna jusqu'à sa porte. Avant qu'elle ait eu le temps de mettre la clé dans la serrure, il s'éclaircit la voix.

— Il faut que je te dise certaines choses, Julie…

La véranda n'était pas le lieu idéal pour avoir une conversation sérieuse.

— Si tu entrais, alors ?

Elle ouvrit la porte et alluma la lumière. Trevor la suivit dans le salon.

— Puis-je t'offrir quelque chose à boire ? proposa-t-elle.

— Non, je n'ai besoin de rien, merci.

Il prit place sur la causeuse en microfibre couleur crème qui faisait face à la petite cheminée. Avec ses larges épaules et ses longues jambes, il occupait presque tout l'espace. Si elle s'asseyait à côté de lui, se dit Julie, ils se toucheraient inévitablement. Aussi préféra-t-elle s'installer un peu plus loin, dans le fauteuil club, et elle attendit que Trevor lui révèle ce qu'il avait à lui dire.

Les yeux fixés sur la cheminée, il tournait nerveusement son chapeau entre ses mains.

— Je veux faire partie de la vie de James, déclara-t-il soudain. Je ne sais pas comment m'y prendre, mais je le veux. Je veux qu'il ait confiance en moi et qu'il sache qu'il pourra toujours compter sur moi. Je sais que cela prendra du temps, mais je veux y arriver. Tu comprends ?

Emue par sa franchise, Julie avait du mal à respirer.

— En vous voyant tous les deux aujourd'hui, cela m'a beaucoup touché, poursuivit-il. J'ai ressenti quelque chose que je ne peux expliquer. Je sais que l'amour ne vient pas sur commande. Pour se faire aimer, il faut le mériter. Je veux que James me considère comme son père, non pas parce qu'il est mon fils biologique, mais parce que je *serai* un vrai père pour lui.

Julie avait toujours rêvé entendre un jour ces paroles, et elle croyait à la sincérité de Trevor. La voir avec James l'avait ému et il voulait vraiment avoir sa part de cet amour filial.

Pleine d'espoir et d'optimisme, elle se leva et alla s'asseoir près de lui sur la causeuse. Voyant qu'il avait les yeux humides, elle lui passa les bras autour du cou. Il la prit alors par la taille et ils s'étreignirent, riant et pleurant à la fois. Mais c'étaient des larmes de bonheur, comme celles qu'on verse en famille, en retrouvant des êtres chers.

Elle lui prit le visage entre ses mains et le regarda au fond des yeux.

— Je t'aiderai à y parvenir, Trevor. C'est ce que j'ai toujours désiré pour mon fils.

Elle lui donna alors un baiser léger, un baiser qui voulait exprimer sa tendresse et sa gratitude envers cet homme, mais qui se mua bientôt en tout autre chose. Lorsque leurs lèvres se rencontrèrent, elle éprouva le besoin impérieux de se blottir dans ses bras. Trevor la serra étroitement contre lui et son baiser se fit plus insistant. Loin de lui opposer la moindre résistance, elle lui abandonna sa bouche qu'il se mit à explorer avec fièvre, tout en poussant des petits gémissements de plaisir.

C'était si bon de goûter ses baisers, de sentir ses caresses… Non, elle ne pouvait pas le laisser aller plus loin, même si elle en mourait d'envie.

Elle devait arrêter. L'enjeu était trop important. Elle ne pouvait pas laisser le désir qui les poussait l'un vers l'autre compromettre le nouveau lien, si fragile, qui se nouait entre James et son père.

Posant les mains sur le torse de Trevor, elle s'écarta de lui.

— C'était une très mauvaise idée, dit-elle d'une voix cassée.

Il ne dit rien, la regardant avec des yeux fiévreux, avides, lourds de promesses. Si seulement elle n'avait pas mis fin à ce baiser… Elle poussa un soupir.

— Je voulais juste te remercier de t'intéresser ainsi à James. Je ne…

— Tu ne voulais pas me faire perdre la tête ?

Ils partirent tous deux d'un petit rire qui contribua à détendre un peu l'atmosphère.

— Trevor, nous ne pouvons pas prendre le risque d'embrouiller les choses plus qu'elles ne le sont déjà.

— Peut-être, mais ce serait agréable d'essayer.

Agréable ? Pour elle, faire l'amour avec Trevor Montgomery signifierait bien davantage que le partage d'un agréable moment.

— Je t'en prie, essaye de comprendre, dit-elle.

Il l'embrassa sur le front.

— Je comprends. Mais je dois te dire que tu embrasses merveilleusement bien, et j'aime ça.

Elle n'avait aucune raison de se sentir gênée car elle avait simplement exprimé ce qu'elle ressentait vraiment. Des années après, elle éprouvait toujours les mêmes sentiments pour lui. Cependant, dans l'intérêt de son fils, elle enfouirait au fond d'elle-même cet amour qu'elle portait en elle depuis treize ans.

Elle ne pouvait permettre que les élans de son cœur interfèrent avec le bien-être de son fils.

En rentrant chez lui, Trevor remercia intérieurement Julie d'avoir mis un terme à leur étreinte avant qu'il ne commette une grosse bêtise. Le baiser qu'elle lui avait donné l'avait entraîné sur un chemin qu'il n'avait pas l'intention de prendre.

Il la désirait comme un fou. Mais, avec elle, il ne pouvait pas se comporter comme il le faisait d'habitude avec ses petites amies, brèves rencontres se limitant au plaisir sexuel exempt de tout sentiment.

Julie méritait mieux. Pourtant, il ne pouvait lui donner davantage. Heureusement qu'elle avait su les arrêter à temps.

Julie était différente. Ce n'était pas le genre de femme qu'il pouvait séduire puis oublier. Enfin, plus maintenant. Pas elle.

Il lui avait dit qu'il voulait être un père, un *vrai* père, pour James. Il ferait bien de se montrer à la hauteur.

Le gamin méritait d'avoir un papa.

Julie méritait d'avoir un homme qui tenait parole.

Et lui-même méritait d'avoir une chance de faire ses preuves auprès d'eux.

Coucher avec Julie gâcherait tout.

Le lundi matin, Trevor se plongea dans le travail en essayant de ne pas se laisser distraire par le spectacle troublant des longues jambes fines de Julie qui avait décidé, ce matin-là, de mettre une jupe.

Le mardi matin, elle vint le trouver dans son bureau pour lui demander de l'aider à établir un diagnostic qui se révélait difficile. Il la suivit dans la salle d'examens et donna son avis sur une dermatite atopique qui pouvait être confondue avec une couperose. Il eut beaucoup de mal à ne pas prêter attention à la fraîche odeur de shampoing qui émanait de la chevelure rebelle de Julie. Heureusement, le cabinet médical était fermé le mardi après-midi, et il passa le reste de la journée au ranch, aidant Jack et son équipe à vacciner le bétail.

Il consacra tout son mercredi à des visites à domicile qui, pour certaines, l'entraînèrent assez loin de Cattleman Bluff.

Le jeudi se révéla être la journée la plus difficile, car, ce jour-là, se tenait la réunion du personnel qui avait lieu tous les mois. C'était la première fois que Julie y assistait. Heureusement, Charlotte parla presque tout le temps et Trevor évita de croiser le regard de Julie en gardant les yeux fixés sur les sandwichs que Rita avait commandés pour le déjeuner. Mais lorsque Julie quitta la réunion pour répondre à un appel téléphonique, il ne put résister à l'envie de lorgner le balancement de ses hanches et la façon dont ses cheveux dansaient sur ses épaules.

Le vendredi, Trevor s'aperçut qu'il ne pouvait plus retarder davantage le moment où il devrait régler avec Julie les détails pratiques de leur voyage à Laramie qui devait avoir lieu le lendemain.

Il l'appela par l'interphone.

— Julie, peux-tu venir dans mon bureau ?

Deux minutes plus tard, elle se présenta à sa porte avec un sourire innocent qui l'affola.

— Le temps est venu de nous organiser pour demain ? demanda-t-elle.

— Oui. Je sais que je t'avais proposé de passer te chercher à 8 heures, mais j'ai pensé que nous pourrions partir plus tôt. Disons 6 heures ?

Elle haussa les sourcils, attendant visiblement qu'il lui explique les raisons de ce départ matinal.

— Ainsi, nous serons à l'école vers 8 heures, et de retour au ranch à 10 heures, prêts à partir en promenade avec les chevaux, poursuivit-il. J'avais envie d'emmener James à Sheep Mountain.

— Oh ! je ne sais pas si c'est une bonne idée ! Il a fait très peu de sorties à cheval.

— Tu penses que nous ne devrions pas aller si loin ?

— Pas cette fois-ci, en tout cas. Tu vas observer comment

il se débrouille à cheval et peut-être que, la prochaine fois, vous pourrez vous éloigner un peu plus.

Trevor sourit.

— J'aime que tu parles d'une prochaine fois.

— Moi aussi, cela me plaît, dit-elle en lui rendant son sourire.

— J'ai acheté un skateboard pour James et j'avais l'intention de le lui donner demain.

— C'est d'accord, dit-elle du bout des lèvres.

— Tu sais, je n'essaye pas de le corrompre pour qu'il m'aime. C'est juste pour l'inciter à bien travailler à l'école. As-tu eu des informations à ce sujet ?

— J'imagine que nous découvrirons cela demain, au moment où je devrai signer le bon de sortie.

Trevor brûlait d'impatience d'aborder le sujet qui lui tenait vraiment à cœur.

— Si, demain, le moment paraît bien choisi, serais-tu d'accord que je révèle à James que je suis son père ?

Elle respira à fond pour essayer de se détendre avant de répondre.

— Trevor, c'est quelque chose que nous devons faire ensemble, quand le moment sera venu.

— Je ne t'ai pas menti quand je t'ai dit que je voulais vraiment être un père pour lui. Mais je vois que tu n'es pas encore prête à le lui dire. Je t'avoue que, moi aussi, je me sens nerveux. La question, c'est de savoir s'il y aura jamais un moment idéal pour lui faire cette révélation… Peut-être que nous devrions simplement sauter le pas.

Elle secoua la tête.

— Comme nous l'avons fait la nuit où je suis tombée enceinte ? Sûrement pas ! Nous devons prendre notre temps, réfléchir à la meilleure façon d'agir. Prévoir une date.

— D'accord. Quand penses-tu que nous pourrons le faire ?

— Pas dans l'immédiat. Je regrette, mais je ne veux pas précipiter les choses. James reste traumatisé par le comportement de Mark.

— Je ne suis pas Mark ! Je suis son père.

— Il lui faudra du temps pour le comprendre. Est-ce que

la journée de demain ne peut pas être simplement un moment privilégié que vous passerez ensemble, pour créer un lien entre vous, comme tu le souhaitais ?

— J'imagine qu'on s'en tiendra à cela.

— Merci de ta compréhension. Bon, je t'attends demain matin à 6 heures.

Elle lui adressa un petit signe d'adieu et quitta la pièce.

— J'apporterai le café ! lança-t-il sans s'inquiéter de savoir si quelqu'un pouvait l'entendre.

Le lendemain matin, Trevor arriva à 6 heures tapantes chez Julie qui était en train d'achever la préparation du petit déjeuner. Elle avait opté pour une formule californienne : des *burritos* garnis d'œufs brouillés, des haricots *pinto*, du cheddar et une salade de crudités. Pour le café, elle avait compté sur Trevor.

Avant d'aller lui ouvrir, elle tenta de remettre de l'ordre dans ses cheveux tout en sachant que la queue-de-cheval qu'elle s'était faite ce matin laissait déjà échapper plein de boucles folles.

— Pile à l'heure, dit-elle en guise de bienvenue.

En le voyant, le regard pétillant et le sourire aux lèvres, elle eut du mal à retrouver son souffle. Il avait mis une chemise rayée bleu pastel et bleu marine à manches longues, une ceinture dotée d'une boucle encore plus large que d'habitude, un jean passablement usé qui mettait en valeur ses hanches étroites et ses longues jambes, et des bottes western fatiguées. L'allure parfaite d'un homme accoutumé à parcourir à cheval les grands espaces.

— Le café est dans la voiture, dit-il. Cela sent drôlement bon, dans ta cuisine.

— Laisse-moi le temps de prendre les *burritos* et une veste, et nous pourrons partir.

Ils avalèrent leur petit déjeuner tout en roulant, heureux de profiter du paysage qui, au lever du soleil, était teinté d'or et de pourpre. Julie se dit que même si elle devenait un jour centenaire jamais elle ne se lasserait d'admirer la beauté du Wyoming.

Avec Trevor, elle se sentait si à l'aise qu'elle ne se croyait pas tenue de faire la conversation lorsqu'elle préférait rester plongée dans ses pensées, et il ne semblait pas s'en formaliser.

— James a un jean, n'est-ce pas ? demanda-t-il soudain. Il ne peut pas monter à cheval avec l'un de ces shorts que les garçons mettent pour faire du skateboard.

— Oui, il en a un, et cette semaine, je lui ai acheté une chemise western.

A l'école, elle remplit les formalités de sortie et promit de ramener James avant 22 heures, l'heure du couvre-feu. Il parut très heureux de voir Trevor.

— Alors, tu es prêt pour une longue randonnée ? dit celui-ci.

— Oh ! oui ! Comment s'appelle mon cheval ?

— J'ai réfléchi et je me suis dit que j'allais te prêter Zebulon. C'est mon cheval, alors je sais qu'il se conduira bien avec toi.

— Génial !

En arrivant à Cattleman Bluff, Trevor déposa Julie devant chez elle.

— Sois prudent, dit-elle en embrassant son fils sur le front. Je ne veux pas te retrouver avec les os brisés.

— Si cela arrive, je promets de les remettre en place, intervint Trevor afin de détendre l'atmosphère.

— Prends soin de mon fils.

— Maman ! protesta James.

— Je le ferai, promis, dit Trevor. On se retrouve au ranch à 17 heures, pour le dîner ?

Julie hocha la tête et rentra chez elle.

Cette journée allait lui sembler bien longue. Comment cela se passerait-il entre son fils et Trevor ? James se douterait-il que Trevor était son père, ou bien penserait-il seulement que c'était un type formidable avec qui il passait de bons moments ?

Seul l'avenir le dirait.

*
**

A 17 heures, Julie se présenta au ranch, tenant dans ses mains un crumble aux pommes qui sortait du four. Gretchen la conduisit dans le salon où elle trouva Monty installé dans son fauteuil préféré, devant la cheminée. Ni Trevor ni James n'étaient dans les parages.

— Bonsoir, dit-elle en entrant.

— Ah, Julie, vous voilà. Venez me tenir compagnie.

— Ils ne sont pas encore revenus de leur sortie à cheval ? s'enquit-elle, vaguement inquiète.

— Mais si ! Trevor est en train de montrer à ce garçon comment s'occuper des chevaux après une randonnée : comment les débarrasser de leur harnachement, les brosser, nettoyer leurs sabots, et tout ça.

— Génial… Ont-ils fait une bonne promenade ?

— Comme, au retour, le garçon s'est montré intarissable, je dirais oui.

Elle sourit et poussa un soupir de soulagement.

Monty lui saisit la main, la regardant droit dans les yeux.

— Ce gamin ressemble étonnamment à Trevor. Est-ce que je me trompe ?

Sous le choc, Julie détourna la tête. Que devait-elle faire, à présent ? Que répondre ?

— Maman ! Tu aurais dû me voir sur Zebulon. Il est génial !

L'arrivée de James, suivi de Trevor, la tira d'affaire. Monty, qui restait visiblement sur sa faim, lui lâcha la main.

— As-tu pris des photos ? demanda-t-elle.

— Oui, j'ai fait un selfie avec Zebbie.

— J'en ai pris quelques-unes, intervint Trevor.

— Vous avez fait une belle randonnée, m'a dit M. Montgomery ?

— C'était formidable, maman. La propriété est immense, tu devrais voir ça.

Elle se détendit, ravie de voir son fils aussi enthousiaste.

— C'est un excellent cavalier, ajouta Trevor. On dirait qu'il a cela dans le sang.

Julie le fusilla du regard, ce qui le fit sourire.

— Montgomery m'a dit que je pouvais venir monter à cheval ici autant que je le voulais, déclara James.

— C'est vraiment très gentil de sa part.

— Le dîner est servi, annonça Gretchen. Et Mme Sterling a apporté le dessert.

— Veux-tu te laver les mains, James ? demanda Julie.

— Ce n'est pas la peine, Montgomery m'a dit de le faire lorsque nous sommes revenus de notre promenade à cheval.

Elle jeta un coup d'œil à Trevor qui affichait un grand sourire. S'approchant de Monty, elle l'aida à se lever et resta près de lui tandis qu'il se dirigeait lentement vers la salle à manger. Lorsque le vieil homme s'approcha de la table, Trevor s'empressa de lui avancer sa chaise.

— Tu as apporté le dessert ? murmura-t-il en se penchant vers Julie.

— Un crumble aux pommes.

— Tu essayes de séduire mon père ?

Elle le regarda fixement, comme pour lui dire « qui sait ? », puis elle prit place à côté de Monty.

Quarante minutes plus tard, après que tous eurent dévoré l'excellent repas de Gretchen et complimenté Julie pour son crumble, celle-ci regarda sa montre.

— Je crois que nous allons devoir bientôt reprendre la route pour ramener James à son école.

— Je sais, dit le garçon d'un air sombre.

— Puis-je vous accompagner ? demanda Trevor. Je serais ravi de conduire.

— Je suis venue ici avec ma voiture.

— Peu importe : je te suivrai jusque chez toi pour que tu la déposes et, ensuite, nous irons avec la mienne à Laramie.

Visiblement, il avait déjà pris sa décision, ne laissant guère le choix à Julie.

— Est-ce que j'aurai le temps de voir à quoi ressemble ma chambre, maman ?

Julie prit conscience que son fils n'avait jamais vu la chambre qu'il occuperait lorsqu'il passerait le week-end chez elle.

— Bien sûr. Mais nous devons partir maintenant.

Lorsqu'ils arrivèrent à la maison, James se précipita dans le vestibule.

— Laquelle est-ce ?

— La dernière porte à gauche.

Le garçon disparut dans sa chambre.

— Je vais me changer avant de retourner à l'école, lança-t-il. Ce sera vite fait, promis.

— J'imagine qu'il n'a pas envie que ses camarades le voient vêtu comme un cow-boy, commenta Trevor en souriant.

— Il a grandi en Californie… Alors, cela s'est bien passé, aujourd'hui ?

— C'est vraiment un bon cavalier. Il s'est même mis au galop sans aucun problème.

— Merveilleux ! Ecoute, je dois te dire une chose. Ton père m'a fait comprendre qu'il savait que James était…

— Que j'étais quoi, maman ?

Elle crut que son cœur allait s'arrêter de battre. Il fallait qu'elle trouve quelque chose à dire.

— Un excellent cavalier. Il lui a suffi de te regarder pour le savoir.

— C'est vrai ? Génial…

— Tu es doué, renchérit Trevor. Peut-être est-ce ta pratique intensive du skateboard qui t'a donné ce bon équilibre.

— Vous croyez ?

— J'en suis sûr. J'en ai eu la preuve aujourd'hui.

Il lui donna une tape sur l'épaule et tous deux se dirigèrent vers la porte. Leur ressemblance était frappante, songea Julie. James était vraiment la copie conforme en plus jeune de Trevor. Monty ne s'y était pas trompé.

Elle se demanda quelle conversation Trevor aurait avec son père ce soir. Monty serait peut-être déjà couché lorsque Trevor rentrerait de Laramie, ce qui éviterait à celui-ci de subir un interrogatoire en règle, mais cette discussion entre le père et le fils à propos de James aurait forcément lieu à un moment ou un autre. Elle était inévitable.

Dans ce cas, il était temps de dire à James qui était son père.

Une heure et demie plus tard, ils arrivaient sur le parking de l'académie militaire avec une demi-heure d'avance sur l'horaire. Comme James sautait de la voiture, résigné à finir le semestre dans cette école, Trevor l'arrêta.

— Attends une seconde, j'ai quelque chose pour toi.

Il quitta son siège et alla ouvrir le coffre. C'était là qu'il avait caché son cadeau.

— Je sais que tu vas continuer à bien travailler, alors j'ai voulu t'offrir ce skateboard. Tu pourras t'entraîner tous les jours pendant ton temps libre avant le dîner.

James ouvrit de grands yeux.

— Sérieux ? Ouah !

Il prit le skateboard que Trevor lui tendait et l'examina de près.

— C'est un Landshark ! s'exclama-t-il, ravi.

— On m'a dit que c'était l'une des meilleures marques.

— Ça fait des années que je rêve d'en avoir un ! Ah, merci, merci beaucoup…

Julie eut l'impression que son fils avait envie de se jeter dans les bras de Trevor, mais sans oser le faire. Elle fut encore plus surprise en remarquant que Trevor semblait partager le même embarras. Finalement, James et lui se quittèrent en cognant leurs deux poings l'un contre l'autre, sans autre démonstration d'affection, ce qui laissa Julie un peu déçue.

— Nous ferions bien de nous rendre au contrôle des retours, dit-elle en se dirigeant vers l'entrée de l'école.

Le trajet jusqu'à Cattleman Bluff parut très court à Julie car Trevor lui raconta dans le détail la journée qu'il avait passée avec James. Le voyant rire et sourire, elle en conclut qu'il avait vraiment de l'affection pour leur fils.

— Alors, est-ce pour moi ou pour mon père que tu as apporté ce crumble aux pommes ? demanda-t-il soudain avec un petit sourire en coin.

— Pour ton père, bien sûr.

Le regard que Trevor lui lança montrait qu'il appréciait la façon qu'elle avait de le taquiner. Arrivé devant chez elle, il coupa le moteur.

— Je veux que tu saches que j'aime beaucoup notre fils, dit-il en lui prenant la main. Et je sais que je vais finir par l'adorer.

Cet aveu la remplit d'espoir. Une onde de chaleur la parcourut de la tête aux pieds.

— J'espère que ce jour va bientôt arriver.

— J'en suis certain.

— Aujourd'hui, j'ai eu tout le temps de réfléchir. Nous pourrions partir en randonnée à cheval, le week-end prochain, tous les trois, avec James. Je connais un endroit parfait où l'emmener, près d'une cascade. Nous pourrions nous y arrêter pour pique-niquer, et j'en profiterai pour révéler à James qui je suis.

— C'est vraiment ce que tu veux, n'est-ce pas ?

— Plus que tout au monde.

Il se pencha vers elle et s'empara de ses lèvres. Cette fois, elle savoura ses baisers fiévreux sans se poser de questions, goûtant son plaisir au point de ne plus pouvoir penser à quoi que ce soit d'autre.

Partageant la même impatience, ils entrèrent dans la maison et se rendirent directement dans la chambre de Julie. Etait-ce à cause du secret qui les liait ? Ou le fait que Trevor montrait un désir sincère d'être un vrai père pour James ? Ou peut-être parce qu'il était l'homme le plus sexy qu'elle ait jamais connu ? Si elle se sentait prête à s'abandonner dans les bras de cet homme, c'était surtout parce que c'était la suite d'une longue histoire qui avait débuté dans une grange, treize ans auparavant, par une chaude nuit d'été.

Ils se dévêtirent en toute hâte, chacun déshabillant l'autre, bataillant avec les fermetures Eclair et les boutons. Lorsque Trevor la coucha sur le lit, il lui ôta le dernier bout de tissu qu'elle portait encore — sa petite culotte en dentelle.

Une fois qu'ils furent nus tous les deux, tout parut soudain tourner au ralenti, et, à cet instant précis, toute l'attention de Trevor était concentrée sur elle.

— Tu es si belle, murmura-t-il avant de la couvrir de baisers.

Quand, pour la dernière fois, avait-elle éprouvé autant de plaisir ? Quand avait-elle eu cette impression d'être le centre du monde, le seul souci de Trevor semblant être de la rendre heureuse ?

La première fois où ils avaient fait l'amour, il avait eu la fougue et la détermination de la jeunesse, et elle, elle était vierge. A présent, tous deux avaient acquis de l'expérience. Trevor avait mûri et maîtrisait l'art de faire perdre la tête à une femme. Ce soir, elle était l'heureuse bénéficiaire de son savoir-faire et elle avait bien l'intention d'en profiter pleinement.

Ne voulant pas être en reste, elle lui prodigua des caresses si efficaces que Trevor la mit en garde.

— Si tu continues, tout va se terminer avant même d'avoir commencé, murmura-t-il d'une voix rauque.

— J'espère que tu as apporté un préservatif, car moi, je n'en ai pas, dit-elle, effrayée à l'idée qu'il réponde non.

— Je ne voudrais pas que tu l'interprètes mal, mais, oui, bien sûr, j'en ai.

La candeur de sa réponse la fit rire. Elle le lâcha pour lui permettre d'ouvrir son portefeuille et de prendre un préservatif. Comme elle le trouvait beau, dans sa magnifique nudité, si fier, si fort ! Elle était impatiente qu'il la reprenne dans ses bras, qu'il la dévore de baisers.

Lorsqu'il revint s'allonger près d'elle, elle se serra contre lui et ils recommencèrent à s'embrasser et à se caresser jusqu'au moment où Trevor vint en elle avec toute l'ardeur de son désir.

Julie s'abandonna, ivre de plaisir, le corps secoué de spasmes et de frissons. Elle eut l'impression de voler dans la nuit lorsque l'orgasme la balaya.

Laissant échapper un gémissement, Trevor la suivit dans la stratosphère. Quelques instants plus tard, étroitement enlacés, comblés, ils savourèrent tous les deux le plus parfait des bonheurs.

8.

Le dimanche matin, Julie se réveilla, la tête posée sur le torse de Trevor qui dormait. Ils avaient passé une bonne partie de la nuit à rattraper le temps perdu durant ces treize années.

Comment allait-elle gérer cette situation ? Les relations sentimentales posaient toujours des problèmes, mais là, si les choses tournaient mal, elle ne pourrait pas rompre avec Trevor. Pas au moment où son fils commençait tout juste à le découvrir.

Oh ! Qu'est-ce que j'ai fait ?

— Est-ce que ça va ? demanda Trevor d'une voix ensommeillée.

— Heu… je réfléchissais, c'est tout, dit-elle en s'asseyant dans le lit.

— Que se passe-t-il ?

— Je crois que tu le sais aussi bien que moi.

— Au lieu de jouer aux devinettes, si tu me disais de quoi il s'agit ?

Très bien. Autant aller droit au but.

— Qu'allons-nous faire ?

— Là, maintenant ? En fait, j'aimerais bien t'emmener sous la douche avec moi.

Elle lui administra une petite tape sur la poitrine. Il sourit et l'attira à lui.

— Ou je te propose d'explorer avec moi la possibilité que nous formions un couple…

— Cela pourrait tout gâcher avec James, Trevor.

— Comment ça ?

— Et si nous ne nous entendons pas, toi et moi ? Qu'arrivera-t-il ?

Il lui caressa le bras, ce qui lui donna aussitôt la chair de poule.

— Il me semble que nous avons déjà constaté que nous nous entendions très bien, tous les deux. La question est de savoir si le fait que nous soyons amants m'empêchera de passer plus de temps avec James.

— Nous ne pouvons pas prendre un tel risque.

— Il faut que je te dise… J'aime beaucoup la mère de James.

— Tout est devenu si compliqué, à présent.

— Et avant, ça ne l'était pas ?

— Bien vu.

La vérité, c'était que, dans leur histoire, tout était compliqué.

— Je ne crois pas que James devrait être au courant, pour nous deux.

— Si c'est ce que tu veux, répliqua Trevor.

— Tu sais, je n'ai pas l'habitude de coucher avec les hommes avec qui j'ai rendez-vous.

— Nous avions rendez-vous ?

Elle lui donna encore une petite tape.

— Ce n'est pas comme si nous n'avions jamais fait l'amour auparavant, Julie chérie.

— Il y a treize ans !

Venait-il vraiment de l'appeler *Julie chérie ?*

— J'ai bien aimé la façon que nous avons eue de remonter le temps, dit-il avec un grand sourire.

Elle le regarda droit dans les yeux.

— Promets-moi que rien de ce qui se passera entre nous ne sera plus important que ta relation avec James. Que tu seras un père pour lui.

— Je te le promets.

Il avait l'air sincère.

— Mais c'est toi qui as fait le crumble aux pommes…, lança-t-il en se levant pour se rendre à la salle de bains. C'est tout ce que j'ai à dire.

Elle se laissa retomber sur l'oreiller et contempla le plafond. Avait-elle tout déclenché avec ce maudit crumble ? Elle avait envoyé à Trevor des messages contradictoires. Ils avaient fait l'amour et, maintenant, elle devait en payer le prix, assumer la situation tout en protégeant James.

Bravo, Julie, quel gâchis !

— Tu viens, Julie chérie ?

A vrai dire, elle serait stupide de ne pas profiter, ce matin, du plaisir de prendre une douche avec son patron qui était aussi le père de son enfant. Les dégâts étaient déjà faits. Et ils étaient tombés d'accord pour essayer de former un couple.

A condition que Trevor ne se sente pas obligé de coucher avec la mère pour pouvoir se rapprocher de son fils, si c'était cela qui, en fait, comptait le plus pour lui.

— J'attends ! cria-t-il.

Comme hypnotisée, elle sortit du lit et, obéissant à cette voix si sexy, elle rejoignit Trevor sous la douche.

Durant la semaine qui suivit, Julie usa de toute son énergie pour que personne, au cabinet médical, ne soupçonne sa relation avec Trevor. Même quand, distrait, il l'appelait *Julie chérie.* Ils passèrent trois nuits ensemble au cours desquelles Julie fit encore de nouvelles découvertes sur la façon d'aimer. Plus le temps passait, plus elle s'attachait à Trevor.

Ils avaient décidé que, le week-end suivant, elle irait seule chercher James à l'école. Au retour, elle aida son fils à s'installer dans sa chambre puis ils partagèrent les sandwichs qu'elle avait préparés pour le déjeuner.

— Je travaille bien, maintenant, dit James. Cette semaine, j'ai pu faire trois fois du skateboard.

— C'est très bien. Continue à bien étudier.

— En fait, j'aurais pu en faire quatre fois. Leur règlement est trop dur.

— Qu'est-ce qui te fait penser cela ?

— Il ne me restait plus que deux problèmes de mathématiques à finir, mais ils n'ont rien voulu savoir. Si tout le travail n'est pas fait, pas de temps libre.

— Le règlement, c'est le règlement. Si je dois arriver au travail à 8 heures, je ne peux pas arriver tous les jours à 8 h 10.

— Ils auraient dû me laisser faire du skateboard.

Il y eut un petit silence puis James reprit :

— Lorsque je vais aller chez le Dr Montgomery, tout à l'heure, est-ce que son père sera là ?

— Certainement. Pourquoi cette question ?

— J'ai trouvé qu'il me regardait d'une drôle de façon, dimanche dernier.

Oh ! non ! Monty n'avait pas su rester discret et James avait remarqué son air soupçonneux.

— Vraiment ? dit-elle.

— Heureusement qu'il ne m'a pas connu quand j'avais les cheveux longs. J'ai l'impression qu'il n'a pas l'habitude de fréquenter des adolescents.

— Sans doute, mais tu n'es pas encore vraiment un adolescent.

— Peut-être que, pour lui, je suis un *alien* qui vient d'une autre planète.

Elle se mit à rire, soulagée de le voir donner lui-même une explication à la curiosité de Monty.

— Oui, peut-être.

— Je suis vraiment impatient de monter de nouveau Zebulon. Montgomery m'a dit qu'aujourd'hui, si je voulais, je pourrais les aider à nourrir le bétail.

— Fantastique !

— Pourquoi est-il si gentil avec moi ?

— C'est un homme bon, répondit-elle, le cœur serré.

— Tu pensais aussi cela de Mark, et nous avons découvert qu'il voulait seulement t'avoir, toi.

La leçon avait été brutale pour James. Julie craignait que cela n'amène son fils à jeter un regard sceptique sur la vie.

— Cette fois, c'est différent, James.

Le garçon ne dit rien.

— Je sais que Trevor est différent, insista-t-elle. Je t'en prie, crois-moi.

A cet instant, on frappa à la porte. Le regard de James s'illumina.

— C'est probablement Montgomery !

Il bondit de sa chaise pour aller ouvrir.

De toute évidence, il était sincèrement attaché à Trevor,

songea Julie. Le problème, c'était qu'elle aussi l'était, mais elle était prête à tous les sacrifices pour son fils. Et c'était aujourd'hui le grand jour.

Trevor et elle avaient changé leurs plans et décidé de tout dire à James ce soir-là, lorsqu'ils dîneraient tous les trois chez elle, après la randonnée à cheval.

Mais les choses ne se passèrent pas comme prévu. Lorsqu'ils revinrent au ranch, l'une des vaches était sur le point de vêler, et James voulut assister à la naissance du petit veau. Voyant que le temps passait, Julie arriva au ranch, apportant avec elle un pique-nique et le sac de voyage de James.

Trevor croisa son regard. Il avait l'air soucieux. « Tout va bien », articula-t-elle silencieusement. Elle n'était pas pressée de dire à James qui était son père, même si Trevor, lui, semblait impatient de le faire.

Comme le garçon était occupé dans un coin de l'étable, elle s'approcha de Trevor et ils échangèrent un baiser furtif.

— Le week-end prochain, ce sera la première chose que nous lui dirons, murmura-t-elle.

— Cela me paraît la meilleure chose à faire. Nous ne pouvons pas lui annoncer cela en le ramenant à l'école, et puis le laisser ensuite tout seul là-bas.

Le mercredi suivant, Julie vit Charlotte passer en trombe devant sa porte et se diriger vers le bureau de Trevor. Une minute plus tard, celui-ci l'appela par l'interphone.

— Nous avons deux femmes sur le point d'accoucher. Viens me retrouver dans mon bureau.

Elle le rejoignit. Lotte était encore là. En quelques mots, elle exposa la situation.

— J'ai parlé à ces deux femmes, dit-elle. L'une d'elle, Mme Lewiston, est déjà mère de quatre enfants et elle semble prête à accoucher. Quant à Mme Rivers, elle dit que les contractions sont espacées de quatre à cinq minutes, mais elle ne dispose pas de moyen de transport pour se rendre à l'hôpital de Laramie. Son mari travaille sur une plate-forme pétrolière et s'absente pour de longues périodes.

— Je vais annuler mes rendez-vous de la matinée et me rendre chez Mme Lewiston, dit Trevor. Julie, je pense que tu peux assurer tes consultations ce matin, mais, dès que tu auras terminé, va chez Mme Rivers, au cas où je ne pourrais pas y aller moi-même. Je vais lui dire d'appeler le cabinet médical s'il se passe quoi que ce soit. Lotte, téléphonez à notre sage-femme locale et voyez si elle est disponible au cas où nous aurions besoin de son aide. Et annulez tous les rendez-vous de cet après-midi.

Les consignes étant données, chacun fit ce qu'il avait à faire.

Ayant terminé ses consultations du matin, Julie regagna son bureau. Elle préparait le matériel dont elle aurait besoin pour l'accouchement lorsque le téléphone sonna. Sans doute était-ce Mme Rivers, pensa-t-elle en décrochant.

Ce n'était pas Mme Rivers, mais l'académie militaire.

— Nous voulions que vous soyez informée le plus rapidement possible. James a disparu. Nous n'avons pas encore tout fouillé, peut-être est-il encore sur le campus. Soyez sûre que nous allons regarder partout, mais nous avons pensé que vous deviez être au courant sans délai.

James avait disparu ? La gorge nouée, Julie avait soudain du mal à respirer.

— Cela fait combien de temps ? s'enquit-elle d'une voix faible.

— Nous ne savons pas exactement, mais il n'était pas là au moment de l'appel, au petit déjeuner.

— La police a-t-elle été avertie ?

— Nous suivons le protocole, madame. Nous avons fait un signalement à la police, et nous allons retrouver votre fils.

Julie ne se sentait plus capable de réfléchir. Que devait-elle faire ? Prise de panique, elle composa le numéro de Trevor et tomba sur le répondeur. Il devait être en train d'aider Mme Lewiston à mettre son enfant au monde.

— Trevor, c'est Julie. James s'est enfui de l'école. Je me sens très mal, mais je vais chez Mme Rivers. Je t'en prie, viens prendre le relais dès que tu pourras. Il faut que je retrouve James !

Une demi-heure plus tard, toute l'attention de Julie était

concentrée sur sa patiente. L'examen avait montré que les constantes vitales de la mère étaient satisfaisantes, le bébé était en présentation occipitale antérieure avec un rythme cardiaque normal. Rien ne s'opposait à ce que Mme Rivers accouche chez elle, comme elle le souhaitait. La dilatation du col avait atteint huit centimètres. Ce n'était que le début du travail et l'après-midi risquait d'être longue.

— Si vous en avez envie, madame Rivers, vous pouvez marcher un peu, ou bien vous coucher sur le côté gauche. Voulez-vous des glaçons ?

Anita Rivers, le visage anxieux, hocha la tête.

— Voulez-vous que je vous aide d'abord à vous lever ?

— Non, je préfère rester allongée, pour l'instant. Je suis si heureuse que vous soyez là…

Lorsque Julie revint de la cuisine avec les glaçons, elle vit que sa patiente avait une nouvelle contraction. Elle se précipitait vers elle quand son téléphone sonna. Tant pis. Elle ne pouvait pas abandonner sa patiente pour répondre.

Après plusieurs sonneries, il y eut un signal indiquant que le correspondant avait laissé un message.

Dès que la contraction cessa, Julie se rua sur le téléphone. Le message était de Trevor :

« Je suis en route pour aller chez les Rivers. Ici, l'accouchement a été facile et la sage-femme locale est présente pour s'occuper de Mme Lewiston. J'ai été en contact avec le chef de la police — c'est le meilleur ami de mon père. Il m'a dit que les systèmes de surveillance avaient été mis en place et qu'ils retrouveraient James. Tout va bien se passer. J'ai tout dit à Larry et il m'a assuré qu'ils retrouveraient notre fils. A bientôt, j'arrive. »

« Notre fils ». C'était la première fois que Trevor rendait public le fait qu'il était père, et Julie en était bouleversée. Mais, pour l'instant, elle devait s'occuper d'Anita Rivers.

— Bon, le col est complètement dilaté et le bébé… Au fait, comment s'appellera ce bébé ?

— Chloe. C'est une fille.

— Eh bien, le cœur de Chloe bat normalement et elle est presque entièrement engagée. Le temps que votre mari arrive, il sera peut-être déjà papa. Si cela ne vous ennuie pas, je vais déverrouiller la porte d'entrée pour le Dr Montgomery qui doit bientôt nous rejoindre.

En proie à une nouvelle contraction, Anita ne put répondre.

— Essayez de contrôler votre respiration, lança Julie tandis qu'elle courait déverrouiller la porte.

Elle revint aussitôt au chevet d'Anita.

— J'ai envie de pousser, murmura la future maman.

Enfilant une nouvelle paire de gants stériles, Julie remarqua que du liquide coulait sur la couverture absorbante installée pour protéger le lit.

— Levez vos genoux et, lorsque je vous le dirai, poussez !

Un peu plus de liquide s'écoula, mais la contraction prit fin sans que rien de notable ne se produise.

Au moment où Julie auscultait le cœur du bébé, Trevor fit son entrée dans la chambre.

— Alors, comment cela se passe-t-il ? demanda-t-il d'un ton neutre, solide comme un roc.

— Je crois que ce bébé, Chloe, sera là dans moins d'une heure, répondit Julie.

Elle s'était efforcée de prendre un ton enjoué malgré l'inquiétude qui la torturait en songeant à son fils.

Anita sourit, mais bientôt son sourire se mua en grimace. Une nouvelle contraction.

— Maintenant, Anita, je prends le relais, annonça Trevor tandis qu'il se lavait les mains dans le lavabo de la salle de bains. Julie doit retrouver notre fils. Il s'est enfui de son école.

Julie lui tendit une serviette stérile et une paire de gants, stupéfiée par ce qu'elle venait d'entendre.

— Pourquoi ne m'avez-vous rien dit ? s'écria Anita.

— Nous avions un bébé qui allait naître, répondit-elle en tapotant l'épaule de la jeune femme.

— Maintenant, tu peux partir, dit Trevor. Va à la police pour avoir des informations. Et tiens-moi au courant.

— Je te téléphonerai dès que j'aurai appris quelque chose.

— Bonne chance ! lança Anita tandis que Julie marchait rapidement vers la porte.

Une fois dans sa voiture, elle décida de rentrer d'abord chez elle pour voir si James n'y était pas. Mais comment aurait-il pu arriver jusque-là ? Pourtant, elle voulut vérifier.

Il n'y avait personne.

La gorge nouée par l'angoisse, elle appela l'école afin de prendre des nouvelles. Le cœur serré, elle s'entendit répondre que les recherches n'avaient encore rien donné.

Ce n'était pas le moment de s'effondrer. Elle s'essuya les yeux, but un verre d'eau et reprit sa voiture pour aller au poste de police situé en plein centre-ville.

— Le chef Jorgensen est-il là ? demanda-t-elle en se présentant à l'accueil.

Un homme aux cheveux argentés apparut sur le seuil d'un des bureaux. Il avait fière allure dans son uniforme, même s'il avait le visage fatigué.

— Julie Sterling ? dit-il. Je me souviens de vos parents.

Mais oui, bien sûr. C'était lui qui lui avait téléphoné pour lui annoncer le terrible accident où ses parents avaient trouvé la mort.

— Veuillez entrer dans mon bureau, je vous prie.

Elle le suivit dans la pièce et, trop nerveuse pour s'asseoir, elle se mit à faire les cent pas.

— Y a-t-il du nouveau ? Savez-vous quelque chose ?

Il secoua la tête.

— Rien encore. J'ai affecté trois brigades à cette mission et demandé à d'autres policiers de faire des heures supplémentaires afin que nous puissions ratisser toute la région. Trevor m'a procuré une photo de James. Il me l'a envoyée avec son téléphone portable.

Trevor avait donc une photo de James dans son portable ?

— Puis-je la voir ? Euh… pour m'assurer qu'elle est récente.

La photo avait certainement été prise lors du dernier week-end. James arborait un grand sourire sous le soleil du Wyoming, avec, en arrière-plan, des vaches en train de paître.

— Nous surveillons toutes les routes, les grandes comme

les petites. Nous sommes aussi en contact avec la police de Laramie et la police des autoroutes.

— En d'autres termes, vous faites tout ce qui est possible de faire pour retrouver mon fils.

— Oui, madame.

— Et moi, que puis-je faire ?

— S'il a un téléphone portable, appelez-le. Dites-lui combien vous êtes inquiète. Nous lui avons téléphoné, mais nous sommes tombés sur sa messagerie.

Julie s'en voulut de ne pas avoir pensé elle-même à le faire, mais la panique lui avait brouillé le cerveau. Elle composa le numéro de James, mais tombant sur le répondeur elle préféra lui envoyer un texto.

> Où es-tu ? Je t'en prie, appelle-moi. J'ai besoin de savoir que tu vas bien. S'il te plaît, appelle-moi. Je t'aime, maman.

Au bout d'un moment, n'obtenant pas de réponse, elle envoya un autre texto.

> Je suis malade d'angoisse, je t'en prie, réponds-moi.

Elle devait garder espoir. Pour s'empêcher de pleurer, elle se mordillait la lèvre inférieure quand, soudain, elle entendit des pas derrière elle.

Deux grandes mains solides se posèrent sur ses épaules, les massant légèrement. C'était Trevor. Sa présence apporta aussitôt à Julie un réconfort dont elle avait bien besoin.

— Chef Jorgensen, avez-vous des nouvelles au sujet de notre fils ? demanda-t-il.

— Je viens d'expliquer à Julie tout ce que nous avons mis en œuvre pour le retrouver. Car nous le retrouverons, je peux vous l'assurer. Je vous suggère de rentrer chez vous tous les deux et de vous reposer. Nous avons vos numéros de téléphone et je vous appellerai moi-même dès l'instant où j'aurai appris quelque chose. Essayez de le joindre sur son téléphone.

Julie regarda l'écran de son portable au cas où James lui aurait envoyé un texto. Rien.

— Merci beaucoup pour votre aide, dit Trevor. Viens, Julie, rentrons à la maison.

Il la prit par la main et ils quittèrent le poste de police. Comment pouvait-il rester si calme ? Pourquoi n'était-il pas paniqué, comme elle ?

— Merci, murmura-t-elle. Qui est avec Anita et Chloe ?

— J'ai demandé à Charlotte de rester auprès d'elles jusqu'au retour du mari d'Anita. Je me suis arrangé avec les infirmières du comté pour qu'elles assurent demain le suivi de ces deux mères et de leurs bébés.

— Je crois que tu ne devrais pas rester ici toute seule, Julie. Laisse-moi te tenir compagnie.

— Mais non, Trevor, cela ira. Je veux être à la maison au cas où James reviendrait ici. Je t'en prie, rentre chez toi. Tu as eu une dure journée, avec ces deux accouchements. Gretchen va te préparer un bon dîner.

— Et toi ?

— Je serais incapable d'avaler la moindre bouchée.

Trevor commençait à comprendre exactement ce qu'elle ressentait. Il avait peur, lui aussi. Il aimait son fils. Il le connaissait à peine, mais ce qu'il éprouvait pour lui, c'était bien de l'amour.

Comme Julie semblait tenir à rester seule chez elle, il ne voulut pas la contrarier.

— Bon, je vais te laisser, mais téléphone-moi si tu as besoin que je vienne. Je t'appellerai toutes les heures.

Il la prit dans ses bras et, la serrant contre lui, il l'embrassa sur les cheveux. Pourvu qu'il ne soit rien arrivé à leur fils, pensa-t-il. *Leur fils*. Il s'en voulut de ne pas avoir dit à James, quand il en avait l'occasion, qu'il était son père. Il se promit de le faire dès qu'il le pourrait.

— Ça ira, murmura Julie. Tu peux rentrer chez toi.

Il ne la croyait pas. Elle se sentirait très mal tant qu'ils n'auraient pas retrouvé James.

— Il faut d'abord que tu saches quelque chose.

L'instant était-il bien choisi pour lui dire qu'il l'aimait, alors qu'ils étaient plongés en plein chaos ? L'écouterait-elle seulement ? Non, ce n'était pas le moment de lui faire cet aveu, même s'il en brûlait d'envie. Il avait compris la semaine précédente à quel point il l'aimait. Il ne pensait plus qu'à elle, impatient de la retrouver le soir, de passer la nuit avec elle. Ils étaient si bien ensemble… Grâce à Julie, il s'était rappelé pourquoi les gens devaient s'ouvrir à l'amour : parce que passer à côté était un vrai gâchis. Mais elle n'était pas prête à l'entendre aujourd'hui. En revanche, il pouvait lui dire quelque chose qui lui donnerait peut-être de l'espoir.

— J'aime notre fils, dit-il.

Les yeux mouillés de larmes, elle le regarda en souriant.

— Je te crois.

Elle le poussa doucement vers la porte, voulant visiblement rester seule. Le moins qu'un homme pouvait faire pour la femme qu'il aimait, c'était de se plier à ses désirs.

Tandis qu'il regagnait sa voiture, il consulta sa montre. Il était près de 16 h 30. Il ferait bientôt nuit et les chances de retrouver James s'amenuiseraient. On s'était aperçu de sa disparition à 7 heures, ce matin, mais personne ne pouvait dire quand exactement il s'était enfui de l'école. Avait-il essayé de rentrer en Californie ? Et s'il ne le revoyait jamais ? songea Trevor que cette idée rendait malade.

Comme il roulait vers le ranch, il reçut un texto de Jack.

> Votre père veut que vous rentriez tout de suite à la maison.

Il appuya aussitôt sur l'accélérateur, inquiet à la pensée que Monty pouvait avoir été victime d'une nouvelle attaque.

9.

Dès que Trevor eut quitté l'autoroute pour s'engager sur la route secondaire qui menait au ranch, il appela Jack qui décrocha aussitôt.

— Que se passe-t-il avec papa ? demanda-t-il. Est-ce qu'il va bien ?

Jack ne répondit pas. Trevor comprit que le téléphone était passé en d'autres mains lorsqu'il entendit la voix grave de son père, visiblement irrité.

— Je vais très bien. Dis-moi, quand avais-tu l'intention de m'apprendre que tu avais un fils ?

Soulagé de voir qu'il ne s'agissait pas d'un problème de santé de son père, Trevor dut respirer un grand coup avant de répondre. De toute évidence, le chef Jorgensen avait parlé à Monty.

— Pas avant de l'avoir dit à James, rétorqua-t-il. J'ai pensé qu'il avait le droit d'être le premier informé. Mais je ne suis pas sûr d'en avoir l'occasion maintenant, ajouta-t-il, les mâchoires serrées. Y a-t-il du nouveau ?

— Eh bien, il y a eu plusieurs signalements. Un certain McGilvary a pris un gamin en stop à Thistle Gardens et l'a laissé sur la route, quarante kilomètres plus loin. Quelqu'un d'autre a vu un garçon faisant du skateboard sur la route, et à bonne allure, encore.

— Et personne ne s'en est étonné ?

— Si, plein de gens, mais ils pensaient que c'était un gosse qui faisait l'école buissonnière. La question que je me pose, c'est comment un gamin a pu aller jusqu'à Thistle Gardens en skateboard.

Trevor trouvait cela incroyable, lui aussi.

— Ecoute, je crois que nous avons un problème avec un intrus, continua son père. Tu devrais passer par l'écurie quand tu arriveras. Zebulon a peut-être de la compagnie.

Trevor sentit son pouls s'accélérer.

— Tu as vu James ?

— Disons que je n'ai pas vérifié. Je pense que c'est à toi de le faire.

— Merci, mais, *surtout*, ne le laisse pas repartir !

— Me crois-tu né de la dernière pluie ? Nous avons mis l'écurie sous surveillance, mais ce garçon a démontré qu'il était malin puisqu'il a réussi à arriver jusqu'ici.

Après avoir raccroché, Trevor songea à appeler Julie puis il y renonça, ne voulant pas lui donner de faux espoirs au cas où James disparaîtrait de nouveau.

La réaction de son père le surprenait. Il ne lui avait fait aucun reproche ni rien dit de désagréable. Il avait même paru amusé à l'idée que son petit-fils avait réussi à parcourir cent cinquante kilomètres en une journée sans autre aide qu'un skateboard et sa débrouillardise.

Arrivé au ranch, Trevor gara sa voiture à sa place habituelle, dans l'allée, puis il jeta un long regard du côté de l'écurie en faisant mine d'ajuster son chapeau sur sa tête. Puis, sans se presser, il marcha dans cette direction.

Lorsqu'il entra dans l'écurie, une odeur de foin et de crottin de cheval lui emplit les narines. Il crut voir une ombre au fond du bâtiment, près du box de Zebulon.

— James ?

Pas de réponse.

Zebulon l'accueillit avec un hennissement de bienvenue, comme il le faisait toujours. Trevor lui posa la main sur l'encolure et le caressa.

Il remarqua alors des bouts de carottes tombés entre les jambes de l'animal. Le dimanche précédent, Trevor avait montré à James où était rangé le sac de carottes destiné aux chevaux.

— James, je sais que tu es là, alors sors de ta cachette. Ta mère et moi avons été morts d'inquiétude toute la journée.

Toujours pas de réponse.

— Tu vas donner des cheveux blancs à ta mère, et elle est bien trop jeune et trop jolie pour ça.

Il vit alors quelque chose bouger sur sa gauche. James sortit du box d'O'Reilly. Il était couvert de boue et de poussière, mais, pour Trevor, c'était là le plus beau des spectacles.

Ne voulant pas écraser James sous le poids de l'émotion qui l'étreignait, il décida de prendre un ton dégagé.

— Mon garçon, tu ressembles à un chat de gouttière qui se serait roulé dans la boue.

James baissa la tête, l'air penaud. Il semblait au bord des larmes.

Trevor s'approcha de lui et le prit dans ses bras pour le réconforter. James se laissa aller contre lui, la tête posée sur son torse.

Une pensée traversa l'esprit de Trevor. Depuis quand cet enfant n'avait-il pas été serré dans les bras d'un homme ?

— Tu sais que ta mère va te tuer après t'avoir couvert de baisers ?

Il entendit un petit rire étouffé. James avait toujours la tête enfouie contre lui, et Trevor s'aperçut qu'il tremblait.

— As-tu faim ? Ou soif ?

Le garçon hocha la tête.

— Je vais d'abord téléphoner à ta maman et, ensuite, Gretchen te préparera quelque chose à manger.

Comme il s'apprêtait à sortir son portable de sa poche, James l'arrêta d'un geste.

Qu'est-ce que cela voulait dire ?

A présent, l'enfant le regardait fixement, braquant sur lui son regard noisette, le même que celui de sa mère.

— Est-ce que vous êtes mon père ?

Trevor avala sa salive. C'était donc cela. Si seulement ils avaient eu le temps de lui parler, le week-end précédent… Mais ce n'était pas le moment d'avoir des regrets.

— Oui.

Il n'ajouta rien d'autre, conscient que son fils attendait une réponse simple et directe.

— Pourquoi n'avez-vous pas voulu de moi ?

Même si Trevor ne voulait porter aucune accusation, il tenait à dire la vérité. Julie donnerait sa version des faits lorsqu'elle jugerait le moment venu.

— J'ai appris ton existence il y a quelques semaines à peine, lorsque ta mère et toi êtes arrivés ici et qu'elle est venue travailler dans mon cabinet médical.

Des larmes coulaient sur les joues du garçon.

— J'ai toujours rêvé d'avoir un papa.

— Eh bien, maintenant, tu en as un. Et je ne te laisserai jamais tomber, fils. Mais tu dois comprendre que tu as la maman la plus géniale du monde. Durant toutes ces années, elle a fait en sorte de te donner de l'amour pour deux.

— Pourquoi cela n'a pas marché entre vous ?

— C'est une longue histoire, et ta maman mérite d'être là quand nous te la raconterons. Par ailleurs, j'entends ton estomac gargouiller.

Il passa une main dans les cheveux du garçon.

— Je vais te dire un secret, mais cela doit rester entre toi et moi. Maintenant que nous sommes tous réunis, je veux que nous formions une famille, tout comme toi tu as toujours voulu avoir un papa. Tu sais ce que ça veut dire.

— Vous allez épouser maman ?

— Je vais faire tout mon possible pour la convaincre, mais, de toute façon, tu es mon fils et je ne te laisserai jamais disparaître de ma vie.

Il détacha doucement les bras de James qui se cramponnait à lui et il le poussa vers la porte de l'écurie.

— Viens, tu as besoin de manger quelque chose, sinon tu vas t'évanouir et t'écrouler dans la paille.

— Elle est très têtue, vous savez, dit James tandis qu'ils se dirigeaient vers la maison.

— Oh ! je sais ! Mais pas un mot de tout ça à ta mère, d'accord ? Nous allons devoir y aller doucement avec elle.

Tenant James d'un bras, de l'autre il prit son téléphone et appela Julie. Dès qu'elle décrocha, il lui annonça la bonne nouvelle.

— J'ai trouvé quelque chose que tu cherchais.

*
* *

Julie arriva en trombe dans la cuisine du ranch, souriant et pleurant à la fois, les cheveux en bataille. Elle fonça droit sur James qui, dès qu'il avait vu sa mère, s'était levé de sa chaise.

— Maman, ne sois pas fâchée.

— Je suis bien au-delà de ça, James.

Elle le serra si fort dans ses bras qu'elle manqua l'étouffer. C'était si bon de pouvoir l'embrasser, même s'il ne sentait pas la rose, mais plutôt le fumier.

— Je veux que tu m'expliques comment tu es arrivé jusqu'ici.

— Ce garçon est débrouillard, intervint Monty. Dis-moi, James, combien d'argent as-tu donné à cet adolescent de Laramie pour qu'il t'emmène en voiture à soixante-quinze kilomètres de là ?

— Vingt dollars.

— Les vingt dollars que je t'avais donnés pour tes extra de la semaine ? s'exclama Julie. Et comment as-tu fait le reste du trajet ?

Cette fois, ce fut Trevor qui répondit.

— Il a été pris en stop par le vieux McGilvary qui l'a fait monter dans son camion et, après, il a terminé la route sur son skateboard.

— Quand c'est devenu trop caillouteux, j'ai continué à pied, expliqua James.

Elle le serra de nouveau sur son cœur. Il était là, dans ses bras, sain et sauf. Merci, mon Dieu.

— Mais c'était stupide, irréfléchi et…

— Et dangereux, oui, je sais, maman, mais…

— Il n'y a pas de « mais », tu ne dois pas faire ce genre de choses, dit-elle en le regardant droit dans les yeux.

Elle sentit la main de Trevor se poser sur son épaule.

— Son grand-père s'est chargé de lui faire la leçon, crois-moi. Et il semble que James avait quelque chose en tête qui ne pouvait pas attendre jusqu'au week-end prochain.

Son grand-père ?

— Il sait ?

— De toute évidence, la question le travaillait depuis plusieurs jours. Si nous lui avions dit la vérité le week-end dernier, rien de tout cela ne serait arrivé.

— Maman, je te promets de ne plus jamais refaire quelque chose d'aussi stupide. J'étais mort de peur, tu sais, mais il fallait que je sache si Montgomery était mon père et je voulais que ce soit lui qui me le dise en personne.

L'attirant contre elle, elle lui posa un baiser sur les cheveux tandis que des larmes roulaient sur ses joues.

— S'il te plaît, maman, ne me renvoie pas à l'académie militaire. Je te promets de bien me comporter. Pourquoi je ne pourrais pas aller à l'école à Cattleman Bluff ?

Il était hors de question de le récompenser pour avoir fugué !

— Les Sterling ne sont pas des déserteurs. Tu vas terminer le semestre à l'académie, prouver qu'on peut te faire confiance, montrer que tu t'es ressaisi et, après l'été, nous verrons où t'envoyer pour le semestre suivant.

Déçu, James regarda Trevor, comme s'il espérait trouver un allié. Peine perdue.

— Je ne vais certainement pas intervenir dans les décisions de ta mère. Je n'oserais pas, ajouta Trevor pour détendre l'atmosphère.

Curieusement, James ne protesta pas. Il hocha simplement la tête, l'air maussade. Après tout, c'était la première fois qu'il se trouvait face à l'autorité de ses deux parents et de son grand-père qui formaient un front uni. Peut-être appréciait-il en fait d'être confronté à des règles auxquelles il ne pouvait se soustraire. En tout cas, Julie l'espérait.

— As-tu mangé quelque chose ? demanda-t-elle.

— Il a avalé deux sandwichs et trois verres de lait, précisa Gretchen qui faisait mine de nettoyer le comptoir avec une éponge afin de ne rien perdre de la discussion.

— Merci, dit Julie. Bon, maintenant, James, tu dois prendre une douche et, ensuite, je te ramènerai à l'école. Oh ! Mon Dieu, nous devons les avertir que…

— C'est déjà fait, dit Monty. J'ai téléphoné au chef Jorgensen. Il m'a dit qu'il se chargeait de tout.

— Je dois tout de même appeler l'école pour m'assurer qu'ils ne l'ont pas renvoyé.

— Cela m'étonnerait qu'ils le renvoient, mais je suis sûr que James sera puni, déclara Trevor. Tu es prêt à assumer, n'est-ce pas, mon garçon ? Il faut te conduire en homme.

James hocha la tête, sans grande conviction.

— Je ferais mieux de laisser mon skateboard ici, comme ça, ils ne pourront pas me le confisquer.

Cette dernière tentative pour se sortir au mieux d'une histoire qui lui vaudrait à coup sûr des sanctions déclencha un rire général.

Après la journée éprouvante que Julie venait de vivre, ce rire salutaire lui fit du bien. Il chassait toutes les idées noires qui l'avaient assaillie dès l'instant où elle avait appris la disparition de James.

Julie et Trevor réussirent à ramener James à l'académie militaire vingt minutes avant l'heure du coucher, et leur fils fut aussitôt fixé sur son sort. Il serait privé de temps libre pendant un mois et il ne pourrait pas aller chez sa mère le week-end suivant. A la place, il aiderait l'équipe chargée d'entretenir les jardins. James accueillit la sentence sans broncher, peut-être parce qu'il ne voulait pas faire preuve de faiblesse devant Trevor. En tout cas, Julie se réjouit de voir qu'il acceptait sa punition sans se plaindre.

Ils apprirent cependant que, si James n'avait pas le droit de quitter l'école le week-end suivant, rien ne leur interdisait de venir dîner avec lui le dimanche soir.

Vint le moment de se dire au revoir. Julie embrassa longuement son fils puis céda sa place à Trevor. Alors que James lui tendait la main, Trevor lui donna une accolade toute paternelle.

— Oublie pour toujours l'idée de refaire une escapade aussi stupide, d'accord ?

— C'est la dernière fois, promis.

— Si l'envie te reprend de rentrer chez toi, téléphone à ta mère ou à moi, et nous verrons ce que nous pouvons faire.

Tu es beaucoup trop jeune pour faire de l'auto-stop. A quoi pensais-tu donc ?

Il commença à chahuter avec lui, faisant mine de vouloir lui donner quelques coups de poing, et James entra aussitôt dans son jeu.

— Bon, vous deux, cessez de chercher lequel est le plus immature, dit Julie en souriant.

Au moment où James s'éloignait pour regagner sa chambre, il se retourna.

— Au revoir, maman. Je t'aime.

— Moi aussi, je t'aime.

Le garçon regarda alors Trevor.

— Euh… Est-ce que je peux vous appeler papa, maintenant ?

— Oui, bien sûr, et aussi me tutoyer. J'en serais très flatté.

Il était près de minuit lorsque Trevor laissa Julie devant chez elle. La journée avait été épuisante. Ce qui l'avait sauvée, c'était d'avoir passé autant de temps avec Trevor. Sans lui, elle n'aurait jamais pu supporter une telle épreuve.

Lorsqu'il se gara devant la maison, elle lui saisit la main et obtint en retour l'un de ces regards qu'elle commençait à bien connaître et qui exprimaient du désir. Un désir contagieux.

Elle lui prit le visage entre les mains et l'embrassa.

— Je ne sais pas ce que j'aurais fait sans toi aujourd'hui.

Pour toute réponse, il s'empara de ses lèvres. Lorsque son tendre baiser se fit plus fiévreux, elle n'y tint plus.

— Veux-tu rester avec moi cette nuit ?

Il ne dit rien, mais il afficha un sourire sexy qui était plus éloquent que n'importe quel discours.

Au cours des dernières semaines, ils avaient exploré toutes les positions et les techniques pour faire l'amour, et Trevor avait montré qu'il disposait d'un vaste répertoire. Julie profitait pleinement de cette créativité qui était pour elle toute nouvelle, même si elle continuait de préférer la bonne vieille méthode qui les mettait face à face et lui permettait de voir le regard et les expressions de Trevor dans les moments les plus intimes.

Cette nuit-là, alors qu'il était assis, adossé à la tête de lit, il prit Julie sur ses genoux et, la tenant par les hanches, il la guida, l'aidant à bouger sur lui tandis qu'il la pénétrait. Elle pouvait voir ses narines se dilater lorsqu'elle faisait certains mouvements. Enivrée par l'odeur de sexe et le bruit que faisaient leurs corps en se heurtant l'un contre l'autre, elle s'abandonnait à une jouissance qui la libérait de toutes les angoisses et les soucis de cette terrible journée.

— Epouse-moi, Julie.

Les mots lui parvinrent à travers une sorte d'écran ouaté, comme assourdis, alors qu'elle touchait presque à cette terre merveilleuse que lui ouvrait le plaisir à son paroxysme. Qu'avait-il dit, au juste ?

Trevor lui saisit les bras et, d'une seule main, il les lui tint dans le dos tandis que, de l'autre il l'allongeait sur le lit. Et là, il lui fit l'amour avec une ardeur qu'elle n'avait encore jamais expérimentée avec lui.

— Epouse-moi, répéta-t-il d'une voix rauque.

Perdue dans le plaisir qui la submergeait, elle ne répondit pas.

Plus tard, alors qu'elle reprenait lentement ses esprits, la mémoire lui revint. Trevor lui avait demandé de l'épouser !

Trevor tenait Julie dans ses bras. Il aimait la voir ainsi, les joues enflammées par l'amour, les cheveux trempés de sueur, s'abandonnant contre lui. Ils avaient besoin l'un de l'autre.

Elle n'avait pas répondu à sa demande en mariage, mais il ne pouvait lui en faire le reproche, ayant été lui-même absorbé par l'intensité du plaisir qu'ils se donnaient l'un à l'autre. Toutefois, il ne pouvait s'empêcher de penser à Kimberley et à la façon dont elle l'avait éconduit lorsqu'il lui avait demandé de l'épouser.

Se passerait-il la même chose avec Julie ?

Une main douce se posa sur son visage.

— J'ai été surprise, Trevor, par ta demande en mariage.

Il lui embrassa la paume de la main.

— C'est sérieux, Julie, je veux t'épouser, être ton mari et un père à plein temps pour James.

Elle attendit un moment avant de reprendre la parole.

— Parfois, la chose à faire n'entraîne pas forcément qu'on soit fait l'un pour l'autre.

— Tu ne crois pas qu'on est fait l'un pour l'autre ? Moi, j'en suis convaincu, et nous avons un enfant. Ne vois-tu pas que, si l'on se mariait, cela réglerait tous tes problèmes ?

— James ne s'est pas encore remis de ce que Mark lui a fait. Je n'oserais jamais lui annoncer que je me lie à un autre homme, même s'il s'agit de son père.

Il la saisit par les épaules, l'obligeant à le regarder.

— Je suis son père, et j'ignorais son existence. C'était ta décision. A présent, il est temps que je prenne à mon tour quelques décisions concernant ce garçon. Je veux une famille et je veux que tu sois ma femme.

Elle ferma les yeux et fronça les sourcils.

— Ce n'est pas loyal de faire l'amour à une femme et de la demander soudain en mariage. J'ai besoin de remettre mes idées en place, et le fait d'être nue, là, avec toi, ne me facilite pas les choses.

— Tu me demandes de te laisser seule ?

— Oui, je crois que j'ai besoin de souffler un peu. Je t'en prie, Trevor, comprends-moi. Il ne s'agit pas d'une décision qu'on peut prendre sur un coup de tête. Tu mérites mieux. James aussi.

— Toi, tu mérites de connaître l'amour, Julie chérie. Tu mérites d'être heureuse. Et je peux m'en charger. C'est ce que je viens de faire, non ? Tu ne peux pas le nier.

Elle secoua la tête.

— Non, je ne le nie pas. Je te demande juste de me laisser une chance d'y voir plus clair. Si je me marie, je veux que ce soit pour de bonnes raisons.

Trevor se leva, attrapa ses vêtements qu'il avait jetés sur une chaise puis se dirigea vers la salle de bains. Lorsque, cinq minutes plus tard, il en ressortit, habillé de pied en cap, il retrouva Julie là où il l'avait laissée, allongée sur le lit, regardant fixement le plafond, mais, maintenant, elle se couvrait avec un drap.

— Je veux savoir quelque chose avant de m'en aller, dit-il. Est-ce que tu m'aimes ?

Elle se redressa avec cet air affolé d'une biche prise dans la lumière des phares.

— Je… Heu… Je n'ai jamais ressenti cela pour personne d'autre que toi, Trevor, mais je…

Elle prenait trop de temps pour répondre, cherchant des excuses. Il ne put le supporter.

— Moi, je t'aime.

Puis il quitta la chambre, sans un regard pour la femme à qui il venait de déclarer son amour et qu'il voulait épouser.

A part balancer un coup de poing dans un mur, qu'était-il censé faire maintenant ?

10.

Julie roula sur le ventre et se mit à pleurer aussi fort que le soir où elle avait découvert qu'elle était enceinte, et aussi lorsqu'elle avait compris qu'elle devait quitter Cattleman Bluff et s'installer à Los Angeles.

Trevor voulait faire ce qu'il croyait être son devoir parce que c'était sa façon de se comporter dans la vie. Mais pouvait-on épouser une femme parce qu'on avait passé une nuit avec elle, il y avait des années de cela ?

Lorsqu'il lui avait demandé si elle l'aimait, elle avait brûlé de l'envie de lui répondre : « Oui, je t'aime, de tout mon cœur. » Ce qui était la stricte vérité, mais aussi la dernière chose qu'il devait entendre en ce moment car elle ne voulait pas l'influencer.

Elle avait besoin de savoir si Trevor Montgomery l'aimait vraiment pour ce qu'elle était, elle, et non parce qu'elle avait fait de lui un père.

Le jeudi et le vendredi avaient été des journées chargées au cabinet médical, mais Julie et Trevor avaient assuré. La rumeur s'était rapidement répandue et, à présent, Rita et Charlotte connaissaient l'histoire de James. De toute évidence, elles mouraient d'envie d'en savoir plus, mais Julie n'était pas disposée à en parler à qui que ce soit. Quant à Trevor, il était clair qu'il cherchait à l'éviter, se pliant ainsi à sa demande de la laisser souffler un peu.

Le samedi, il ne se montra pas. Elle ne put s'empêcher

de penser à lui une bonne partie de la journée, imaginant ce que serait sa vie si elle la passait avec un homme aussi merveilleux. Est-ce qu'il l'aimait vraiment ?

Arriva le dimanche. Trevor vint la chercher en début d'après-midi pour l'emmener à l'académie militaire. Elle le trouva incroyablement sexy avec sa barbe de deux jours et ses cheveux impeccablement coiffés. Il portait un veston en velours côtelé couleur taupe, une chemise marron à petits carreaux, un jean et, bien sûr, comme c'était le week-end, il avait mis ses vieilles bottes western. Rancher, médecin, hyper-sexy, il avait fière allure.

— Bonjour, dit-elle.

Il sourit et se pencha vers elle pour lui donner un petit baiser.

— Tu es prête ?

— Oui.

Elle emporta des brownies qu'elle avait faits spécialement pour James.

— J'ai pensé que cela lui ferait plaisir si nous lui apportions un cheeseburger, mais il vaut mieux attendre d'être à Laramie pour l'acheter, dit Trevor.

— Bonne idée. Il ne nous reste plus qu'à trouver où l'on peut se procurer sa marque préférée.

— J'ai déjà regardé. C'est à cinq minutes de son école.

Cet homme était l'être le plus attentionné qu'elle ait jamais rencontré. Et il savait déjà quelle marque de cheeseburger leur fils préférait.

James apprécia la surprise. Il dévora avec plaisir le burger accompagné de frites, et les brownies de Julie le rendirent un peu nostalgique, mais il ne se plaignit pas des punitions que lui avait values sa fugue.

— Je sais que je n'ai pas à être fier de ce que j'ai fait, mais il y a deux grands de l'école qui m'aiment bien, maintenant, dit-il. Ils me trouvent cool. Avant, ils ne savaient même pas que j'existais.

— Ne va pas te monter la tête, répliqua Trevor.

— Non, bien sûr.

Julie était étonnée de voir avec quelle facilité le père et

le fils communiquaient entre eux. On aurait dit qu'ils se connaissaient depuis toujours.

Sur le chemin du retour, Trevor aborda de nouveau le sujet tabou.

— J'ai eu une idée, Julie, commença-t-il. Il me semble qu'avant tout tu devrais écouter ton cœur plutôt que ton cerveau.

— C'est plus facile à dire qu'à faire.

— Voilà comment je vois les choses. Je suis la pièce manquante dans le puzzle de votre famille. Tout ce que je demande, c'est d'avoir une chance d'être présent pour notre fils. Et une chance de pouvoir t'aimer comme tu le mérites, sans réserve.

Oh ! comme elle aurait voulu s'abandonner et se laisser aimer ainsi ! Elle l'avait fait une fois avec Trevor, lorsqu'elle était très jeune, et sa vie en avait été bouleversée, l'obligeant à renoncer à ses rêves pour faire face à la réalité.

Et maintenant, il était là, lui faisant miroiter la promesse d'une vie de famille idéale. Pourrait-il vraiment donner corps à ce rêve ? Devait-elle lui faire confiance ?

— Alors, j'ai décidé quelque chose, reprit-il. Nous allons tout recommencer depuis le début.

— Quoi ?

— Le seul moyen que j'ai de te conquérir, c'est de te faire la cour comme dans le bon vieux temps. Nous sortirons ensemble, nous verrons comment ça se passe entre nous et, après seulement, nous pourrons nous marier. Qu'en dis-tu ?

— C'est la proposition la plus folle que j'aie jamais entendue.

Mais l'idée lui plaisait. Beaucoup. Et elle aimait Trevor pour l'avoir eue.

— Eh bien, je te conseille de faire place nette dans ton agenda, ma chérie, parce que j'ai des plans pour toute la semaine, et aussi pour la semaine suivante et, si c'est nécessaire, encore pour la semaine d'après.

— Tu nous laisses seulement trois semaines avant le mariage ? J'appelle cela du *speed dating* !

— Appelle-le comme tu voudras, mais c'est ce que nous allons faire.

Il semblait si content de lui qu'elle s'en agaça.

— Et tu penses que je vais accepter ton plan ?

— Oui, si tu sais voir ce qui est bon pour toi. Par ailleurs, j'ai pris conseil auprès d'un expert.

— Ah, vraiment ?

— James m'a fait une liste de tout ce que tu préférais.

— Quoi ? Tu as mêlé James à tout cela ?

— Mais c'est lui qui en a eu l'idée !

Son fils avait suggéré à Trevor de lui faire la cour ? Il lui fallut tout le reste du trajet pour recouvrer ses esprits.

Elle avait déjà eu son lot de surprises, aujourd'hui, mais la plus grande pour elle fut de voir Trevor l'accompagner jusqu'à sa porte, l'embrasser en lui souhaitant bonne nuit, puis tourner les talons et remonter dans sa voiture.

Il avait vraiment décidé de mettre son plan en œuvre. L'idée d'être l'objet de toutes ses attentions amena un grand sourire sur le visage de Julie.

Le lundi matin, Julie trouva sur son bureau un magnifique bouquet printanier et une invitation à dîner le soir même au Bartalotti's, le seul restaurant italien de Cattleman Bluff.

Lorsqu'ils arrivèrent, elle découvrit que Trevor avait réservé la salle pour eux seuls sous prétexte qu'ils avaient un anniversaire à fêter : cela faisait sept semaines qu'il l'avait engagée au cabinet médical et qu'elle lui avait appris qu'il était père.

Ce soir-là, il la quitta à sa porte en lui donnant un chaste baiser et, après lui avoir rappelé que, le lendemain, ils avaient prévu de faire une promenade après les consultations du matin, il s'en alla. Cette façon qu'il avait de la courtiser comme on le faisait autrefois était pour elle assez déroutante, mais des plus séduisantes.

Le mardi matin, plusieurs cas difficiles vinrent s'ajouter aux consultations habituelles : Dustin Duarte montrait les premiers signes d'une appendicite, Janine Littleton souffrait d'une angine, la troisième en quelques mois, et Brian Whiteside faisait une réaction allergique sévère après avoir mangé des *tacos* de crevettes au dîner de la veille.

A 13 heures, lorsque le cabinet médical ferma ses portes, Julie rêvait de faire une sieste plutôt que d'aller se promener, mais Trevor ne l'entendait pas ainsi.

— Il fait un temps magnifique, l'air frais te fera du bien. Et je voudrais te montrer l'un de mes endroits secrets : la cascade.

Deux heures plus tard, après avoir partagé avec lui une bouteille de vin rouge, du pain croustillant et du fromage asiago fait par Gretchen, elle poussait un soupir de contentement. La tête posée sur les genoux de Trevor, elle contemplait la ravissante piscine naturelle et la cascade près desquelles ils avaient étendu leur couverture. Trevor lui caressait les cheveux. Elle avait l'impression d'être au paradis.

— Quand j'étais jeune, j'avais l'habitude de venir ici chaque fois que j'avais besoin de réfléchir, dit-il. Je voulais y amener James pour lui apprendre que j'étais son père. C'est ici que je suis venu le jour où on m'a dit que Cole avait fait une mauvaise chute et qu'il devrait rester de longs mois à l'hôpital. Je suis venu me réfugier près de cette cascade lorsque j'ai découvert que ma mère avait un cancer. Et aussi le lendemain d'une soirée où j'avais pris la virginité d'une jeune fille… Je m'en voulais à mort.

Julie lui saisit la main. Se penchant vers elle, il lui donna un petit baiser.

— Etais-je la seule vierge que tu aies déflorée ?

— Mais oui ! Et tu es la seule femme avec qui j'ai eu un fils, ajouta-t-il en l'embrassant encore. Cela fait de toi une personne particulièrement précieuse à mes yeux, tu sais…

Elle se redressa et, le prenant par le cou, elle l'embrassa, mais il fit en sorte d'éviter que ce baiser ne devienne trop enflammé.

Le mercredi matin, Julie découvrit sur son bureau une boîte de chocolats — ses préférés. Trevor avait dû s'informer auprès de James, et cette attention la toucha. A côté de la boîte, il y avait une invitation : Trevor lui proposait de partir à cheval, le lendemain à l'aube, pour regarder le soleil se lever.

Il faisait encore nuit, le jeudi, lorsqu'elle arriva au ranch, en jean et chaussée de vieilles bottes. Elle n'était pas montée sur un cheval depuis son retour à Cattleman Bluff.

Trevor lui présenta O'Reilly.

— Voici notre ponette connemara. Papa l'a ramenée d'Irlande il y a cinq ans.

— Elle est superbe, mais je n'ai pas fait de cheval depuis…

— Elle est parfaite pour toi, elle a un caractère calme et le pied très sûr. Ne t'inquiète pas. Et maintenant, allons assister au lever du soleil.

Il l'aida à s'asseoir sur la selle, lui donna quelques conseils sur la façon d'utiliser les rênes, puis il monta sur Zebulon et ils partirent.

Il soufflait une petite brise matinale qui refroidit les joues et les mains de Julie tandis que, juchée sur O'Reilly, elle suivait Trevor et Zebulon.

Bientôt, les nuages teintés de rose s'écartèrent pour laisser apparaître un soleil éclatant. Emue, Julie prit conscience que Trevor lui faisait un beau cadeau en lui permettant de partager avec lui des moments aussi précieux.

Il vint à sa hauteur et sortit son téléphone portable.

— J'ai promis à James de lui envoyer une photo.

Il lui prit les rênes pour amener O'Reilly à se rapprocher de Zebulon. Tandis que le jour se levait, il prit quelques selfies jusqu'au moment où il trouva la photo qui lui plaisait.

— Celle-là, dit-il en l'envoyant à son fils. Elle fera sourire Jimmy.

— Jimmy ? Je ne l'ai jamais appelé ainsi, même pas quand il était bébé.

— Cela n'a pas l'air de le gêner quand je le fais, Julie chérie. Bon, je t'envoie aussi cette photo.

A cet instant, son téléphone émit un signal.

— Regarde, il m'a déjà répondu ! Il dit : « Formidable ! »

— Cela t'arrive souvent de communiquer avec lui ?

— Je l'appelle tous les soirs et il nous arrive de nous envoyer des textos dans la journée.

Lorsque Trevor parlait de son fils, son visage s'illuminait. Et les douces couleurs de l'aurore le rendaient encore plus beau, se dit Julie.

Ne plus faire l'amour avec lui créait chez elle une énorme frustration, elle le reconnaissait. Depuis qu'il avait commencé à la courtiser, il se contentait d'un simple baiser pour lui dire bonjour ou au revoir. Et, d'une certaine façon, même cela, c'était sexy.

Ils rentrèrent au ranch prendre un rapide petit déjeuner, puis ils se rendirent au cabinet médical. Jamais Julie ne s'était sentie aussi vivante, et elle prenait conscience qu'un autre sentiment s'insinuait en elle — l'amour. Y avait-il chez Trevor une seule chose qu'on pouvait ne pas aimer ?

Ces rendez-vous se poursuivirent durant les deux semaines suivantes, ce qui ne fit qu'accroître le désir de Julie pour Trevor, mais celui-ci s'en tenait à la ligne de conduite qu'il s'était fixée. Julie en était arrivée au point d'être presque prête à le supplier de coucher avec elle.

Il lui faisait la cour depuis deux semaines lorsque, un vendredi matin, elle trouva sur son bureau une petite boîte qu'elle ouvrit, les doigts tremblants. A l'intérieur, il y avait une topaze montée en pendentif, accrochée à une fine chaîne en or.

Trevor avait dû guetter son arrivée car il apparut presque aussitôt sur le pas de la porte.

— J'ai choisi une topaze cendrée parce qu'elle me rappelle la couleur de tes yeux.

Elle alla vers lui pour l'attirer dans la pièce et, après avoir refermé la porte, elle se dressa sur la pointe des pieds pour l'embrasser avec fougue, comme elle rêvait de le faire depuis quinze jours.

Il la serra contre lui et, comme elle l'espérait, il lui rendit son baiser.

— Tu me rends folle, murmura-t-elle.

— Folle d'amour, j'espère.

— Folle de désir. Vous êtes vraiment un très beau cow-boy, docteur Montgomery. Voulez-vous me voir nue ?

Elle vit dans ses yeux à quel point il était affamé. Ces deux semaines d'abstinence avaient dû être aussi difficiles pour lui que pour elle.

— J'y pense tous les jours, dit-il d'une voix rauque.

— Alors, pourquoi nous comportons-nous ainsi ?

— Tu n'aimes pas que je te fasse la cour ?

— J'adore, mais j'aimais aussi ce que nous avions avant.

Il respira lentement et elle n'eut aucun mal à deviner ses pensées.

— Moi aussi, j'adorais faire l'amour avec toi, mais cela ne me menait nulle part.

Elle afficha un air incrédule.

— Cela vous a menés partout, monsieur !

Il allait dire quelque chose, mais se tut, et elle s'aperçut qu'il lui avait avoué qu'il l'aimait, alors qu'elle-même avait été incapable de le faire. Toutefois, les choses avaient changé au cours de ces deux dernières semaines. Elle était devenue encore plus amoureuse de lui qu'elle ne l'était quand elle avait dix-sept ans. Le moment était venu pour elle de lui montrer — et de lui dire — qu'elle l'aimait.

— Viens chez moi à 19 heures, dit-elle.

Quelqu'un frappa à la porte du bureau.

— Julie, votre premier patient vous attend dans la salle d'examens n°1, dit Lotte d'une petite voix flûtée.

— J'arrive, répondit-elle, incapable de détacher son regard de Trevor.

— Ce soir, mets ce pendentif, dit-il en la libérant de son étreinte.

— C'est sans doute la seule chose que j'aurai sur moi, murmura-t-elle d'un ton rieur.

Elle adora la façon dont, aussitôt, les yeux presque noirs de Trevor foncèrent encore davantage.

Julie avait choisi de mettre une courte nuisette noire et les escarpins les plus hauts qu'elle possédait — il se trouvait qu'ils étaient rouges. Et, bien sûr, elle avait autour du cou le pendentif que Trevor lui avait offert le matin même. Elle avait laissé ses cheveux retomber sur ses épaules, maquillé ses yeux avec une touche de mascara, ses lèvres avec du gloss, et complété sa tenue avec un discret nuage de parfum.

Ce soir, lorsqu'elle jugerait le moment opportun, elle dirait à Trevor qu'elle l'aimait. Et elle le lui prouverait.

A 19 heures pile, il sonna à la porte. Elle courut lui ouvrir, impatiente de voir briller dans ses yeux cette flamme qui n'était que pour elle.

Elle ne fut pas déçue car elle obtint de surcroît un sourire sexy, porteur de bien des promesses.

— Bonsoir…

Il fallait bien que quelqu'un dise quelque chose.

— Tu es magnifique, murmura-t-il en entrant dans la maison.

— Bon, on a assez parlé, non ? Est-ce que nous pouvons faire l'amour, maintenant ?

Trevor esquissa un sourire.

— Si cela ne te fait rien, j'aimerais avoir un peu de temps pour mieux te regarder.

— Si tu veux, tu peux toucher !

De toute en évidence, elle *était* en manque.

Trevor s'approcha d'elle, mais sans même l'effleurer.

— Tu as vraiment envie qu'on couche ensemble, ce soir, n'est-ce pas ?

Elle hocha la tête.

— Vas-tu cesser de me faire la cour et aller enfin droit au but ?

— A une condition.

Elle soupira.

— Encore ?

— Je ferai tout ce que tu veux, et plus encore, si tu réponds à une question.

Il mit un genou à terre devant elle et lui prit la main.

— Julie Sterling, voulez-vous m'épouser ?

La gorge serrée, elle comprit qu'elle n'avait pas le choix : elle devait prendre rapidement une décision. Une décision qui la concernait, elle, mais aussi son fils. Elle s'était préparée à dire à Trevor qu'elle l'aimait, mais était-elle prête à l'épouser ?

Son hésitation donna à Trevor le temps de sortir de sa poche son téléphone portable et de composer un numéro.

— Hé, fils, est-ce que tu serais d'accord si je demandais à ta mère de m'épouser ?

Tout ce qu'elle entendit comme réponse, ce fut un « Ouah ! » tonitruant.

— J'interprète cela comme un *oui*, dit Trevor en souriant. Bon, maintenant, tout ce qui me reste à faire, c'est de convaincre ta mère, une femme très têtue, comme chacun sait.

Il ferma son téléphone et, après s'être redressé, il prit la main de Julie dans la sienne.

— Je me suis montré un peu insistant sur ce point, mais je sais que c'est la chose à faire, et la meilleure chose que j'aie jamais désirée. Mais toi, tu ne dis rien.

Les deux semaines qui venaient de s'écouler avaient tout changé. Trevor avait vu juste et, aujourd'hui, elle admirait la sagesse de son plan.

— Tant que je n'étais pas absolument sûre de t'aimer, il était hors de question que je t'épouse.

— A présent, le sais-tu ?

Elle lui sourit.

— Oui. Je t'aime. Je croyais t'aimer quand j'avais dix-sept ans, mais j'avais tort. Merci de me montrer ce qu'est le véritable amour, de m'aider à pouvoir de nouveau faire confiance et d'éveiller en moi des sentiments que je n'aurais jamais pensé connaître un jour. Je t'aime, Trevor.

Il l'étreignit de toutes ses forces, et Julie n'imaginait pas qu'il était possible de vivre un tel bonheur. Elle avait trouvé l'homme parfait. Un médecin de campagne avec un cœur d'or.

Elle l'embrassait avec passion quand le téléphone de Trevor sonna. Tous deux savaient que c'était James. Trevor prit la communication puis se tourna vers Julie.

— Il veut savoir ce que tu as répondu.

Ils échangèrent un sourire.

— Dis-lui que c'est oui, en lettres capitales.

Trevor transmit le message, son sourire s'élargit, puis, après avoir éteint son téléphone, il chercha le regard de Julie. Une lueur malicieuse brillait dans ses yeux de braise.

— Tu as rempli ta part du contrat, Julie chérie, alors je ferais mieux de remplir la mienne.

La soulevant dans ses bras il l'emmena vers la chambre.

— Jolies chaussures, lui murmura-t-il à l'oreille.

LYNNE MARSHALL

Un père pour sa fille

Cet ouvrage a été publié en langue anglaise
sous le titre :
FATHER FOR HER NEWBORN BABY

Traduction française de
MICHELLE LECOEUR

83-85, boulevard Vincent-Auriol, 75646 PARIS CEDEX 13
Service Lectrices — Tél. : 01 45 82 47 47

www.harlequin.fr

Prologue

Lizzie Silva leva le bras en un geste de triomphe, le poing fermé.

— Yes !

Elle avait un boulot, super !

Puis elle regarda son bébé qui venait de finir de téter, lové au creux de l'autre bras, et elle s'immobilisa de crainte qu'un nouveau mouvement ne déclenche ses pleurs.

Flora était née en pleurant, et elle s'était rarement arrêtée depuis.

Peut-être était-ce à cause du stress subi pendant sa grossesse — et ses études de médecine y étaient sûrement pour une bonne part —, ou parce que sa fille sentait qu'elle ne savait pas du tout s'y prendre en tant que mère ?

Lizzie sentit son cœur se serrer, comme chaque fois que cette pensée lui traversait l'esprit.

Mais à présent les choses allaient s'arranger.

Retenant sa respiration, elle souleva lentement le bébé et le cala sur son épaule pour lui tapoter le dos.

— On va aller s'installer dans le Wyoming, tu te rends compte ? Nous allons vivre notre première aventure ensemble, murmura-t-elle pendant que Flora faisait son rot.

Comme si l'accouchement et les trois premiers mois de sa fille sur cette planète n'avaient pas déjà constitué une aventure de taille !

Elle venait d'avoir au téléphone le Dr Rivers, son professeur préféré à l'école de médecine, qui était devenu en quelque sorte son père de substitution — probablement par compassion ou parce qu'il éprouvait un sentiment de culpabilité. Même depuis que son fils Dave et elle avaient rompu, il continuait de s'inquiéter d'elle et de sa petite-fille.

Flora s'était endormie. Enfin !

Lizzie sourit et posa la joue sur les cheveux frisottants du bébé.

Jamais de toute sa vie elle n'avait éprouvé un tel amour. Ce précieux petit être saurait qu'il pouvait lui faire confiance, elle lui avait promis que jamais elle ne l'abandonnerait.

Depuis la naissance de Flora, elle rêvait de l'emmener hors de la ville, de lui donner un meilleur départ dans la vie que celui qu'elle-même avait eu. Cette offre d'emploi avait surgi de nulle part, comme pour répondre à ses prières. Au fond d'elle-même, elle était persuadée que sa vie allait changer de façon positive si elle acceptait.

Elle avait quitté son dernier job temporaire à la clinique de Boston, où elle s'occupait de toxicomanes, et notamment d'une jeune femme enceinte. Cela l'avait touchée profondément à cause de sa propre mère. En ajoutant à cela le stress lié à sa nouvelle condition de maman et le manque de sommeil, elle n'avait pas pu tenir.

Flora souffrait de coliques, ce qui fait qu'elle se retrouvait debout presque chaque nuit et était tout le temps fatiguée. Mais pour rien au monde elle n'aurait quitté sa fille.

Elle-même s'était sentie abandonnée deux fois : la première par sa mère quand elle était bébé, et dix ans plus tard par sa grand-mère, bien que la pauvre chère femme n'ait pas été responsable de l'attaque qui l'avait emportée. Ensuite, de famille d'accueil en famille d'accueil, elle avait constamment connu des déceptions. Chaque fois, on l'avait laissée repartir.

Jusqu'à l'âge de quinze ans, où elle avait rencontré Janie. Sans elle, Lizzie n'aurait jamais obtenu son diplôme de médecine tout neuf. Elle n'aurait jamais ambitionné de faire des études supérieures.

Mais Janie aussi l'avait laissée tomber. Pourquoi, quand ils avaient un cancer, les gens cachaient-ils leur maladie ? Elle aurait tout lâché pour être à ses côtés. C'était sans doute ce que Janie avait craint. Elle avait voulu l'aider à prendre son élan dans la vie.

Tendrement, elle câlina Flora, qui dormait maintenant profondément. Comme d'habitude, elle s'était sentie désemparée toute la soirée, ne sachant pas pourquoi le bébé pleurait autant ni ce qu'elle avait bien pu faire de travers.

Elle avait réussi à calmer Flora en lui donnant de nouveau la tétée, puis son téléphone portable avait sonné, et elle avait retenu son souffle, craignant que le bébé ne s'agite de nouveau. Mais pas cette fois. Et on lui avait proposé cette offre d'emploi temporaire !

Certes, être mère constituait le plus grand défi auquel elle ait jamais été confrontée. Mais elle aimait sentir l'odeur de son enfant, l'entendre respirer, toucher son petit corps doux et ferme. En fait, elle aimait tout d'elle, même quand elle avait des crises de larmes à cause des coliques.

Etait-elle responsable de ce problème ? L'amour maternel touchait à ce qu'il y avait de plus sacré en elle. Elle serait liée à cette enfant pour toujours.

— Je ne te laisserai jamais, mon cœur. Jamais. Je te le promets, lui répéta-t-elle, les yeux embués de larmes.

Mais comment être à la hauteur de cette promesse, alors qu'elle ignorait comment s'y prendre en tant que mère ?

Elle espérait que son amour indéfectible parviendrait à toucher sa fille, mais l'avenir lui donnerait-t-il raison ?

Elle réprima un frisson d'appréhension et tenta de se persuader que son inquiétude venait du bouleversement hormonal ayant suivi l'accouchement.

Mais rien n'y faisait. Elle devait regarder la vérité en face : en tant que mère, elle n'était pas à la hauteur, elle était même carrément nulle.

Elle était plus une machine à allaiter qu'autre chose. A cause des coliques de Flora, elle dormait un minimum d'heures, et dans la journée elle avait souvent l'impression d'être un zombie, complètement à côté de la plaque. Néanmoins, jusqu'à présent, toutes deux avaient survécu.

Devenir mère avait été pour elle un grand choc. Surtout sans être épaulée. Car Dave Rivers, le géniteur du bébé, n'avait rien fait d'autre que s'ajouter à la longue liste de ses espoirs déçus.

Sa déception la plus récente : n'avoir obtenu de résidence pour un programme de formation dans aucun des hôpitaux où elle avait postulé. C'était bien la preuve qu'elle était en dessous de tout ! Après avoir enregistré cinq refus, elle avait senti la panique s'emparer d'elle et avait pris le seul job qui s'était présenté, auprès des toxicomanes. Et ce job, elle l'avait quitté. Jamais, de toute sa vie d'adulte, elle ne s'était sentie aussi désemparée. Trois mois après la naissance de son bébé, elle s'efforçait toujours de se remettre sur les rails.

Avec précaution, elle reposa Flora dans son berceau et, retenant sa respiration, contempla sa fille en train de dormir.

Ouf.

Veillant à ne pas faire de bruit, elle s'assit sur le lit qui constituait le meuble le plus important du studio qu'elle avait loué pendant ses études de médecine.

Elle devait prendre l'avion pour le Wyoming samedi, mais d'ici là il y avait encore tant à faire.

De nouveau, l'angoisse s'empara d'elle.

Pourvu que ça marche…

Appuyée contre l'oreiller, elle décida de chasser les pensées négatives et de profiter du sommeil de Flora pour se reposer.

Après tout, elle avait une chance de démarrer une nouvelle vie et de donner à son bébé une opportunité qu'elle n'avait pas eue. Le Dr Rivers avait promis que la petite clinique où elle allait effectuer ce remplacement serait parfaite pour elle. Elle avait besoin de ce travail, besoin d'un nouveau départ.

Merci, docteur Rivers, d'avoir cru en moi et de m'avoir aidée durant ces derniers mois.

Elle avait un boulot. Yes !

1.

Cole Montgomery avait eu jusque-là davantage l'impression d'être un spectateur qu'un membre de la famille, mais il lutta contre l'émotion lorsque son frère Trevor et Julie Sterling s'avancèrent pour échanger leurs vœux de mariage.

La cérémonie se déroulait dans l'intimité de la famille et de quelques amis. Les mariés avaient choisi comme cadre le silo du ranch — l'édifice circulaire autour duquel leur père avait bâti la maison familiale.

Autrefois, ce silo avait été le studio d'art de leur mère, morte plusieurs années auparavant. Les lucarnes laissaient filtrer une lumière presque irréelle sur les mariés, et l'on aurait dit qu'elle leur envoyait là sa bénédiction posthume.

Oui, leur mère, aurait adoré chaque moment de cette fête. Ce n'était pas sans raison qu'elle avait choisi cette partie de la maison pour peindre ses tableaux…

Soudain, il souhaita que sa mère soit là, qu'il puisse la serrer dans ses bras et lui dire qu'il l'avait toujours aimée. Puis il se ressaisit.

Il n'allait tout de même pas tomber dans le mélo.

Sa mère, la conciliatrice…

Elle avait dû intervenir souvent pendant l'adolescence de Cole, car son père et lui ne manquaient pas une occasion de s'affronter. Tout ce qui intéressait Cole à l'époque, c'était de briller dans les rodéos pour juniors. Après son accident, Tiberius, qui voulait qu'il reprenne le ranch plus tard, l'avait poussé à se familiariser avec le fonctionnement du ranch, mais Cole bûchait alors son diplôme de fin d'études secondaires, ce qui lui laissait peu de temps. Lorsqu'il avait annoncé qu'il voulait faire des études supérieures et devenir médecin, son père n'avait pas caché sa déception, et Cole y avait gagné le surnom ironique de Wonder Boy.

Mais quel père sensé se montrerait contrarié que son fils ait envie de faire médecine, à part un cow-boy grincheux et vieillissant ?

Il observa son frère cadet, très digne dans son smoking de cow-boy et ses bottes neuves, alors que lui avait opté pour un de ses costumes de ville faits sur mesure.

Etant de six ans plus âgé, Cole ne s'était jamais senti particulièrement proche de Trevor, mais celui-ci l'avait toujours regardé avec adoration. Rien d'étonnant s'ils étaient tous les deux devenus médecins.

Trevor était une version raffinée de lui-même. Alors que Cole avait hérité du physique rude et élancé de son père, un mélange s'était opéré chez Trevor entre les gènes Montgomery et les traits délicats de leur mère. L'ADN maternel avait sans doute fait perdre à son cadet quelques centimètres, mais sa beauté et son aisance faisaient merveille auprès des femmes.

Son frère avait laissé un peu pousser ses cheveux. A la demande de Julie ? Qui sait quelle influence une femme pouvait avoir sur un homme…

Passant la main dans ses propres cheveux courts, il tourna le regard vers la mariée, Julie Sterling et maintenant Montgomery, éblouissante dans une robe longue blanc cassé, avec ses yeux immenses et ses longs cheveux bruns rassemblés en un chignon haut piqueté de minuscules pâquerettes. Il n'avait pas pu s'empêcher de remarquer qu'elle avait de belles jambes — ce que Trevor préférait chez une femme. A la façon dont elle regardait son frère, il était clair qu'elle ne voyait que lui.

Qu'est-ce que cela faisait, qu'une femme n'ait d'yeux que pour vous ?

Ce n'était pas le cas pour lui. Il y avait toujours quelque chose qui n'allait pas, ou il ne savait pas répondre à ce qu'on attendait de lui. Aucune de ses relations n'avait tourné en véritable histoire d'amour, et il ne s'était jamais engagé.

La faute à son travail en cardiologie, probablement. Il

avait été trop occupé à promouvoir les valves mitrales de remplacement. Ou bien, il fallait remonter à ses quinze ans, lorsque Hailey Brimley, la première fille dont il avait été amoureux et pour laquelle il avait failli se rompre le cou, était venue le voir à l'hôpital, tout bardé de tuyaux, et en était sortie pour ne plus jamais revenir.

Il avait tout risqué pour ce jeune amour, et elle n'avait pas supporté de le voir dans cet état…

Quelle qu'en soit la raison, à quarante ans, il était toujours célibataire et sans aucun projet dans le domaine sentimental. Il se plaisait ainsi, célibataire et sans attaches, et sa carrière l'occupait pleinement.

Pourtant, le mariage de son frère le forçait à reconsidérer son propre cas. Surtout après son récent échec avec Victoria et son fils de cinq ans, Eddie. Durant ce cauchemar d'un an et demi, il avait largement fait la preuve de son incapacité en tant que père potentiel. Finalement, il avait renoncé à demander Victoria en mariage.

Trevor, lui, avait déjà une famille toute prête avec sa magnifique femme — à l'origine employée à Cattleman Bluff — et James, le fils de treize ans dont il ne savait rien encore quatre mois auparavant.

Que pouvait-on bien ressentir quand on se mariait et que l'on avait déjà la charge d'une famille ?

Si quelqu'un était capable d'assumer cela, c'était bien Trevor. Pour sa part, Cole sentait un frisson d'horreur lui courir dans le dos à la seule idée d'élever des enfants.

Il s'éclaircit la gorge et redressa le nœud de sa cravate de soie.

Désolé, Victoria, mais c'est la vérité.

Du moins, c'était la version officielle, et il s'y tenait.

Maintenant, c'était son tour de se rapprocher de la famille. Il avait été absent bien trop longtemps. Il avait pris un long congé pour que son frère puisse profiter de sa lune de miel en famille. Pendant que Trevor et Julie seraient en voyage de noces avec James, il devrait superviser le ranch et aider ce père qu'il avait évité durant presque toute sa vie d'adulte. Et comme il était médecin, il avait promis aussi de faire fonctionner la clinique de Cattleman Bluff pendant l'absence de Trevor.

Il esquissa une grimace.

A vrai dire, il ignorait s'il serait capable de tenir les rênes à la clinique, ni s'il arriverait à supporter son père.

Ce dernier se tenait à sa droite. Une main sur sa canne de bois sculpté, il tenait de l'autre son précieux stetson.

Lorsque le couple échangea ses vœux, Cole remarqua sur le visage de Tiberius Montgomery quelque chose qu'il n'avait pas vu depuis des années : un sourire de contentement.

Personnellement, ce sourire ne lui avait plus été adressé depuis ses exploits au rodéo devant une ado qu'il avait voulu impressionner, vingt-cinq ans auparavant. Et depuis qu'il lui avait dit qu'il ne voulait pas devenir un éleveur de bétail.

Mais aujourd'hui était un jour de réjouissance, il ne devait pas se focaliser sur le passé. Alors, il regarda James, le fils de Julie, qui représentait l'avenir du ranch.

Celui-ci souriait comme s'il avait découvert un énorme secret qu'il avait envie de partager avec tout le monde.

La perspective d'élever un adolescent — ou n'importe quel enfant — dans le monde d'aujourd'hui faisait frémir Cole, mais le bonheur du garçon était palpable, contagieux.

Il se joignit à lui et sourit.

Pourquoi pas ? Après tout, il était au mariage de son frère.

Après s'être promis mutuellement un amour éternel, le couple s'embrassa au milieu des bravos.

Cole applaudit de concert et lâcha son fameux sifflet de rodéo, qui se répercuta sur les murs circulaires du silo.

Certes, c'était un jour très spécial pour Trevor et Julie. Pourtant, il ne se sentait pas vraiment concerné.

En fait, il n'avait aucune idée de la façon dont allait se dérouler son remplacement à la clinique de Cattleman Bluff, qui allait durer pratiquement tout l'été.

Le couple avait attendu la fin de l'année scolaire pour se marier, à la mi-juin. Ils avaient projeté une semaine de lune de miel à Montréal pendant que James irait à Los Angeles avec sa grand-tante Janet. Puis ils passeraient le prendre à LA où ils feraient un peu de tourisme, avant de partir tous les trois un mois dans le Wyoming. Au programme : camping, randonnées, pêche, balades à cheval — bref, tout ce que James aurait envie de faire. Et par-dessus tout, cela leur permettrait de créer des liens, comme l'avait dit Trevor.

Cole ne connaissait pas toute l'histoire, car son frère et lui n'avaient pas eu une minute à eux avant le mariage. Mais, de toute évidence, Trevor et son fils avaient du temps à rattraper.

Lorsque ce fut le moment de porter des toasts en l'honneur des jeunes mariés, tout le monde se tourna vers Cole.

Il n'avait rien préparé et expédia rapidement l'affaire.

— Je souhaite aux nouveaux époux autant de bonheur que papa et maman en ont eu durant leur mariage. Il n'y avait pas d'amour plus profond que celui-là. A la vôtre !

Du coin de l'œil, il remarqua que son père avait les yeux humides quand il leva son verre pour trinquer.

Tiberius avait été anéanti à la mort de son épouse emportée par un cancer. Sa vie s'était comme arrêtée, et même s'il avait tenté de se ressaisir ces dernières années, sa santé n'avait plus été aussi florissante.

Cette sorte d'amour terrifiait littéralement Cole. Etait-ce ce que recherchait son frère ? Cela ne pouvait qu'inciter davantage Cole à garder le cap de sa vie actuelle.

Certains souvenirs aigres-doux lui revinrent à la mémoire, et il sentit sa gorge se serrer.

Il n'aimait pas ça — ces sentiments qui surgissaient du plus profond de vous et qui vous déchiraient le cœur. Cela se produisait plus souvent quand il se retrouvait dans l'environnement familial, aussi préférait-il vivre loin d'ici, en partie à Laramie et en partie à Baltimore, sauf quand il était sur la route — c'est-à-dire près de quatre-vingts pour cent du temps actuellement.

Il avala une gorgée de champagne.

Rester pendant deux mois dans la maison où il avait grandi, lire en permanence la déception et les reproches dans les yeux fatigués de son père et sentir en lui cet amour indéfectible pour sa mère, tout cela allait se révéler un véritable défi. La santé de Tiberius était chancelante, d'année en année il s'affaiblissait, mais il persistait à vouloir diriger le ranch. Combien de temps tiendraient-ils tous deux avant d'exploser ?

Il avait besoin d'un autre verre.

Il s'écarta un peu de la foule qui se réjouissait bruyamment et profitait de la fête.

Julie se préparait à lancer son bouquet. Quand elle se retourna pour le balancer par-dessus sa tête, la douzaine de jeunes femmes regroupées derrière elle se mirent à pousser des cris perçants. Ce fut Rita, la blonde réceptionniste de la clinique, qui s'en empara avec un plaisir évident. Ses yeux brillants d'excitation se posèrent sur Cole…

Qui s'empressa de regarder ailleurs.

Finalement, ce n'était pas le bon moment pour aller se resservir à boire.

Pendant un moment, il discuta des affaires de la famille avec Jack, le contremaître du ranch, l'assurant qu'il ferait son possible pour se rendre utile pendant l'absence de Trevor.

En fait, il avait très envie de remonter à cheval. Le rodéo avait été sa passion pendant toute son enfance, et il s'était même fait un nom dans le circuit des juniors en montant des chevaux sauvages. Jusqu'au jour où…

— Attention ! cria Jack.

Cole leva la tête et, par réflexe, eut juste le temps d'attraper la jarretière blanche qui avait été lancée en l'air, avant qu'elle ne lui arrive en pleine figure.

— Qu'est-ce que… ?

Il croisa alors le regard narquois de son frère, qui arbora un large sourire.

— C'est toi le prochain, Cole, lança-t-il en riant.

« Aucune chance », rétorqua silencieusement Cole.

Cependant, il joua le jeu et embrassa la jarretière avant de la fourrer dans la poche de sa veste.

— Je te tiendrai au courant, Trev. Mais ne sois pas trop pressé, répondit-il en évitant soigneusement le regard aguicheur de Rita.

Il alla remplir son verre de champagne et le vida en trois gorgées. Souriant toujours puisque l'on continuait à le regarder, il le remplit de nouveau et le leva.

— A la vôtre ! dit-il à la cantonade, comme se devait de le faire n'importe quel heureux homme ayant eu la chance d'obtenir la jarretière.

Puis il suivit la foule dehors pour le déjeuner.

Demain, il sellerait un cheval et irait parcourir le domaine avec Jack.

Cela faisait des siècles qu'il n'avait pas fait le tour du ranch, ni observé les milliers de têtes de bétail de pure race anglaise en train de paître dans les prés. Et, pour être honnête, ça lui manquait.

Naturellement, il aurait besoin qu'on lui rafraîchisse la mémoire pour savoir comment gérer cet énorme troupeau de bêtes que l'on finissait d'élever sur l'herbe pour la viande — la spécialité de son père. Mais il s'en remettait à Jack pour les détails.

Après avoir redressé de nouveau son nœud de cravate, il se dirigea vers sa table, qui jouxtait celle des mariés.

— Je voulais te parler, dit Trevor à la fin du repas.

Cole éprouva une vague appréhension.

— Je croyais que tu m'avais déjà tout expliqué ?

— J'ai prévu quelqu'un pour t'aider à la clinique pendant mon absence.

Il n'allait pas s'en plaindre.

— Merci. Quelqu'un de Cattleman Bluff ?

— De Boston. Elisabete Silva.

— Quoi ?

— C'est une histoire un peu compliquée, mais sur le plan médical, elle est tout à fait qualifiée. Lawrence Rivers me l'a chaudement recommandée…

Larry Rivers était un professeur respecté. Il avait été son mentor durant ses études et était devenu un collègue digne de confiance quand Cole avait décidé d'apprendre à remplacer les valves cardiaques par transcathéter. Cependant, apparemment, Trevor n'avait pas encore tout dit.

— Mais ?

— Le problème, c'est qu'elle a cherché des résidences en médecine interne auprès des cinq plus grands hôpitaux du pays et qu'elle n'a pas eu de réponse.

— Tu veux dire qu'elle sort à peine de l'école ? Et elle est censée m'aider ?

— Tu sais bien que Larry ne la recommanderait pas s'il ne croyait pas en elle.

— Bon sang ! Croire en elle est une chose, qu'elle soit compétente en est une autre !

— Il est probable qu'elle manque un peu d'expérience, concéda Trevor.

— Tu plaisantes, j'espère ! C'est une mauvaise blague que tu as décidé de me faire le jour de ton mariage ?

Son frère se mordit la lèvre.

— Larry dit que c'est une solide fille de Boston, plutôt coriace, et qu'elle peut faire face à n'importe quel problème. Elle avait besoin d'un travail, et je lui ai dit qu'elle pouvait en avoir un. Crois-moi, tu auras besoin d'aide à la clinique.

— Et je suis prêt à accepter de l'aide, mais…

Mais ils n'allaient pas se disputer le jour du mariage de Trevor. Leur mère n'aimerait pas ça.

— Viens vite, Trevor, mon chéri, intervint Julie en souriant, une lueur d'avertissement dans les yeux. Il est temps de changer de vêtements pour notre départ. La limousine sera là dans vingt minutes.

En guise de réponse, Trevor enlaça la taille de sa toute nouvelle femme.

— Il n'y aura aucun problème, tu verras, jeta-t-il.

Cole les regarda s'embrasser, mi-figue mi-raisin.

Génial. Il allait travailler avec une débutante qui s'imaginait probablement tout savoir. N'était-ce pas ce que lui-même avait cru quand il avait obtenu son diplôme ?

Cependant, plutôt que d'agir comme son père et de péter les plombs avant de connaître toute l'histoire, il choisirait l'approche de sa mère et réserverait son opinion jusqu'à ce qu'il ait vu le nouveau médecin.

Ce qui ne l'empêchait pas d'avoir soudain l'estomac noué, et ça n'avait rien à voir avec le poulet servi pendant le repas.

Tout en s'éloignant avec Julie, Trevor se retourna vers lui.

— Ah ! Une dernière chose. Elle habitera au ranch, papa est d'accord.

Que diable se passait-il donc ici ?

Trevor ouvrait la bouche pour dire encore autre chose, quand Julie le saisit fermement par le coude et l'entraîna vers la maison.

Un quart d'heure plus tard, après avoir jeté du riz, souri continuellement et regardé le jeune couple s'éloigner dans la limousine décorée de guirlandes de fleurs avec le panneau « Just Married » à l'arrière, Cole aperçut depuis la cour une voiture qui s'approchait. Elle s'arrêta devant la maison, et Jack se précipita avec Gretchen, la cuisinière de la famille.

— Cole, venez danser avec moi !

Rita, la séduisante réceptionniste de la clinique, avait glissé son bras sous le sien, et il sentit son parfum puissant.

— C'est la tradition que ceux qui ont attrapé le bouquet et la jarretière dansent ensemble, ajouta-t-elle.

Première nouvelle ! Il n'avait jamais entendu parler de cette tradition. Mais il n'allait pas se montrer impoli le jour du mariage de son frère, d'autant plus qu'il allait travailler avec Rita tout l'été.

Il la laissa l'entraîner sur la piste et perdit de vue la voiture et la maison.

2.

Les derniers invités avaient fini par s'en aller. La nuit était bien avancée, et Cole venait de passer le relais au responsable de l'équipe de nettoyage.

Personnellement, il pensait avoir fait son devoir de frère au mariage de Trevor, et il avait hâte de quitter son costume et de décompresser en lisant quelques pages d'un bon livre avant de s'endormir.

Comme il s'approchait du porche d'entrée, la cuisinière, lui lança un coup d'œil inquiet.

— Que se passe-t-il ? lui demanda-t-il, se rappelant la voiture. Aurions-nous de la compagnie ?

— Euh… Oui, répondit Gretchen en détournant le regard.

— Quelque chose ne va pas ?

— C'est-à-dire… Non. J'ai juste été un peu surprise.

— Surprise ? De quoi ?

Tiberius apparut sur le seuil.

— Elle a un bébé, voilà ce qu'il y a.

— *Qui* a un bébé ?

— Le médecin que Trevor a pris, ajouta son père avec un sourire en coin.

Quoi ? Le nouveau médecin était déjà là ? Et avec…

— Un bébé ?

— Tu sais bien. Un avorton dans des couches qui a tout le temps faim. Un bébé, quoi.

Son père semblait prendre un malin plaisir à lui annoncer la nouvelle — tout en ayant l'air particulièrement fatigué, nota Cole au passage. Le mariage avait nécessité de longues journées de préparation.

— Le genre qui pleure beaucoup et réclame toute votre attention ? répliqua-t-il sur le même ton. Trevor ne m'en a pas parlé.

— Bien sûr que non, parce que tu aurais piqué une crise, dit son père tandis qu'ils rentraient à l'intérieur avec Gretchen.

— Pas forcément. Mais j'aurais aimé être au courant.

Pour être honnête, Trevor n'avait sans doute pas eu le temps de lui en parler.

Il sortit tout de même son portable de sa poche, prêt à dire à son frère sa façon de penser.

Avant qu'il ait pu appeler son frère, il vit une mince jeune femme aux cheveux noirs apparaître dans l'entrée. Elle avait de grands yeux d'un vert intense et un teint de porcelaine. Elle venait de l'aile ouest de la maison où elle avait dû laisser ses bagages et portait autour du torse une sorte de grande écharpe qui semblait contenir un paquet.

— Bonsoir, dit-elle d'une voix grave et légèrement rauque. Je suis Elisabete, mais tout le monde m'appelle Lizzie.

Il se demanda comment était son rire.

Sans doute un peu enroué, comme sa voix…

Elle lui tendit une main fine aux longs doigts délicats. Pour le coup, il en oublia son frère et rangea son portable pour lui serrer la main.

Une sensation de chaleur véritablement renversante émana à la fois de son étreinte et de ses yeux.

— Moi, c'est Cole. Heureux de faire votre connaissance. Je suis un peu surpris par votre… euh… bout de chou.

Elle esquissa un sourire las et regarda son bébé.

— Ma petite Flora a pleuré pendant tout le vol depuis Boston. Elle doit être épuisée. A un moment, j'ai cru que le steward allait me balancer par la porte. J'assurerai ma charge à la clinique, docteur Montgomery, ajouta-t-elle, une lueur tendue dans les yeux. Je vous le promets.

Avait-elle deviné ses pensées ?

— Le défi sera dur à relever avec un petit bébé, répondit-il. Etes-vous sûre de pouvoir y arriver ?

— Je ne sais pas ce que le Dr Rivers vous a dit.

— Le Dr Rivers a parlé à mon frère, qui vient de partir en lune de miel aujourd'hui. Je n'étais au courant de rien.

— J'ai fait du thé. Si tout le monde s'asseyait, je pourrais vous l'apporter ? intervint Gretchen, qui devait sentir la tension monter et n'avait jamais pu le supporter.

Pourtant, elle travaillait dans la famille Montgomery depuis des années, elle aurait dû finir par s'y habituer.

— Oui, pourquoi pas ? dit Tiberius d'un air amusé.

Il ouvrit la marche jusqu'à la salle de séjour, et Cole s'effaça pour laisser passer Lizzie.

Il apprécia ses longues jambes sous le jean, ses hanches rondes et la longue tresse épaisse qui pendait dans son dos, même si les tongs étaient à déconseiller dans un ranch. Et il remarqua quelque chose de particulier : l'assurance avec laquelle elle marchait et sa façon de garder la tête haute malgré la fatigue du voyage.

Cette femme était une battante.

— De quelle origine est votre nom de famille ? demanda-t-il avant de s'asseoir sur sa chaise rembourrée préférée.

— Silva est un nom portugais.

Pendant que Gretchen servait le thé dans le séjour, il interrogea Lizzie sur ses études, mais des douzaines de questions se bousculaient dans sa tête.

— Après avoir passé un mois au service des urgences, j'ai su que je ne pourrais pas travailler longtemps avec ce genre de pression. La médecine interne m'a paru être ce qui me convenait le mieux. C'est comme se trouver devant un mystère — les symptômes du patient — et résoudre le cas étape par étape à l'aide d'un diagnostic et d'un traitement corrects. J'ai un peu l'impression d'être un limier lancé sur une piste. Alors, j'ai vraiment envie de travailler dans votre clinique, docteur Montgomery.

Elle parlait si vite — sans doute par nervosité — qu'il réprima un sourire.

Un médecin débutant. Jeune maman. Une clinique qu'il ne connaissait pas. Comment faire pour que cela fonctionne ?

Il s'était dit que le remplacement allait se révéler un véritable défi. Avec l'apparition de Lizzie accompagnée de son bébé, le défi se transformait en gageure, mais il commençait à trouver cela vaguement excitant.

Pour une nouvelle mère, elle semblait avoir de l'énergie à revendre. Pourvu qu'elle ne parle pas tout le temps ainsi, car il serait vite fatigué.

Merci, Trev, mon frère…

Lizzie continuait à raconter son histoire. Il attendit qu'elle mentionne le bébé, mais elle semblait éviter le sujet. En revanche, elle parla de son expérience en médecine, tout en continuant à marteler qu'elle assumerait sa charge.

Soudain, elle s'arrêta au milieu d'une phrase, les yeux fixés sur Tiberius, qui affichait toujours un rictus amusé.

— Vous souriez toujours comme ça ? lui demanda-t-elle abruptement.

Cole regarda son père plus attentivement.

C'était en effet un curieux sourire de côté. Lizzie avait raison, quelque chose n'allait pas.

Elle avait déjà sauté de sa chaise et se dirigea droit sur son père.

— Souriez encore, lui dit-elle. Mmm. Donnez-moi vos mains. Serrez.

Elle fronça les sourcils puis jeta un bref coup d'œil à Cole.

— Est-ce que vous sentez un engourdissement ou des picotements d'un côté ? demanda-t-elle à Tiberius.

Le vieil homme ne répondit pas, l'air égaré.

— Il est nettement plus faible du côté droit. Est-ce toujours le cas ?

— Non, dit Cole, se hâtant de les rejoindre.

— Levez les bras, monsieur Montgomery.

Le bras droit était à mi-hauteur de l'autre.

— Pouvez-vous dire : « Le ciel est bleu » ?

— Cel… Beu.

Cole sortit précipitamment son portable.

— J'appelle le 911.

— Il a paru marcher correctement jusqu'ici, mais ensuite, j'ai remarqué son sourire de travers, dit Lizzie.

Elle s'était accroupie pour regarder Tiberius dans les yeux.

— Est-ce que vous voyez trouble ?

Il eut un mouvement de tête presque imperceptible.

— Il lui faut des thrombolytiques dès que possible, dit-elle. Nous avons un délai de trois heures environ.

Cole était au téléphone, expliquant la situation.

— Nous avons besoin d'une équipe prête à intervenir pour un AVC, dit-il.

L'opératrice assura qu'une ambulance serait chez eux d'ici à vingt minutes.

Le temps avait une importance capitale dans l'évolution de l'état de son père.

L'hôpital le plus proche était à Laramie. Il fit un rapide calcul, et un frisson de panique le parcourut à la pensée qu'il risquait de le perdre. Il n'avait pas réalisé à quel point les préparatifs du mariage avaient été éprouvants pour lui.

Il s'approcha de lui et lui serra l'épaule.

— Les secours seront bientôt là, papa.

Tiberius leva les yeux vers lui, l'air désorienté.

— Il faudrait lui donner une aspirine tout de suite, dit Lizzie.

— Il en prend déjà une par jour.

— Donnons-lui-en une autre. D'après les récentes recherches, les bénéfices sont plus importants que le risque d'hémorragie.

Cole n'ignorait pas que cela faisait l'objet d'un débat parmi les cliniciens. Pour certains chercheurs, la prise d'aspirine était bénéfique en début d'attaque, pour d'autres elle était dangereuse. Le problème était de savoir si la cause de l'accident de son père était un caillot ou une rupture de vaisseau sanguin. Seule une tomodensitométrie pourrait le préciser.

Il n'allait pas entamer une discussion avec Lizzie sur le sujet alors que son père était en pleine détresse.

Tiberius marmonna quelques mots.

— N'ai plus de…

— Quoi ? Il te manque quelque chose ?

— Asp…

Son père avait eu un accident ischémique transitoire causé

par une obstruction. Pourquoi ne s'était-il pas réapprovisionné immédiatement ? Il est vrai que ces derniers jours, entre le mariage et le retour de Cole au ranch, les occupations n'avaient pas manqué.

Il se demandait toujours si cet AIT aurait pu être évité. Cette fois, n'y avait-il pas un véritable risque d'accident vasculaire cérébral ?

Il sentit son cœur se serrer dans sa poitrine.

— Donnons-lui cette aspirine, décida-t-il, avant d'aller fouiller dans la salle de bains.

Un mélange de frustration et de panique le gagna.

— Il n'y a rien ici.

— J'en ai dans la cuisine, intervint Gretchen, qui était sur ses talons. Vous auriez dû me dire que vous n'en aviez plus, Monty, ajouta-t-elle à l'intention de Tiberius.

Lizzy était restée avec Tiberius pour le rassurer. Quand ils revinrent, elle était en train de le distraire en lui montrant son bébé, et il esquissait de nouveau un sourire d'un seul côté. Mais l'expression de ses yeux avait changé : il semblait plus calme et plus concentré en regardant l'enfant endormi.

Cole lui tendit l'aspirine.

— Prends ça, papa. Est-ce que tu peux avaler ?

Il fit un test avec une gorgée de thé, et son père réussit à prendre le médicament.

Si c'était vraiment un accident ischémique transitoire, ses symptômes disparaîtraient d'ici dix à vingt minutes. Si c'était un accident vasculaire cérébral, cela pouvait encore empirer.

Or, Cole n'était pas prêt à perdre son père. Pas prêt du tout.

Mais depuis que Lizzie avait remarqué la curieuse expression de son père, près de dix minutes s'étaient écoulées, et les symptômes n'avaient pas changé.

— J'appelle les urgences de Laramie pour leur faire un premier rapport et leur dire de tenir une équipe prête à la seconde où papa arrive.

— Avez-vous un tensiomètre à la maison ? demanda Lizzie.

Cela faisait si longtemps qu'il ne vivait plus ici qu'il fut incapable de lui répondre.

— Il y en a un dans la chambre de Monty, dit Gretchen. J'y vais.

Il regarda son père, absorbé dans la contemplation du joli bébé aux cheveux noirs comme ceux de sa mère.

L'enfant remua et s'étira pendant son sommeil, ce qui fit revenir ce sourire étrange sur le visage du vieil homme.

Tout ce qui pouvait le distraire était le bienvenu. Un AVC, c'était ce qu'il y avait à craindre par-dessus tout.

Gretchen revint avec le tensiomètre pendant qu'il était au téléphone avec les urgences, et il vit Lizzie déposer avec précaution le bébé toujours endormi sur les genoux de Tiberius avant de prendre sa tension.

— La tension n'est pas très élevée, dit-elle.

Quatre-vingts pour cent de toutes les attaques étaient ischémiques, causées par un blocage de la circulation du sang. Comme son père avait une tension sous contrôle depuis son premier AIT deux ans auparavant et que celle-ci était raisonnablement élevée, il y avait peu de probabilités que l'attaque soit d'origine hémorragique. Mais on ne prenait jamais trop de précautions.

Au moment où il terminait son appel, on entendit une lointaine sirène d'ambulance.

Il adressa à son père un sourire rassurant.

Il restait une marge d'une à deux heures pour mettre son père sous traitement thrombolytique afin qu'il ait toutes les chances de guérir.

En espérant que cela suffise.

3.

Il était plus de minuit, et Lizzie s'efforçait de calmer son bébé en proie à des coliques, comme la plupart des nuits.

Flora avait tellement pleuré qu'elle n'arrivait plus à la calmer pour téter. Ne sachant que faire, Lizzie arpentait la salle de séjour au plafond cathédrale, dont l'escalier en spirale menait à une vaste bibliothèque.

Elle n'était décidément pas douée pour être mère. N'en était-ce pas encore une fois la preuve ? Elle ne savait pas s'y prendre, et la pauvre Flora le sentait. Le bébé faisait les frais de l'inexpérience d'une mère dépassée par les événements.

Elle avait envie de pleurer avec son enfant, mais elle se retint, de crainte de ne plus pouvoir se ressaisir une fois les vannes lâchées.

Cet après-midi, elle avait fait sensation en arrivant dans cette maison étrangère avec son bébé, agissant comme si elle était la fille la plus sûre d'elle de la planète.

Prendre un emploi temporaire ? Mais bien sûr. Dans un autre Etat des Etats-Unis ? Aucun problème.

Combien de temps faudrait-il à Cole Montgomery pour qu'il voie clair en elle ?

Soudain, elle aperçut les phares d'une voiture à travers la grande fenêtre arrondie.

Super. Maintenant, Cole allait savoir qu'elle était nulle en tant que mère.

Elle songea à courir se réfugier dans sa chambre, située un peu à l'écart du reste de la maison. Peut-être que, là-bas, il n'entendrait pas Flora pleurer ?

Mais elle souhaitait avoir des nouvelles de Tiberius. Et, après tout, était-il si important de sauver la face ?

Son seul espoir était que Cole ne lui demande pas de faire taire son bébé, sinon il lui faudrait quitter son emploi avant même d'avoir commencé. Lizzie ne pouvait tout de même pas lui en vouloir d'avoir la colique. Ce n'était pas la faute de son bébé si elle avait une mère incapable.

Prenant une profonde inspiration, elle passa sa fille sur son autre bras et la berça doucement.

Flora devait commencer à être épuisée, car ses pleurs diminuaient d'intensité.

Cette installation provisoire dans le Wyoming était censée constituer la première étape vers une meilleure vie pour toutes les deux, mais pour l'instant Flora était toujours aussi mal. Pourquoi fallait-il que Lizzie doute constamment d'elle-même depuis qu'elle était devenue maman ? Le problème, c'est qu'elle ne pouvait pas appeler sa propre mère à la rescousse…

Elle entendit une clé tourner dans la serrure et vit Cole entrer. En entendant le bébé pleurer, il se tourna vers elle.

— Bonsoir, dit-elle, se félicitant d'avoir passé un long pull par-dessus son pantalon de pyjama de flanelle et son débardeur tout distendu.

Quant à ses cheveux, il était trop tard pour tenter d'en faire quelque chose.

Il inclina la tête, l'air fatigué, et ils se regardèrent quelques secondes en silence.

— Comment va votre père ? demanda-t-elle en appuyant Flora contre son épaule pour lui frotter le dos, tandis qu'elle continuait à se tortiller dans ses bras.

— Son état est stable. Le scanner a montré une obstruction sans saignements, ce qui est plutôt une bonne nouvelle. On l'a mis sous ATP, et il n'y a plus qu'à attendre.

— L'AVC n'a donc pas évolué ? demanda-t-elle, en partie rassurée.

— On ne le comprend toujours pas quand il essaie de parler, mais la faiblesse du côté droit semble avoir diminué. C'est déjà quelque chose.

Cole jeta ses clés sur la longue table de l'entrée. Le son fit sursauter Flora, qui pleura plus fort.

— Oh ! désolé, dit-il en faisant la grimace.

— Ce n'est pas votre faute. Cela fait deux heures que cela dure et que nous sommes debout. Je continue à espérer qu'elle va se calmer suffisamment pour que je puisse l'allaiter.

Le sentiment familier de son impuissance à réconforter sa fille refit surface, et elle se retint de pleurer.

— Vous avez besoin de dormir tout autant qu'elle, répondit Cole.

Elle eut alors la surprise de le voir ôter sa veste et la poser sur le dossier d'une chaise avant de tendre les bras pour s'emparer de Flora.

— On devrait peut-être modifier le scénario, dit-il. Passez-la-moi.

Il prit le bébé tout gigotant qui parut minuscule contre lui.

— Allons dans la cuisine. Nous pourrons prendre une tisane, par exemple. Cela nous fera grand bien à tous les deux.

Imperturbable face aux protestations du bébé, il ouvrit la marche, et elle le suivit.

— Je vais faire bouillir de l'eau, dit-elle, tout en remarquant que Flora semblait s'être calmée un peu.

La cuisine à elle seule dépassait la taille de son appartement de Boston.

— Où rangez-vous la tisane ?

Du bout du doigt, il désigna le garde-manger.

— Deuxième étagère, murmura-t-il tout en berçant Flora. Personnellement, j'aime bien le mélange « Nuits Paisibles », et il doit y avoir aussi de la camomille.

Elle réprima un sourire en découvrant un Cole Montgomery amateur de tisanes et consolateur de bébés, même s'il regardait sa fille comme s'il avait affaire à un alien.

— Je crois qu'elle a faim. Elle est en train de sucer mon cou, dit-il en étouffant un petit rire. Vous pouvez préparer un biberon.

— Je l'allaite. Pouvez-vous me la redonner ?

Doucement, il déposa Flora dans ses bras, et leurs regards se croisèrent un bref instant.

Celui de Cole semblait interrogateur, mais elle n'eut pas envie de s'appesantir là-dessus. Sans doute se demandait-il — entre autres choses — ce qu'elle était venue fabriquer ici…

Bonne question. La croirait-il, si elle lui répondait qu'elle était venue chercher une vie meilleure pour sa fille ?

Flora s'était enfin calmée et semblait prête à téter.

— Je vais la ramener dans le séjour, dit-elle.

— Je vous apporte la tisane dès qu'elle est prête.

Cinq minutes plus tard, tandis que Flora tétait avec une visible satisfaction — et que Lizzie avait pris soin de rabaisser le pull sur sa poitrine — Cole apporta deux tasses.

— Puis-je me joindre à vous ? murmura-t-il.

Elle hocha la tête en souriant, et il posa la tasse sur la table à proximité de sa main libre.

Le séjour n'était plus éclairé que par le halo de la lune.

Maintenant, elle pouvait enfin respirer.

Elle avala un peu de tisane bien chaude, ce qui apaisa sa gorge serrée.

Elle était toujours étonnée de constater à quel point tout son corps était tendu quand Flora n'était pas bien. Dans ces conditions, c'était même surprenant que son lait coule aussi facilement.

Pour avoir réussi à calmer son enfant, Cole était peut-être papa lui-même ?

— Où avez-vous appris à calmer si bien les bébés ?

— Je ne savais pas que j'en étais capable, répondit-il, l'air lui-même surpris. Je vous ai juste vue avec elle, et il m'a semblé que vous aviez besoin d'aide.

— J'ai pensé que vous aviez peut-être vous-même des enfants.

Il réprima une exclamation.

— Oh non ! Pas d'enfants. Et pas d'épouse. Seulement la cardiologie et moi. Je comprends parfaitement la physiologie du cœur, mais pour ce qui est de l'aspect émotionnel, je ne vaux pas grand-chose.

Elle éclata d'un rire léger.

— Je vois ce que vous voulez dire.

En quelques phrases, Cole venait de révéler beaucoup de lui-même. Peut-être avaient-ils certaines choses en commun.

— C'est pour cela que vous n'êtes pas mariée, vous non plus ? demanda-t-il.

Heureusement, ils étaient dans l'obscurité, et il ne dut pas remarquer son expression de détresse.

Seulement un an auparavant, elle était persuadée qu'elle et David Rivers allaient se marier. Mais quand elle lui avait annoncé qu'elle était enceinte, il avait brusquement changé de caractère. Devenu comme fou, il l'avait secouée violemment avant de la projeter contre un mur, lui cognant la tête à plusieurs reprises.

— Si tu crois que tu vas pouvoir me piéger avec un enfant, tu te fourres le doigt dans l'œil !

Elle frissonna en se rappelant son regard fou.

Jamais de toute sa vie elle ne s'était sentie aussi impuissante qu'à cet instant. Elle s'était promis de ne jamais revivre cela.

Grâce au ciel, il ne l'avait pas frappée, se contentant de la bousculer, sans doute pour l'effrayer et la dissuader de contrecarrer ses propres projets. Après l'avoir secouée une dernière fois, il était parti.

Et elle qui avait cru avoir trouvé le grand amour ! Quant à la promesse qu'elle s'était faite, c'était également raté : depuis la naissance de Flora, elle passait son temps à se sentir désarmée…

Puis elle releva le menton.

Elle était venue dans le Wyoming pour changer les choses, et elle avait un travail.

— Son père et moi ne nous sommes pas entendus. Il est parti, et je me suis retrouvée enceinte, répondit-elle enfin.

— Comment avez-vous fait pour terminer vos études de médecine avec un nouveau-né ?

— En sollicitant de nombreuses faveurs.

Il la fixa d'un air intrigué.

Bon, ils n'allaient pas y passer toute la nuit, mais Cole méritait tout de même quelques explications.

— On ne grandit pas en foyer d'accueil sans avoir de la ressource. Comme j'avais aidé beaucoup d'étudiants à passer les modules les plus difficiles — certains n'auraient probablement pas obtenu leur diplôme sans mon aide —, ils m'étaient en quelque sorte redevables.

— Attendez une minute, coupa-t-il en se penchant vers elle. Vous dites que vous avez été élevée en foyer d'accueil ?

Elle aurait voulu lui éviter d'avoir à s'apitoyer sur elle. Avait-il vraiment besoin de connaître toute l'histoire ?

— Oui, après la mort de ma grand-mère.

— Et qu'est-il arrivé à votre mère ?

Elle prit une longue inspiration.

— Après ma naissance, elle est retombée dans la drogue.

Cole secoua la tête. Malgré l'obscurité, elle devina son expression pleine de compassion.

Oui, elle avait eu une vie difficile, inutile de s'appesantir là-dessus.

— Et vous avez réussi à surmonter tout ça et à faire des études de médecine, murmura-t-il. C'est impressionnant.

Elle appuya la tête sur le coussin du fauteuil.

Dans un sens, oui, peut-être que c'était impressionnant.

— Durant mon enfance, la seule chose que j'ai pu contrôler, c'étaient mes notes à l'école. Je suppose que cela a porté ses fruits. Il n'empêche que je n'ai été prise en résidence nulle part où je me suis présentée.

— Personne ne vous a conseillé d'élargir votre champ de recherches ? D'après ce que je sais, vous avez visé les cinq hôpitaux les plus prestigieux des Etats-Unis. Les probabilités de réussite étaient infimes. Qu'espériez-vous ?

Malgré elle, un soupir lui échappa.

— Atteindre les étoiles ? répondit-elle d'un ton faussement léger.

De toute façon, elle ne pouvait pas refaire le passé. C'était pour ça qu'elle était venue dans le Wyoming : pour redémarrer de zéro, donner à sa fille un bon départ dans la vie.

— Comment comptez-vous vous y prendre ici ? demanda Cole de sa voix grave aux accents chauds.

Même dans l'obscurité, elle sentait son regard aigu sur elle, et elle se retint de se tortiller comme sa fille.

— Vous voulez dire, pour travailler avec vous ? Ou bien pour vivre ici avec un bébé qui souffre de coliques ?

— Pour travailler avec moi.

Avant de répondre, elle changea Flora de sein sous le pull.

— Eh bien… Pendant que vous étiez à l'hôpital, j'ai eu une longue conversation avec Gretchen. Il semblerait qu'elle soit frustrée de ne pas être grand-mère, et elle m'a dit qu'elle serait heureuse de s'occuper de Flora pendant que je travaille.

— Vous devriez peut-être commencer à temps partiel.

Elle eut envie de lui crier : « Vous ne comprenez donc pas ? Je suis fauchée ! J'ai besoin d'argent ! »

Au lieu de cela, elle avala une grande gorgée de tisane.

— J'ai été embauchée pour un plein-temps. Je tiens à respecter mon engagement.

Cole se tut un instant, les yeux fixés sur les chaussures de marque qu'il portait.

Non seulement cet homme était bien de sa personne, mais il respirait la richesse.

— Je vous paierai volontiers le montant qui a été convenu avec Trevor, mais vous pourriez peut-être commencer à mi-temps, dit-il enfin.

— Vous n'ignorez pas que, dans notre pays, les femmes n'ont droit qu'à six semaines de congé de maternité, après quoi elles retournent travailler. A l'école de médecine, j'ai été une mère célibataire qui n'a jamais manqué une seule garde de nuit, avec d'autres étudiants en médecine pour seule aide. J'ai obtenu mon diplôme le même jour que tous les autres, avec mon bébé emmailloté contre ma poitrine. Quand on a quelque chose à faire, on le fait, c'est tout. Gretchen me dit qu'elle est heureuse de m'aider. Laissez-moi faire ce pour quoi je suis venue, d'accord ?

Ça, c'était envoyé !

Cole demeura songeur, les yeux fixés sur elle, probablement pesant le pour et le contre et se demandant à quel point elle devait être désespérée.

— Cependant… Je suppose que papa va rester à l'hôpital au moins une semaine, après quoi il ira en maison de repos pour faire sa rééducation. Mais une fois qu'il sera de retour à la maison, Gretchen sera sûrement accaparée par lui.

Rester positive, toujours.

— Vous avez raison, mais d'ici là, je pourrai trouver une autre solution pour ma fille.

Il réfléchit de nouveau.

— Ça me paraît jouable.

Ouf!

Il posa sa tasse et se leva.

— Je vais vous laisser avec Flora. La journée a été longue.

Elle hocha la tête.

— Moi-même, j'ai du mal à garder les yeux ouverts.

Comme Cole se détournait pour partir, elle ne put s'empêcher de jeter un coup d'œil à ses larges épaules et sa longue silhouette.

C'était vraiment un bel athlète. Du concentré d'homme, qui avait pourtant su se montrer doux avec Flora. Quel mal y avait-il à trouver son nouvel employeur sexy ?

— Puis-je vous poser une question ? demanda-t-elle.

Il s'arrêta.

— Avez-vous eu un accident ?

La lumière du couloir éclaira son profil.

— Toujours très observatrice, docteur Silva ! Vous avez sans doute remarqué mes cicatrices ? A l'âge de quinze ans, j'ai été jeté à terre par un cheval sauvage et me suis fracturé deux vertèbres, C1 et C2. J'ai eu de la chance que la colonne vertébrale ne soit pas touchée, mais j'ai dû porter une minerve pendant trois mois. Ma vie a alors changé d'orientation : j'ai renoncé à devenir une star du rodéo.

— Une star du rodéo ? s'étonna-t-elle.

Il sourit, et deux profonds sillons creusèrent ses joues.

Très sexy, ça aussi.

— Vous avez devant vous un ancien champion de rodéo junior ! dit-il, une lueur amusée dans les yeux.

Mais un cow-boy était à peu près aussi étranger à une fille de Boston qu'un extraterrestre.

— J'aimerais vous répondre que je suis impressionnée, si j'avais la moindre idée de ce que ça signifie.

Cole sourit lentement, révélant une rangée de dents blanches, ce qui, combiné à l'expression de ses yeux, eut pour effet de la faire frissonner.

Oh non ! Le Dr Montgomery était trop craquant. Finalement, elle l'imaginait très bien en salopette et chemise à carreaux. Et elle aurait payé cher pour le voir porter un chapeau de cow-boy.

Elle s'éclaircit la gorge.

— Vous avez dû être une véritable star locale.

— Oh ! vous savez, ce genre de gloire, ça va, ça vient. En tout cas, si je suis médecin aujourd'hui, c'est à cause de cet accident.

— La vie nous joue parfois de drôles de tours.

— Mmm. Je vous souhaite une bonne nuit à toutes les deux…

— Merci.

Elle crut voir une lueur de sollicitude dans ses yeux, et même si elle ne voulait pas de sa pitié, cela lui fit du bien. Ici, elle ressentait d'autant plus le fait qu'elle n'avait personne pour la soutenir, excepté le Dr Rivers.

Mais Cole n'avait pas terminé.

— Je tiens aussi à vous dire que, si vous n'aviez pas été là, mon père irait sûrement beaucoup moins bien. Vous n'avez pas encore commencé à travailler à la clinique, et vous m'avez impressionné.

Elle rayonna littéralement.

C'était un grand compliment, surtout de la part d'un homme qui n'avait pas l'air du genre à s'épancher.

— Merci, Cole. Je connais à peine votre père, mais je l'aime bien. Il a beaucoup de cran.

— Mmm. Il est probablement trop têtu pour mourir. J'espère que ses symptômes disparaîtront rapidement.

— Moi aussi.

— Encore merci d'avoir réagi aussi vite. Bonne nuit.

Cette fois, il s'éloigna dans la direction opposée à celle où se trouvait sa chambre.

Pour un homme aussi grand, Cole Montgomery se déplaçait avec une certaine grâce. Décidément, elle aimait son style.

Il ressemblait davantage à un citadin chic qu'à un garçon de ranch. Mais à présent qu'il avait pris le temps de lui parler elle percevait en lui le cow-boy qui avait probablement forgé l'homme qu'il était devenu. Et ce qui la troublait le plus, c'est qu'elle aimait vraiment ce qu'elle avait perçu.

Elle emmena dans sa chambre Flora endormie.

Cette première journée au ranch Montgomery avait été un peu folle. Elle ne s'était pas attendue à tomber en plein mariage ni en pleine attaque cérébrale. Cela avait au moins eu le mérite de briser la glace avec la famille.

4.

Cole était trop énervé pour dormir, même s'il se faisait moins de souci depuis que le médecin en charge de son père lui avait assuré qu'il était stable.

Il était resté assis pendant une heure à son chevet à le regarder dormir, avant de décider qu'il pouvait rentrer. Il avait failli passer la nuit dans son appartement de Laramie, mais il était finalement rentré au ranch à cause d'Elisabete.

La dernière chose qu'il s'était attendu à trouver, c'était une femme exténuée en train d'arpenter le séjour pour calmer son bébé. Ses longs cheveux noirs étaient détachés et lui couvraient les épaules. Il avait trouvé troublant le contraste avec sa peau laiteuse. Et dans la cuisine il avait remarqué le léger renflement très sexy de sa lèvre supérieure.

Cette femme pouvait être incroyablement belle. Elle ne faisait pas grand-chose pour mettre en valeur sa beauté, mais il l'avait remarquée. C'est ce qui fait le charme des femmes séduisantes naturellement : elles n'en ont pas conscience, ce qui les rend d'autant plus attirantes.

C'était peut-être aussi sa jeunesse…

Il se frotta le visage, épuisé.

Mais le repos, ce n'était pas pour tout de suite. Il avait un père à remettre sur pied, une clinique à gérer et un diamant brut de médecin à affiner.

Et dire qu'il avait cru, en venant ici, qu'il lui suffirait de diriger la clinique de son frère et de tenir à jour la comptabilité de son père ! C'était trop simple, se dit-il en laissant échapper un petit rire désabusé.

Cerise sur le gâteau, ce bébé innocent, qui méritait un bon départ dans la vie.

Pourquoi s'en préoccuper ?

Parce que c'était ce que ferait tout homme digne de ce nom.

Il décida de passer sa journée du dimanche à travailler au ranch avec deux aides de Jack, puis d'aller voir son père à l'hôpital dans l'après-midi. Cela permettrait à Lizzie et Gretchen de faire connaissance autour du bébé.

Pour lui, le travail était le meilleur exutoire quand il sentait sa vie personnelle lui échapper. C'est comme cela qu'il avait décidé de s'intéresser à l'implantation de valves cardiaques par voie percutanée. Il avait décidé d'apprendre cette procédure de remplacement de la valve mitrale très peu invasive à une époque où pratiquement personne n'en avait entendu parler. Tout ça pour éviter d'affronter la mort de sa mère. Après les obsèques, il n'avait pas passé plus de deux jours auprès de son père, incapable de supporter de le voir aussi anéanti par le chagrin. Et en s'enfuyant ainsi, comme toujours, il avait laissé son frère porter seul le fardeau.

Il se retourna dans son lit.

Mais où donc se cachait le sommeil ?

Le lundi matin, Lizzie allaita sa fille avec encore plus de soin que d'habitude. En changeant et en habillant son précieux bébé avec une des quelques grenouillères qu'elle possédait, elle lutta contre les larmes.

— Tout va bien se passer aujourd'hui, mon ange. Je te le promets. Gretchen est une dame très gentille, qui prendra bien soin de toi.

Le bébé la regarda pendant qu'elle parlait, comme si elle la comprenait. Elle avait des yeux bleus si intelligents ! Et elle connaissait sa voix.

A cette pensée, Lizzie sentit quelques larmes lui échapper.

Comme allait-elle survivre à cette journée ?

— Je dois aller travailler, Flora. Tout ce que je fais, je le fais pour nous deux.

Elle embrassa la joue rebondie de sa fille, respirant une dernière fois son odeur.

Elle avait déjà dû confier Flora à tant de gens différents pendant ses études. Au moins, dans le Wyoming, il n'y aurait qu'une grand-mère gâteau pour veiller sur Flora toute la journée, et pendant les week-ends elle pourrait voir son bébé jour et nuit.

Ce qui compte, c'est la qualité du temps que l'on passe avec son bébé, ne cessait-elle de se répéter. Pas la quantité.

Tout en serrant sa fille dans ses bras, elle se força à sourire. Elle ne voulait pas que Flora la voie pleurer.

— Tu seras sage avec Gretchen, d'accord ?

Un gargouillement suivi d'un gazouillis lui répondit.

— Je t'aime tant, murmura-t-elle.

Lizzie embrassa Flora dans les bras de Gretchen.

Cole aurait juré voir ses yeux se mouiller. Pourtant, elle se ressaisit bravement et ne dit pas un mot sur son bébé pendant tout le trajet en voiture. Mais elle fut trahie par les fréquents soupirs qu'elle ne put retenir.

Lui-même avait le dos raidi par le dur travail de la veille : il avait parcouru la prairie pendant des heures pour planter des poteaux. Cependant, cela lui avait fait du bien de se donner de l'exercice.

Ses courbatures ne l'empêchaient pas de remarquer que Lizzie avait de nouveau rassemblé ses cheveux en une longue tresse, ni qu'elle avait de larges créoles argentées aux oreilles. Elle avait beau porter un tailleur-pantalon foncé et une chemise blanche à manches longues envoyant clairement un message unisexe, cela ne suffisait pas à dissimuler la femme qu'elle était.

— Des nouvelles de votre papa ? demanda-t-elle.

— Il va mieux et recouvre rapidement ses forces, ce qui est toujours bon signe dans ce genre d'attaque. Croisons les doigts pour que l'élocution lui revienne aussi. Encore un ou deux jours d'observation, et ils pourront l'envoyer en convalescence pour continuer sur sa lancée. Le médecin a dit que tout ce dont il aurait besoin, c'est de rééducation à domicile et d'un orthophoniste pour stimuler la parole.

— C'est fantastique. Eh bien, on l'a échappé belle !

Il apprécia la façon dont elle se projetait ainsi dans son cercle familial.

— Oui, *on* a eu chaud, répondit-il. Il faut lui envoyer des pensées positives pour qu'il parle de nouveau. Vous savez que l'état d'un patient peut s'améliorer d'un jour à l'autre à l'hôpital.

— En effet. Je lui enverrai mes meilleures ondes.

Ils continuèrent à rouler en silence, comme si ce trajet effectué de bon matin était pour eux une routine depuis des années. Avec un soupir, Lizzie regarda par la fenêtre, et il l'imita.

Il avait oublié à quel point le paysage du Wyoming était extraordinaire. Le ciel d'un bleu profond faisait ressortir les nuances de brun et d'or des collines de faible hauteur, et les vastes prairies ressemblaient à un immense tapis touffu.

— Comment allons-nous nous organiser aujourd'hui ? demanda-t-elle.

— Pour les patients ?

— Oui. Allez-vous me laisser travailler seule, sauf si j'ai besoin de votre aide ?

— J'aimerais garder un œil sur vous, si vous n'y voyez pas d'inconvénient.

Elle ouvrit la bouche pour protester.

— Au début, précisa-t-il pour la calmer.

Il était médecin senior, mieux valait qu'elle s'y habitue.

— Ensuite, nous ferons un peu le point. Vous ne pensiez tout de même pas que j'allais vous lâcher complètement la bride sur le cou ?

— On peut toujours espérer, répondit-elle avec un sourire malicieux.

— Charlotte, l'infirmière, va effectuer le triage des rendez-vous. Elle m'enverra les patients les plus compliqués, et la mère et l'enfant seront pour vous. Oh ! Et je prendrai aussi tout ce qui touche à la cardiologie, naturellement.

— N'est-ce pas un peu sexiste ?

— Du tout. C'est uniquement dans un but pratique. Je ne connais pas grand-chose en pédiatrie. Comme vous venez d'avoir un bébé et avez de plus étudié récemment le sujet puis que vous venez d'obtenir votre diplôme, vous me paraissez tout indiquée pour cette tâche.

Et puis, vous êtes une femme, ajouta-t-il silencieusement.

D'accord, c'était un peu sexiste.

Lizzie secoua la tête, mais elle cessa de discuter.

— J'aimerais effectuer le plus de procédures possible.

— Pourquoi pas ? J'ai la chance d'avoir une équipe d'infirmières qui fait le sale travail derrière moi.

— Vous voyez bien, vous êtes sexiste.

— Qui est sexiste ? répliqua-t-il. Il y a aussi des infirmiers.

Elle sourit, appréciant manifestement leur joute verbale.

— C'est noté. Mais je ne pense pas que la cardiologie soit un domaine où l'on se salit beaucoup.

— Vous avez déjà entendu parler d'angioplastie, n'est-ce pas ? dit-il.

— C'est ce que vous pratiquez ?

— Oui. Et je vais même plus loin, puisque je remplace les valves mitrales.

— Mais il s'agit là d'opérations à cœur ouvert ? objecta-t-elle.

— Pas de la manière dont nous procédons aujourd'hui. J'utilise le même trajet que pour les angiogrammes. Et vous connaissez les TAVR ou TAVI ?

Lizzie se tourna vers lui, visiblement incrédule.

— Vous voulez dire que vous effectuez des remplacements de valve aortique par transcathéter ?

— Et aussi des implantations. En effet, dit-il en s'efforçant de ne pas avoir l'air trop content de lui.

— Oh ! mon Dieu ! Mais vous êtes une star de la médecine !

— Vous avez entendu parler de moi ?

— Entendu parler ? Vous êtes le dieu de la cardiologie. Et dire que je n'ai pas fait le rapprochement !

Elle se tapa les mains sur les genoux.

— Je n'arrive pas à le croire. Je vais travailler avec un génie !

— C'est peut-être un peu exagéré.

— Je ne pense pas. Vous avez lancé une toute nouvelle approche très peu invasive du remplacement de la valve mitrale. Pas de grandes incisions, on n'a pas besoin d'arrêter le cœur et de le mettre en bypass, et la récupération est plus rapide. Nous avons tout appris là-dessus pendant mon module de cardiologie de quatrième année. C'est absolument époustouflant.

— Attendez, ce n'est pas moi qui l'ai inventé. Simplement, j'en ai entendu parler, et j'ai demandé à être formé par la société qui l'a créé. J'ai juste été un des premiers dans le pays… Bon, d'accord, le premier.

Encore une fois, il dut faire un effort pour ne pas avoir l'air trop fier de lui.

Il appréciait l'enthousiasme de Lizzie mais préférait la jouer modeste.

— A présent, c'est moi qui parcours le pays pour former d'autres médecins. Je ne suis qu'un enseignant qui prêche la bonne parole.

— Cette nouvelle procédure a changé la vie de beaucoup de gens qui ne peuvent pas être opérés à cœur ouvert, dit Lizzie, toujours excitée. Et elle est moins coûteuse que l'ancienne.

— Il est vrai qu'elle aide beaucoup de patients.

Ils venaient d'arriver sur le parking de la clinique, et il se gara, ce qui mit fin à la conversation.

Quand ils sortirent de la voiture, il lui sembla que Lizzie le regardait différemment, et cela ne lui déplut pas.

De toute façon, rien n'allait se passer entre eux.

Mais pourquoi éprouvait-il le besoin de se le rappeler ?

— J'ai hâte de commencer à pratiquer la médecine en tant que médecin officiel, lui dit-elle avec un sourire radieux, en se dirigeant vers l'entrée d'un pas pressé. Enfin !

— Charlotte, notre infirmière en chef, va d'abord nous faire visiter la clinique, dit-il dans l'espoir de la calmer un peu.

En même temps, il devait se rappeler qu'Elisabete Silva n'avait que vingt-six ans — quatorze de moins que lui. Elle était pratiquement d'une autre génération. Sa tâche à lui consistait à affiner ce diamant brut avant de le lâcher dans le monde de la médecine. Rien de plus.

Une fois les présentations faites — Cole avait déjà croisé l'infirmière en chef au mariage —, Charlotte les regarda d'un air circonspect.

— J'espère que vous avez l'habitude de travailler dur, parce qu'il n'y a pas de place pour les fainéants dans cette clinique, lança-t-elle.

Ah, c'était une dame un peu coincée. Trev avait négligé de l'avertir.

— Ne vous inquiétez pas, Lotte, répondit-il calmement. Nous assurerons tous les deux notre part. Je sais que Trevor n'est pas facile à suivre, mais j'ai plus d'expérience.

Du moins, il l'espérait.

L'expression de Lotte s'adoucit.

— Vous autres Montgomery, vous êtes des surdoués. C'est la petite nouvelle qui m'inquiète.

Hum. N'avait-elle pas remarqué que Lizzie se trouvait là ? Il se tourna vers celle-ci, guettant sa réaction.

Elle arborait un sourire amusé.

— Je suis certain que nous allons tous très bien nous entendre, dit-il pour détendre l'atmosphère.

A en juger par le coup d'œil échangé entre les deux femmes, rien n'était moins sûr.

— Et si on faisait le tour de la clinique ? proposa-t-il.

Vers le milieu de la matinée, les choses s'étaient mises en place. Installé dans le bureau de Trevor, Cole rentrait dans l'ordinateur des informations concernant son dernier patient, lorsque Lizzie frappa à la porte ouverte.

En la voyant si pleine d'allant et d'énergie, il eut l'impression qu'une bouffée d'air frais était entrée avec elle.

Cette femme était contagieuse.

— J'ai une patiente qui ne veut pas de pilule contraceptive, ni d'implant, ni d'injection, dit-elle. Je lui ai proposé d'utiliser un stérilet.

— Bien.

Qu'avait-il à voir là-dedans ?

— Vous m'avez dit de tout soumettre à votre approbation.

— Oh. Pouvez-vous le faire vous-même ?

— J'en ai déjà posé deux, et Charlotte veut bien m'assister. Est-ce que vous êtes d'accord ?

— On n'a pas le choix, car ce n'est pas moi qui le ferai.

— Parfait.

Lizzie repartit au pas de charge.

Vingt minutes plus tard, elle réapparut, un sourire triomphant sur les lèvres, suivie de l'infirmière.

— Elle s'est bien débrouillée, dit Lotte comme à contrecœur.

— Merci !

La patiente sortit à son tour de la salle de consultation, prête à partir. Lotte allait lui donner des instructions, mais Lizzie lui coupa la parole, prenant la patiente totalement en charge.

— Il se peut que vous ressentiez de légères crampes dans les prochains jours, comme si vous aviez vos règles. C'est normal. Mais si les douleurs sont plus fortes ou que vous ayez des saignements importants, revenez tout de suite me voir.

— Je vous le promets, répondit la jeune femme. Docteur Silva, merci beaucoup de m'avoir aidée à choisir une méthode de contraception sans hormones ni injections ni pilules.

Le regard mécontent de l'infirmière n'échappa pas à Cole.

Une fois la patiente partie, Lizzie sourit, l'air enchanté.

— Elle m'a appelée « docteur »…

Décidément, son enthousiasme professionnel et sa fraîcheur étaient touchantes, même si cela agaçait l'infirmière.

Pendant la pause-déjeuner, Lizzie alla s'enfermer dans le bureau de Julie où elle s'était installée, et il entendit des bruits bizarres. Se demandant si elle n'était pas près de craquer, il était sur le point de l'inviter à aller prendre un café en ville, quand Lotte lui expliqua qu'elle était en train de tirer son lait.

Oh.

Il se hâta de sortir de la clinique pour aller manger quelque part, s'efforçant de chasser de son esprit l'image de la jeune femme en train d'exprimer le lait de ses seins.

*
* *

Lizzie n'en revenait pas que sa première journée se soit aussi bien passée. Elle était sur le point de s'en réjouir, quand elle se rendit soudain compte qu'elle n'avait pas pensé à Flora pendant près d'une heure.

Une preuve de plus qu'elle était une mère indigne.

Elle éprouva alors le besoin impérieux de la serrer contre elle et de la câliner.

Elle venait de terminer la visite médicale d'un garçon de dix ans qui partait en camp d'été, quand Cole l'intercepta dans le couloir.

— J'ai quelque chose à vous faire écouter, lui dit-il.

Elle le suivit dans la deuxième salle d'auscultation, tout en se sentant coupable de ne pas avoir constamment sa fille à l'esprit. Demain, elle apporterait une photo de son bébé et la poserait sur son bureau.

Cole lui présenta un vieil homme maigre assis sur la table d'examen.

— Monsieur Harrison, voici le Dr Silva. J'aimerais qu'elle écoute votre cœur, si ça ne vous ennuie pas.

— Pas du tout, répondit l'homme.

— Docteur Silva…

Elle adorait entendre Cole l'appeler ainsi.

— J'étais en train de faire un contrôle de routine du cœur, et j'ai voulu partager ça avec vous, car il est très rare d'entendre les quatre sons du cœur pendant une même auscultation. Ecoutez ça.

Elle savait que c'était aussi un test. Cole ne voulait pas seulement partager les sons avec elle, il y avait autre chose.

Le stéthoscope qu'elle portait autour du cou était un cadeau du Dr Rivers, quand elle avait obtenu son diplôme dans le peloton de tête.

Elle posa le pavillon sur la poitrine du vieux patient et écouta attentivement.

Les quatre sons étaient bien là — une rareté. Elle écouta de nouveau et distingua un léger clic entre S1 et S2. Comme un murmure. Une régurgitation de la valve mitrale.

— Depuis combien de temps avez-vous un prolapsus mitral, monsieur Harrison ?

Elle jeta un coup d'œil à Cole au passage et nota avec plaisir une lueur de satisfaction dans son regard. Il hocha légèrement la tête. Elle avait réussi le test en entendant ce qu'il y avait à entendre.

— Qu'est-ce que c'est ? demanda l'homme.

— M. Harrison est juste venu passer une visite de contrôle sur l'insistance de sa femme, intervint Cole. Il n'a pas été diagnostiqué pour un prolapsus mitral et ne semble pas présenter de symptômes, mais nous allons le diriger sur un spécialiste pour un échocardiogramme avant de décider de la suite.

Elle approuva de la tête puis, comme le test était terminé, elle prit congé de Cole et de son patient et retourna travailler.

Elle avait encore trois patients à voir avant la fermeture : un problème d'asthme, un examen pelvien et une visite de contrôle suite à une ablation de la vésicule biliaire.

Elle adorait ce métier. C'était une des seules choses dont elle était sûre dans la vie : elle était faite pour être médecin.

Sur le trajet du retour, elle soûla Cole de paroles sans pouvoir s'en empêcher, tant elle débordait d'excitation. Il fallait qu'elle partage ça avec quelqu'un. Et puis, elle allait revoir Flora ! La journée ne pouvait pas mieux se terminer. Ses seins étaient de nouveau gonflés de lait, et elle n'en pouvait plus d'impatience.

Certes, sa fille lui avait manqué. En même temps, le fait d'exercer le métier qu'elle aimait lui avait procuré un répit bienvenu en la sortant de ses préoccupations habituelles, uniquement axées sur son enfant.

Aussitôt, elle eut honte d'une telle pensée. Il fallait qu'elle s'en ouvre à quelqu'un.

— Est-ce normal que j'aie apprécié d'être loin de Flora, aujourd'hui ? demanda-elle à Cole, le menton tremblant.

Il quitta brièvement la route des yeux pour la regarder.

— Etes-vous en train de me demander si vous devriez vous sentir coupable ?

Elle hocha la tête, pleine d'appréhension.

— Je ne me permettrais pas de porter un jugement, mais il me semble que n'importe quelle mère a parfois envie de faire une pause. Pas besoin de vous sentir coupable pour autant. Cela doit être stressant de se sentir entièrement responsable d'une autre vie.

Comment cet homme qui n'avait jamais été père faisait-il pour exprimer exactement ce qu'elle ressentait ?

— Je vous le confirme, soupira-t-elle.

— Etre éloignées l'une de l'autre pendant quelques heures vous a probablement fait du bien à toutes les deux.

— Vous croyez ? Je n'ai pas eu de nouvelles de Gretchen cet après-midi, et je lui avais demandé de m'appeler si elle avait une question ou si Flora souffrait trop de colique. Donc, c'est plutôt bon signe ?

Cole hocha la tête.

— Croyez-moi, si Gretchen avait eu besoin de vous contacter, elle l'aurait fait.

— Alors, vous ne croyez pas que je sois une mauvaise mère ? ne put-elle s'empêcher de demander.

— Pas du tout. En plus, je pense que vous allez faire un bon médecin, car vous accordez à vos patients cent pour cent de votre attention — ce à quoi ils ont droit.

Ce compliment lui fit chaud au cœur, et elle se redressa instinctivement.

— Vraiment ?

— J'en suis sûr.

Il eut son sourire de cow-boy du Wyoming et elle se sentit fondre. Cet homme était à tomber quand il souriait.

Cependant, il eut l'air soulagé d'arriver au ranch.

Lorsque Gretchen apparut à la porte avec Flora dans les bras, une vague d'émotion la submergea. Elle allait se précipiter pour la serrer contre elle, quand Cole la retint par le bras.

— Lizzie, je n'ai pas pu placer un mot pendant le trajet, mais je tenais à vous dire que vous avez été remarquable aujourd'hui. Vous avez vraiment assuré et, croyez-moi, vous avez un gros potentiel. Je veillerai à ce que vous deveniez l'excellent médecin que vous avez manifestement envie d'être.

C'était le plus beau compliment qu'elle eût jamais reçu. Sa confiance en elle avait été tellement mise à mal ces derniers temps ! Elle qui n'avait pas pu obtenir de place auprès des hôpitaux qu'elle avait sélectionnés, voilà qu'elle impressionnait l'un des meilleurs cardiologues du pays ! N'était-ce pas complètement fou ?

Incapable de se contrôler, elle jeta les bras autour du cou de Cole et l'étreignit avec force.

— Merci infiniment.

Puis, sans réfléchir, elle embrassa la joue recouverte de l'ombre de barbe de la journée.

— Merci, merci, merci ! répéta-t-elle.

Elle croisa son regard brun surpris et se hâta de rejoindre Gretchen, qu'elle remercia abondamment elle aussi en prenant son précieux bébé dans ses bras. Elle embrassa la joue rebondie de Flora, la berçant doucement contre elle.

Cette journée avait été une des plus belles de toute sa vie, grâce à Cole Montgomery et à cette grand-mère de substitution.

Face à ce trop-plein d'émotions, elle ne put se retenir plus longtemps et fondit en larmes.

5.

Le vendredi matin, pendant le trajet vers la clinique, Cole se demanda avec inquiétude comment Lizzie allait survivre à ce rythme.

Il avait entendu le bébé pleurer pratiquement toutes les nuits et voyait chaque matin des cernes sombres se creuser sous ses yeux. A la clinique, il avait dû s'interposer plus d'une fois entre Lotte et Lizzie pour calmer les esprits. Toutes deux étaient des femmes volontaires, qui désiraient le meilleur pour les patients et avaient leur franc-parler, ce qui entraînait souvent des affrontements. Parfois Lizzie était pleine de doutes, parfois elle était trop confiante. Elle pouvait se montrer trop sensible ou être sur les nerfs, et elle rendait folle l'infirmière en chef. La tension était montée toute la semaine.

Bref, ça ne pouvait pas durer.

En tant que médecin senior, il se devait d'intervenir pour conseiller Lizzie sur la façon de traiter au mieux les patients en collaboration avec le personnel soignant.

Il jeta un coup d'œil à celle-ci.

Cette fois, elle était restée silencieuse et avait gardé les yeux fermés. Elle était coiffée de la même tresse, portait les mêmes anneaux d'argent aux oreilles, et le tailleur noir avec la chemise blanche était devenu son uniforme personnel.

Peut-être était-ce là toute l'étendue de sa garde-robe ?

Bon, il la laissait se reposer pour l'instant, mais dès qu'il le pourrait, il aurait une conversation amicale avec elle.

Elle remua sur son siège et frotta ses yeux dépourvus de maquillage avant de s'étirer.

— A propos, commença-t-il d'un ton tranquille, j'ai pensé que l'on devrait avoir une réunion hebdomadaire à la clinique, pour discuter de nos patients et partager les informations. Je vous guiderai en tant que senior, et vous, en tant que médecin le plus récent, vous pourriez me faire part de vos découvertes et de vos interrogations. Qu'en dites-vous ?

Lizzie le regarda d'un air dubitatif.

— Jusqu'à présent, je vous ai toujours tenu informé de tout au travail…

— Oui, mais nous avons rarement le temps d'approfondir. Si vous étiez interne, vous auriez des tournées quotidiennes avec d'autres médecins et les infirmières, vous seriez interrogée et testée sur tout. C'est ce que je dois faire avec vous.

Il l'entendit prendre une profonde inspiration.

— Comment allons-nous caser cela dans nos emplois du temps ? demanda-t-elle. Nous avons à peine le temps de respirer, et pendant la pause-déjeuner il faut que je tire mon lait pour Flora. Et je… Je crois que je suis en train de perdre mon lait.

Elle se mordilla les lèvres, luttant visiblement contre ses émotions. Soudain, elle se mit à pleurer, révélant ainsi l'étendue de son stress.

Décontenancé, il attendit qu'elle se ressaisisse peu à peu.

— Je suis désolée, dit-elle enfin. Je ne me doutais pas à quel point ce serait difficile de travailler tout en prenant soin de mon bébé. Comment font les autres mères ?

Que répondre ?

Il décida de garder un esprit scientifique.

— Je ne doute pas que les machines puissent dupliquer la plupart des fonctions de l'être humain, mais elles ne remplacent pas son âme, déclara-t-il, avant d'appeler Gretchen grâce à son kit mains libres.

Il ne tarda pas à entendre sa voix.

— Hello, Cole, est-ce que tout va bien ?

— Gretchen, pouvez-vous amener Flora à la clinique vers 11 h 30 aujourd'hui ?

— Bien sûr. Il y a un problème ?

— Aucun. Il faudrait juste qu'elle ait faim quand vous partirez.

Il mit fin à la conversation et surprit le coup d'œil sidéré de Lizzie.

— A partir d'aujourd'hui, vous pourrez allaiter pendant la pause-déjeuner. Je vous ferai livrer un repas consistant tous les jours, et Flora et vous aurez un peu de temps ensemble.

— Il ne faut pas vous sentir obligé de…

— Bien sûr que si. Cela fait partie de mon job de vous empêcher de vous effondrer. Vous êtes là pour m'aider, pas pour devenir ma prochaine patiente.

— Je suis vraiment navrée.

— C'est absurde. Inutile de vous excuser.

Il adopta un ton plus léger afin qu'elle ne se sente pas coupable ni dorlotée.

— Vous savez, c'est purement égoïste de ma part. Je suis pratique avant tout, et je veux que vous soyez au top de vos capacités. Vous accomplissez déjà un travail louable étant donné les circonstances, mais on peut toujours améliorer les choses, pas vrai ?

Elle hocha la tête en silence.

Mais il pouvait encore l'aider de diverses façons, puisqu'ils habitaient sous le même toit.

— Dorénavant, si Flora vous réveille plus d'une fois la nuit, j'insiste pour que vous veniez me chercher. Je ne peux certes pas allaiter, mais je sais arpenter une pièce aussi bien que vous. En partageant l'insomnie entre nous deux, ce sera plus supportable. Et si cela peut permettre à ma nouvelle collègue d'avoir l'air plus vivant et d'être davantage à son travail, j'en serai ravi.

En voyant l'expression de reconnaissance qui se peignait sur le joli visage de Lizzie, il se sentit fondre, et il s'empressa de se focaliser de nouveau sur la route.

Pas une seule fois, il n'avait proposé son aide pour Eddie, le fils de Victoria, maintenant âgé de cinq ans. Sans doute parce que le gamin ne pouvait pas le souffrir et que c'était réciproque. Victoria l'avait beaucoup trop gâté, il se prenait pour le centre de l'univers.

Mais un bébé de trois mois comme Flora avait besoin de se sentir entouré et rassuré.

— Je ne peux tout de même pas vous demander de perdre le sommeil, vous aussi, objecta Lizzie.

— Vous n'avez rien à me demander. Je vous indique mon plan pour que nous puissions tous les deux passer sans encombre les prochaines semaines. Rien de plus.

— Vous êtes vraiment sérieux ?

— Oh ! Et pendant que j'y pense, occupons-nous d'organiser nos réunions au ranch. Jusqu'à présent, vous avez dîné dans votre chambre pendant que j'allais rendre visite à mon père à l'hôpital, mais comme il va beaucoup mieux, il se pourrait qu'il rentre bientôt. Pendant la première semaine, il aura des soins à domicile, et Gretchen est d'accord pour rester la nuit les premiers temps. Quand il sera de retour, nous devrions dîner tous ensemble, c'est-à-dire vous y compris. Je sais que c'est ce qu'il aimerait. Après dîner, nous pourrons nous retirer dans la bibliothèque pour discuter boulot.

— Et Flora ?

Il s'attendait à ce qu'elle proteste, mais elle n'avait pensé qu'à sa fille. Nul doute était-elle une meilleure mère qu'elle ne le croyait.

— Amenez-la avec vous. Ou bien laissez Gretchen lui donner son bain et la mettre au lit. A vous de voir. L'essentiel, c'est de faire de vous le meilleur des médecins.

Lizzie rayonnait littéralement.

— Merci. Entendu, ça marche, dit-elle. Ce sera comme un mini-internat spécial. Apprenez-moi tout ce que vous pouvez, ce sera très bénéfique pour moi et pour le bébé. Et j'espère que votre père appréciera autant que moi les dîners en famille. Je sais maintenant que j'ai pris la bonne décision en venant ici !

Il sourit tout en conduisant, heureux que son plan un peu fou ait marché : Lizzie Silva allait faire partie de la famille.

Mais au fait, était-il préparé à ça ?

Après tout, cela ne durerait que quelques semaines. Les journées allaient passer vite, et bientôt, il n'aurait plus affaire à Lizzie. S'il faisait bien son travail, elle trouverait un endroit où faire sa spécialisation. Elle et Flora partiraient au retour de Trevor et Julie, et la vie reprendrait son cours normal.

Voyager. Enseigner. Travailler dur. Seul. Voilà quelle était sa vie, dépourvue des complications liées aux relations personnelles.

Pourquoi avait-il soudain l'impression qu'avec son plan si génial c'était lui qui avait tiré la paille la plus courte ?

En tout cas, s'il n'était pas certain du bénéfice que Lizzie tirerait de leurs séances d'après-dîner, lui-même avait hâte d'y être.

— Voilà votre petite fille, annonça Gretchen en pénétrant dans le bureau de Lizzie à 11 h 30 précises, comme chaque jour depuis une semaine.

— Merci !

Ces deux dernières semaines, Gretchen avait été une véritable bénédiction.

Ravie de voir son bébé, Lizzie le prit dans ses bras. En moins d'une semaine, ce moment était devenu le clou de sa journée.

— Oh ! tu me manques tant !

Etait-ce sa voix ou l'odeur du lait ? Flora se mit à gigoter.

Elle embrassa sa joue ronde en la serrant contre elle.

— Maman t'aime, mon trésor… Vous savez, Gretchen, depuis que vous avez commencé à lui donner le bain le soir, elle s'est vraiment calmée la nuit. On dirait que ses coliques lui ont passé.

— Je me suis rappelé un petit truc que j'utilisais avec mes enfants, expliqua Gretchen. Je remplis une bouillote d'eau chaude et la pose sur son ventre après le bain. Ensuite, lorsque je la couche, je lui donne une sucette en caoutchouc pour l'apaiser.

— C'est une excellente idée, ça l'aide visiblement à s'endormir, dit Lizzie en ouvrant son soutien-gorge d'allaitement et en regardant avec bonheur sa fille commencer à téter.

— Je pense aussi qu'elle sent que vous êtes plus calme.

— Comment cela ?

— Vous avez fait du chemin depuis votre arrivée au ranch, Lizzie. Au début, vous étiez une jeune dame nerveuse, à fleur de peau. Maintenant, nous avons tous pris un rythme confortable, et Flora doit le sentir. Les bébés adorent la routine.

— Vous avez sans doute raison, murmura Lizzie.

Elle se rappelait combien les premières semaines passées seule avec son bébé et sans perspective d'avenir dans son minuscule studio de Boston avaient été terribles. A présent, elle était détendue et profitait pleinement des moments passés avec sa fille. La vie était belle. Elle avait un poste, logeait dans un superbe endroit et adorait son travail.

Et tout cela, elle le devait à un séduisant cow-boy du Wyoming, Cole Montgomery.

— Je vous laisse toutes les deux, je reviens dans une heure, dit Gretchen en sortant sur la pointe des pieds.

— Je ne vous remercierai jamais assez.

A la fin de la deuxième semaine depuis leur nouvel arrangement, Cole se rendit compte que Lizzie n'était pas venue frapper à sa porte une seule fois depuis quelques nuits.

Entre-temps, il avait étudié le problème des coliques chez les bébés : si celles-ci restaient souvent un mystère, elles passaient généralement — sauf dans les cas extrêmes — vers l'âge de trois ou quatre mois.

Il éteignit la lampe de chevet et croisa les mains derrière la tête avant de fermer les yeux.

Mais au lieu de trouver le sommeil, ce fut le beau visage sensuel de Lizzie qui s'imposa à lui. Il se rappela son air attentif quand il était revenu sur un des cas traités dans la journée, l'intensité de ses grands yeux verts et sa bouche qui faisait une légère moue pendant qu'elle réfléchissait à ce qu'il disait.

Flora n'était nullement la cause de son insomnie, pas plus que la santé de son père. Non. Cette cause était facile à identifier : c'était Lizzie Silva.

6.

Cole ramena Tiberius au ranch le dimanche suivant, en milieu d'après-midi.

Lizzie les accueillit dans l'entrée, Flora lovée sur son estomac dans le porte-bébé.

Le vieil homme avançait, appuyé sur un déambulateur. Sa crinière lui parut plus blanche que dans son souvenir. Quelqu'un — probablement une infirmière — avait réussi à la discipliner un peu. Cole était juste derrière lui, surveillant discrètement chacun de ses pas.

Quand ils arrivèrent sous le porche, Cole prit les devants pour lui ouvrir la porte en grand.

— Je peux le faire, grommela Tiberius. Je ne suis pas invalide. Pas encore…

— J'essayais juste de t'aider, papa.

Cole eut droit à un coup d'œil impatient en guise de réponse, et Lizzie eut mal pour lui.

— Gretchen, avez-vous quelque chose à manger pour papa ? demanda-t-il.

— A l'hôpital, la nourriture est encore pire qu'en avion, commenta M. Grincheux.

Puis il aperçut Lizzie et Flora, et son expression irritée s'atténua un peu.

— Regardez-moi qui est là ! Je pensais que vous vous étiez dépêchée de retourner à Boston.

Comme il se dirigeait vers son fauteuil préféré dans le séjour, elle le suivit spontanément.

Son instinct lui disait que la meilleure façon de communiquer avec un ronchon, c'était d'être ronchon soi-même.

En même temps, elle soupçonnait Tiberius d'avoir le cœur tendre sous sa carapace.

— On ne se débarrasse pas de moi aussi facilement, monsieur Montgomery. Vous allez nous avoir sur le dos pendant encore un mois, alors mieux vaudrait vous y habituer.

Elle arriva au fauteuil avant lui, tapota l'oreiller juste avant qu'il ne s'assoie, et derrière son expression ennuyée, elle devina dans son regard une lueur qui voulait dire : « Moi aussi, je suis content de vous revoir. »

— N'est-ce pas vous qui m'avez sauvé la vie ? marmonna-t-il.

Elle étouffa un petit rire.

— Il paraît. Nous y avons tous contribué, et il se trouve que vous avez été suffisamment têtu pour ne pas laisser quelque chose de trop grave vous arriver.

Il émit un grognement.

— Comment faites-vous pour me connaître aussi bien ?

— Peut-être que vous êtes le grand-père que je n'ai pas eu.

Ce qui ne voulait pas dire pour autant qu'elle voyait Cole comme un père. Loin de là !

En fait, elle en pinçait carrément pour lui. Elle avait fait le calcul : il avait quatorze ans de plus qu'elle, et ils avaient évolué différemment. Elle n'écrivait pas de lettres et ignorait à quoi ressemblait le monde avant les ordinateurs. Leurs goûts musicaux devaient être très différents. En fait, qu'avaient-ils en commun, en dehors de la pratique médicale ? Pourtant, elle ne pouvait s'empêcher de fantasmer sur lui. Elle était davantage attirée par lui de jour en jour, par son calme, sa maturité, son savoir… Sans parler de son physique et de sa façon d'être sexy sans le savoir.

— Non, merci, grommela Tiberius. J'ai déjà un petit-fils, ça me suffit.

Avec un soupir, elle arrangea l'oreiller dans son dos à l'endroit exact qu'il indiquait.

— Maintenant, vous m'avez vexée, dit-elle d'un ton faussement chagrin.

— Ce n'était pas mon intention.

Son regard était sincère, et cela la toucha.

— Je ne suis pas encore remis de ces deux semaines passées à l'hôpital, ajouta-t-il. C'était une vraie torture.

— Est-ce que je peux vous apporter quelque chose ? demanda-t-elle dans un soudain élan de compassion.

Au même instant, Gretchen apparaissait, portant un plateau chargé de nourriture, et Cole approchait un plateau-télé à roulettes.

Avec trois personnes et un bébé autour de lui, Tiberius ne tarda pas à protester.

— En arrière, tous ! Allez-vous me laisser respirer ? Je n'ai pas l'intention de passer l'arme à gauche cette semaine.

Lizzie recula, non sans avoir vérifié qu'il avait bien recouvré l'usage de ses deux mains, sans faiblesse résiduelle du côté droit.

Elle échangea un coup d'œil penaud avec Cole, qui haussa les sourcils comme pour lui dire : « Préparez-vous, vous n'avez encore rien vu. »

Elle aimait échanger ainsi des messages secrets avec lui, c'était une occasion de plonger dans son beau regard profond.

— Je vais faire une balade avec Flora, annonça-t-elle.

C'était un bel après-midi chaud et ensoleillé, autant en profiter avant la prochaine tétée. Elle pourrait d'ailleurs jouir du vaste ciel et de la nature abondante tout en allaitant.

Ce qui lui rappela qu'elle aussi avait faim.

Pliant les genoux à cause du porte-bébé, elle vola la moitié du sandwich de Tiberius au rosbif et au cheddar.

— Cela ne vous ennuie pas de partager avec moi ? demanda-t-elle en mordant dedans, sans attendre sa réponse.

Il esquissa un sourire.

— Je m'en voudrais de priver de nourriture une femme qui allaite. Mais pas question de toucher à mon biscuit au pain d'épice.

— Même pas un petit bout ? dit-elle, la bouche pleine.

— Ne poussez pas le bouchon trop loin, ma petite, répondit-il d'un ton bourru.

Elle aimait bien ce vieux ronchon, et quelque chose lui disait qu'il l'aimait bien aussi.

Elle lui décocha son plus beau sourire, puis son regard

glissa vers Cole, qui suivait leur échange verbal en silence, et elle sortit de la maison.

Dehors, elle fut accueillie par le soleil et ferma un instant les yeux, pour mieux jouir de sa chaleur.

Après avoir fait téter Flora et s'être reposée un peu, elle irait faire un tour du côté des écuries pour montrer les chevaux à Flora.

Lizzie était en train de contempler un cheval à la robe presque fauve quand une voix grave la fit tressaillir.

— Si vous voulez faire une balade, dites-le-moi.

— Je ne suis jamais montée sur un cheval, répondit-elle en se tournant vers Cole.

— Je serais ravi de vous apprendre…

Avec son jean serré et sa chemise boutonnée jusqu'au col, il faisait plus cow-boy que jamais. Leurs regards s'accrochèrent l'un à l'autre, et elle se demanda s'il ne venait pas de lui proposer davantage qu'une simple leçon d'équitation.

— Si Gretchen n'était pas avec votre père, je dirais oui tout de suite.

Cole fronça les sourcils.

— A votre avis, comment fera-t-elle pour s'occuper de Flora et de mon père ?

Elle y avait réfléchi.

— Vous vous rappelez Gina, la jeune femme qui cherchait un moyen de contraception le jour de mon arrivée ? Nous sommes restées en contact. Il se trouve qu'elle a deux enfants de moins de trois ans et qu'elle cherche à arrondir ses fins de mois. Elle serait ravie de s'occuper de Flora, et elle pourrait aussi me l'amener pour la tétée pendant la pause du déjeuner.

Cole approuva de la tête.

— Super. Je suis content que vous vous fassiez des amies.

— Dommage que Lotte et moi ne puissions pas être amies, soupira-t-elle.

Il sourit.

— Disons qu'elle n'est pas du genre à prendre des gants.

Elle a ses opinions et ne craint pas de les faire connaître à tout le monde.

— Il faudrait peut-être que quelqu'un lui fasse comprendre que ce n'est pas une raison pour ne pas m'écouter, même si je viens juste d'obtenir mon diplôme de médecin. Tout ça parce qu'elle travaille ici depuis une trentaine d'années !

— Il faut dire que vous avez le chic pour titiller les gens…

Flora gazouillait, les yeux fixés sur le cheval fauve.

Le sourire de Cole s'accentua. Il tapota l'encolure de l'animal, qui souffla de contentement à travers ses naseaux, entraînant un petit cri d'excitation chez le bébé.

— En effet. Lotte est une précieuse source de renseignements à laquelle vous pourriez vous abreuver, poursuivit-il. Donnez-lui une chance de vous faire part de son expérience.

— Vous voulez dire que je devrais la jouer plus humble ? plaisanta Lizzie.

Le regard de Cole se fixa sur elle.

— Personnellement, je me rappelle que, en sortant de l'école, j'étais assez imbu de moi-même. Interrogez mon père, il doit avoir des anecdotes à ce sujet. Il faut toujours garder à l'esprit que les anciennes méthodes ont aussi du bon, et Lotte a sûrement des trucs à vous apprendre. Si vous êtes à Cattleman Bluff pour apprendre, je vous suggère de saisir toutes les opportunités qui se présentent. Les infirmières ont beaucoup de connaissances pratiques, il est préférable de s'en faire des alliées.

— Merci du conseil, dit-elle hâtivement, alors qu'il se détournait pour partir. Hum… Comme Flora doit faire une petite sieste, serait-il possible que je prenne ma leçon maintenant ? demanda-t-elle.

Les yeux de Cole se posèrent sur elle comme s'il la voyait pour la première fois, et elle sentit un long frisson lui parcourir le dos.

Se rendait-il compte de l'effet qu'il lui faisait ?

— Mon père doit aussi faire la sieste, et Gretchen veille sur lui comme une mère-poule. Elle peut très bien se charger de Flora en même temps. Allons-y.

Tout excitée à l'idée de monter à cheval, elle déposa un

baiser sur sa joue, et la flamme qu'elle vit dans son regard sombre quand elle s'écarta la chamboula profondément.

— A tout de suite, murmura-t-elle en sortant de l'écurie avec Flora.

En regagnant la maison, elle se rendit compte qu'elle avait le souffle court. Et cela n'avait rien à voir avec le fait de porter sa fille ou de marcher.

Cole secoua la tête en regardant s'éloigner Lizzie.

Il n'allait tout de même pas tomber dans le cliché du patron qui tombe amoureux de sa séduisante employée !

Cela ne l'empêcha pas de suivre le balancement de ses hanches.

Ça faisait un bout de temps qu'il ne s'était pas senti aussi vivant.

Il commença par seller pour lui O'Reilly, le cheval irlandais du Connemara à la robe d'un brun sombre. Pour Lizzie, il choisit Zebulon, un appaloosa à la robe plus claire qui n'était déjà plus tout jeune.

Tout en les préparant, il se détendit.

Après tout, il ne s'agissait de rien de plus qu'une agréable balade avec une femme charmante. Quel mal y avait-il à cela ? Dès le lendemain, le travail reprendrait ses droits.

Car, dans l'intérêt de Lizzie et pour sa future carrière, il ne pouvait pas laisser son attirance croissante pour elle interférer dans sa vie. Ça valait mieux aussi pour lui.

Un quart d'heure plus tard, Lizzie réapparut en jean et tennis — c'était toujours mieux que des tongs —, se mordillant nerveusement la lèvre.

Il fallait qu'il arrête de regarder sa bouche.

— Prête ? Posez votre pied gauche sur l'étrier et balancez votre jambe droite par-dessus le dos de Zebulon.

Une fois en selle, il lui donna des instructions qu'elle suivit à la lettre, le dos raidi, l'air anxieux. Il crut voir dans ses yeux une lueur de panique.

Il essaya de se rappeler ce qu'il avait ressenti la première fois, mais il n'en avait aucun souvenir, car il avait pratiquement grandi sur un cheval.

— Ne vous inquiétez pas, dit-il. Zebulon va suivre O'Reilly, et nous avancerons tout doucement. Je ferai en sorte que rien ne vous arrive, alors détendez-vous. Les chevaux sentent quand on est nerveux, et ils peuvent se buter.

— Entendu.

— Vous allez très bien y arriver, dit-il doucement, comme s'il parlait à un cheval effrayé.

— Si vous le dites.

— Vous voyez cette crête, là-bas ? De là-haut, on peut voir tout le ranch. Vous voulez qu'on essaie d'y aller ?

Lizzie hocha courageusement la tête, et il l'admira pour cela. D'ailleurs il l'admirait pour un tas de choses, et pas seulement d'ordre physique. Cette femme avait beaucoup à offrir, et un jour, quelque part, un homme aurait la chance de l'avoir. Mais ce ne serait pas lui.

— Allons-y, dit-elle.

— N'oubliez pas, chaque fois que vous voulez que Zebulon avance, vous serrez les cuisses. S'il ne répond pas tout de suite, vous serrez un peu plus fort.

Elle esquissa un sourire hésitant.

— Pas étonnant que les femmes aiment monter à cheval.

Il se mit à rire et partit en tête, et se surprit à se demander ce qu'il ressentirait si elle serrait les cuisses autour de ses hanches.

Oh non !

Dans le ciel clair, le soleil leur chauffait doucement le dos tandis qu'ils progressaient sur le sentier.

— Comment ça va ? demanda-t-il en se retournant.

— Etonnamment bien. Je m'éclate.

Lizzie avait les joues roses de plaisir, et il fut récompensé en voyant son expression ravie.

Il lui sourit avant de reprendre l'ascension.

— Que se passe-t-il entre vous et votre père ? demanda-t-elle à brûle-pourpoint. On dirait qu'il y a de la tension entre vous. Je me trompe ?

Il détestait que l'on voie clair en lui, surtout quand il s'était donné du mal pour dissimuler ses émotions.

— Nous avons des désaccords, comme tout le monde, répondit-il d'un ton faussement désinvolte. Disons qu'il se fait vieux, et ni Trevor ni moi ne voulons reprendre le ranch.

— Et ce ranch est son héritage…

— C'est en effet le sien, pas celui de Trevor ni le mien.

— Il a travaillé dur pour l'obtenir.

— C'est certain. Je pense qu'il me tient pour responsable si Trevor m'a suivi en médecine. En tant que fils aîné, j'étais censé reprendre l'affaire et, pourquoi pas, bâtir un empire au nom de Montgomery avec le meilleur bétail du pays. Vous estimez sans doute que je suis un fils ingrat…

Il avait construit sa carrière par lui-même, mais son père le considérait toujours comme quelqu'un de pas sérieux. C'était une histoire compliquée, mieux valait ne pas s'étendre davantage.

— Je ne me permettrais pas d'émettre un jugement.

— En fait, je me suis servi de ma carrière pour éviter d'avoir affaire à lui, lâcha-t-il de façon imprévue.

— Vous ne revenez pas ici souvent ?

— Pas depuis que ma mère est morte. Quand j'étais ado, elle servait habituellement de tampon entre mon père et moi. Après m'être rompu le cou au rodéo pour impressionner une fille, j'ai décidé de changer de voie, alors que mon père avait besoin de davantage d'aide pour le bétail et voulait m'enseigner ce qu'il savait. Maman a dû s'en mêler quand il a refusé de payer pour mes études.

— Attendez une minute. Vous vous êtes rompu le cou à cause d'une fille ?

Lizzie partit d'un grand rire rauque.

Il se mit à rire avec elle.

— Eh oui. Il est vrai que je n'avais que quinze ans.

Elle riait si fort que Zebulon broncha, et elle se couvrit la bouche pour tenter de se calmer.

Soudain, il songea que, bien qu'ayant fréquenté Victoria pendant près de deux ans, il ne lui avait jamais parlé de cette histoire.

Il avait suffi d'une brève balade à cheval avec Lizzie pour qu'il lui raconte une partie de sa vie. Avec ses yeux verts fascinants, cette femme le faisait agir de façon irrationnelle.

Après avoir chevauché vingt minutes en silence, les poumons remplis d'un air vivifiant, ils atteignirent la crête.

— Arrêtons-nous un instant, dit-il.

Il sauta de cheval et mena O'Reilly et Zebulon vers un coin herbeux avant d'aider Lizzie à descendre. Elle balança sa jambe, et il la saisit à l'arrière des hanches, appréciant au passage le poids de son corps et la chaleur qui en émanait.

Combien de fois devrait-il se dire que c'était complètement déraisonnable de réagir ainsi ?

— C'était fantastique. J'ai adoré, dit-elle, radieuse, le visage rose d'excitation.

Son enthousiasme déclencha en lui une sensation de légèreté dans la poitrine.

— Regardez-moi ce paysage ! s'exclama-t-elle.

Il était plutôt tenté de la regarder, elle.

Le ranch tout entier s'étendait à leurs pieds, divisé en parcelles de terre dans diverses nuances de vert et de brun réservées au bétail, avec des zones séparées pour les chevaux et d'autres sur lesquelles on faisait pousser des céréales pour nourrir les bêtes. Même depuis la crête, on pouvait sentir l'odeur du foin. De petites collines couvertes d'arbres et d'arbustes venaient compléter le tableau. Perdue au milieu de ce panorama, la maison semblait minuscule.

C'était la première fois qu'il revenait ici depuis son retour, et il sentit sa poitrine se gonfler de fierté.

Son père avait fait de son rêve une réalité.

Mais, à moins que lui ou Trevor ne changent d'avis, dans quelques années, le ranch familial n'existerait plus, ou le « M » serait remplacé par l'initiale de quelqu'un d'autre.

Soudain, il comprenait mieux la frustration de son père.

— Je ne crois pas avoir jamais respiré un air aussi pur, murmura Lizzie, l'interrompant dans ses pensées.

Une légère brise s'était levée et jouait dans quelques mèches de ses cheveux rassemblés en queue-de-cheval.

— Bienvenue dans notre petit paradis sur terre, répondit-il.

— Je n'arrive pas à imaginer ce que cela a dû être de grandir dans un tel endroit.

— Pour être honnête, pour moi, c'était juste normal. A présent que je vis à moitié à Baltimore et à moitié à Laramie, j'apprécie mieux la paix qui règne ici quand je viens en visite.

— Ce qui n'est pas fréquent, je présume.

Il y avait quelque chose chez Lizzie qui faisait qu'il pouvait dire ce qu'il pensait sans crainte d'être mal compris — tout le contraire de ce qu'il se passait avec Victoria.

— Vous arrive-t-il de penser à revenir vous y installer ?

Il fut pris au dépourvu par sa question.

— Disons que… Parfois, je me demande quelles seront les conséquences si je ne le fais pas.

— Croyez-vous que vous pourriez vivre ici et continuer la cardiologie ?

C'était justement là le cœur du problème.

— Voilà une bonne question, à laquelle je n'ai pas de réponse.

Elle avait réussi à le rendre nerveux. Il savait qu'il lui faudrait prendre le temps de réfléchir sur ce sujet, d'autant plus que son père s'affaiblissait d'année en année.

Mais il ne voulait pas y penser maintenant, avec cette femme venue contempler le paysage avec lui. Il avait plutôt envie de s'approcher suffisamment d'elle pour sentir le parfum de ses cheveux et compter les petites taches dorées qu'il avait récemment remarquées dans ses yeux verts. Et il y avait ce petit renflement de la lèvre supérieure. Il avait envie de poser la main sur sa taille et…

Lizzie devina-t-elle ses pensées ? Elle se tourna vers lui en souriant et fit un pas dans sa direction.

Il l'imita aussitôt, comme s'ils avaient planifié une escapade d'amoureux depuis des lustres.

Que se passait-il ?

Peu importe. L'attirant contre lui, il put enfin respirer son odeur et fourrager dans son long cou, et ils restèrent ainsi dans les bras l'un de l'autre.

C'était si bon de l'avoir contre lui !

Dans son regard, il crut lire une interrogation, et il posa sans plus réfléchir sa bouche sur la sienne.

Ses lèvres étaient douces et chaudes, et il sentit le léger parfum de vanille de son gloss. Elle entrouvrit obligeamment les lèvres pour qu'il explore la douceur humide de sa bouche, et, tout en sachant que c'était exactement le contraire de ce qu'il aurait dû faire, il approfondit le baiser.

Instinctivement, ses mains descendirent le long de son dos et il la saisit par les hanches, tandis que Lizzie nouait les bras autour de son cou et glissait la langue entre ses lèvres.

Son corps tout entier réagit à cette excitation.

Elle ne pouvait pas ne pas avoir remarqué la réaction naturelle qu'elle venait de provoquer. Mais il voulait juste continuer à l'embrasser et à la sentir contre lui, et apparemment elle voulait la même chose, tandis que ses mains se promenaient sur sa nuque et ses épaules.

Certes, tout cela était grisant, mais il allait falloir que ça s'arrête, car ça ne les menerait nulle part. Lizzie était là pour aider à la clinique, elle n'était pas censée participer à des jeux sexuels avec lui. C'était une toute jeune maman, pour l'amour du ciel ! A quoi cela rimait-il ? Non, ils ne pouvaient pas continuer. En agissant ainsi, ils ne feraient que compliquer les choses.

Laissant ses mains retomber, il s'écarta d'elle à regret.

Lizzie lui jeta un coup d'œil interrogateur. Sa déception était palpable, et lui aussi était déçu.

Au moins, aucun des deux ne s'était jeté à la tête de l'autre. L'élan avait été mutuel, aucun doute là-dessus.

— Ce doit être tout cet air frais, murmura-t-elle.

— Désolé.

— Non, ne vous excusez pas, sinon il faudrait que je fasse de même, et, pour être sincère, j'ai beaucoup aimé vous embrasser.

Puisqu'elle le prenait ainsi…

— Moi aussi. Mais nous ne sommes pas censés inclure le sexe dans notre travail.

Lizzie baissa les yeux, et il caressa doucement sa joue.

— Il vaudrait peut-être mieux rentrer.

Cette fois, il n'eut pas besoin de l'aider à remonter à cheval. Avant même qu'il ait rejoint O'Reilly, elle avait fait manœuvrer Zebulon et était repartie sur le sentier.

Ce qu'il venait de se passer ne se reproduirait pas, se promit-il.

Lizzie cheminait sur le sentier en silence.

Elle avait abandonné ses défenses et embrassé Cole. Quelle idée stupide ! Il avait rapidement replacé leur relation dans le cadre du travail, et il avait eu raison. De plus en plus d'hommes se trouvaient poursuivis pour avoir eu une conduite inappropriée avec une employée. Elle aurait dû se rappeler la réaction de David, persuadé qu'elle s'était fait mettre enceinte pour le piéger, alors qu'elle avait simplement oublié de prendre sa pilule, bousculée par un emploi du temps trop chargé. Un homme en vue comme Cole Montgomery n'était jamais trop prudent. Il lui était interdit d'accès, et elle avait profité d'une simple balade à cheval pour se jeter à son cou. A n'en pas douter, elle devait avoir un problème d'hormones suite à son accouchement.

Non mais, sérieusement, qu'avait-elle eu en tête ?

La réponse était simple, bien que multiple : c'était l'homme le plus sexy qu'elle ait jamais connu. Il avait quelque chose de spécial. Elle donnerait tout pour être avec lui et que Flora puisse avoir dans sa vie un père comme lui.

Une fois de retour aux écuries, elle descendit de cheval sans son aide, et lorsque leurs regards se croisèrent, elle lui envoya un message silencieux :

« Ne vous en faites pas, doc, cela n'arrivera plus. »

Puis elle se dirigea vers la maison d'un pas rapide, prétextant qu'elle devait retrouver son bébé.

Cole aurait voulu éviter Lizzie ce soir qu'il ne l'aurait pas pu. Il ne pouvait pas se permettre de faire faux bond à son père. Le dîner du dimanche soir était obligatoire, puisque celui-ci était de retour, plus grognon et impatient que jamais. Gretchen avait cuisiné son plat favori : un ragoût de bœuf Montgomery et ses petits légumes. Elle avait fait le pain elle-même et préparé en entrée une salade de concombre.

Tous deux s'installèrent à l'immense table rectangulaire qui pouvait accueillir vingt personnes, bientôt rejoints par Gretchen.

Au moment où Lizzie entra et les salua avec un doux sourire, il lui sembla que la pièce s'éclairait.

S'était elle repassé la scène de leur baiser aussi souvent que lui ces dernières heures ? Y avait-elle seulement repensé ?

Leurs regards s'accrochèrent brièvement, et il comprit qu'elle avait décidé d'appliquer à la lettre ses paroles : « ne pas mélanger le sexe et la médecine ».

La question n'était pas de savoir s'ils avaient apprécié ou non ce baiser. En agissant ainsi, ils avaient mis en péril leur dynamique de travail, et il lui faudrait quelque temps pour s'en remettre.

Comme elle était assise en face de lui, il pouvait difficilement éviter de la regarder. Elle avait relevé ses cheveux en une sorte de chignon au-dessus de sa tête, portait un chemisier bleu foncé à manches courtes, ses lèvres arboraient un gloss rose vif et ses yeux étaient toujours aussi fascinants.

En peu de temps, il s'était habitué à elle, à son visage, à la voir tous les jours — ce qui n'était pas une bonne chose.

— Monsieur Montgomery, vous êtes particulièrement fringant, ce soir, dit-elle à son père, qui n'avait pourtant qu'une vieille chemise sur le dos.

— Appelez-moi Monty comme tous mes amis, et assez de salamalecs, grommela-t-il.

Il secoua sa serviette, signalant ainsi qu'il était temps de manger.

Lizzie rit avec bonne humeur tout en ajustant la grande écharpe enveloppée autour de Flora.

— Très bien, Monty. Je me sens honorée d'être considérée comme une de vos amies.

Monty s'agita comme s'il regrettait déjà de lui avoir entrouvert la porte.

— Est-ce que quelqu'un peut faire passer le ragoût ? aboya-t-il.

Cole se leva et apporta la cocotte à son père, qui souleva le couvercle et se servit lui-même avec un visible effort. Puis il fit le tour de la table et présenta le plat à Lizzie.

Ce n'était pas parce qu'il l'avait embrassée comme un adolescent excité qu'il ne pouvait pas se conduire en gentleman.

Elle se concentra ensuite sur la nourriture plutôt que de le regarder.

En fait, il n'arrivait pas à regretter de l'avoir embrassée. C'étaient les répercussions de leur geste qu'il craignait. Elle avait encore beaucoup à apprendre sur le métier, et il tenait à l'aider de son mieux.

Lorsque tout le monde fut servi, Tiberius dit un rapide bénédicité, et ils attaquèrent le repas.

— Gretchen, il y avait longtemps que je n'avais pas mangé quelque chose d'aussi délicieux, dit Lizzie au bout d'un moment. Vous êtes une grande cuisinière.

D'un geste de la main, Gretchen balaya le compliment.

— Oh ! ce n'est rien ! Je fais ce plat pour les Montgomery depuis des années.

— Lizzie a raison, intervint Cole. Je n'étais pas venu depuis si longtemps que j'avais presque oublié à quel point c'était bon.

— Merci, dit Gretchen avec un sourire modeste.

— Vous savez, je n'ai pas l'habitude de manger en famille, ajouta Lizzie, ne craignant pas de rompre le silence, pour le plus grand plaisir de Cole.

— Ça ne se fait pas à Boston ? demanda son père.

— Je n'ai pas de famille, j'étais en foyer d'accueil, répondit Lizzie en étalant du beurre sur son pain.

Monty s'immobilisa, visiblement saisi.

— C'est terrible, murmura-t-il, la bouche pleine.

Cole sentit lui aussi son cœur se serrer dans sa poitrine.

Tout le monde devrait avoir une famille solide, comme celle dans laquelle son frère et lui avaient grandi.

— Lorsque j'ai eu quinze ans, la mère de la famille d'accueil dans laquelle j'étais s'est intéressée à mes études.

C'est grâce à elle que j'ai pu devenir médecin. Elle est morte pendant ma seconde année à l'école de médecine, mais elle a au moins su que j'y étais arrivée.

Ses yeux se mouillèrent, et Cole eut un nouveau serrement de cœur.

Parfois, la vie était vraiment injuste. Lizzie avait perdu tous ceux qui s'étaient souciés d'elle. A présent, elle n'avait plus que Flora. Elle ne devait surtout pas avoir l'impression qu'il profitait d'elle.

— Vous êtes un véritable exemple, dit Gretchen. Vous avez réussi en dépit des pires obstacles.

Lizzie éclata d'un rire léger.

— Je n'ai pas encore réussi. Une fois que mon remplacement ici sera terminé, je me retrouverai sans travail.

— Je dois pouvoir faire quelque chose à ce sujet, dit-il sans même réfléchir.

Elle haussa les sourcils, visiblement intriguée.

— Comment ?

— Je pourrais m'arranger pour vous obtenir un entretien avec le responsable des programmes de formation en médecine interne de votre choix. Je vous coacherai pour que vous vous présentiez sous votre meilleur jour, et je vous garantis que vous ferez impression.

— De *mon* choix ? Vous avez donc une telle influence ?

Probablement pas, mais il s'occuperait des détails plus tard.

— Simplement, vous ne devez pas réessayer auprès des hôpitaux qui ne vous ont pas acceptée. Donnez-moi une autre liste avec cinq sélections, et je m'en occupe.

— Vous feriez ça pour moi ?

— Oui.

Il en avait vraiment envie. Etait-ce pour l'impressionner ? Pour la faire sortir de sa vie ?

Il l'ignorait. L'urgent, c'était d'aider Lizzie et Flora, que la petite ait un bon départ dans la vie. Il passerait quelques coups de fil cette semaine pour savoir s'il y avait des places sur la côte Est.

— Je peux aussi vous proposer une liste, si ça vous intéresse, dit-il.

— Comment refuser ? répondit Lizzie avec un sourire incrédule.

Il lui prouverait qu'il était un homme de parole à qui on pouvait faire confiance, et cela n'avait rien à voir avec leur baiser.

Mais au fait, était-il le genre d'homme à qui on peut se fier ?

Comme le repas se terminait, Flora commença à se tortiller.

— Désolée, Gretchen, mais je dois aller m'occuper de ma fille. Je voulais pourtant vous aider à débarrasser…

— Ne vous souciez pas de ça, et occupez-vous bien de votre bébé.

Visiblement soulagée, Lizzie se tourna vers Tiberius.

— Je suis ravie que vous soyez de retour chez vous. Si je peux faire quoi que ce soit, surtout n'hésitez pas.

Son père fut long à répondre, encore ralenti par son récent AIT.

— Merci, mais j'ai toute l'aide dont j'ai besoin. Prenez soin de la petite.

On aurait dit que, maintenant qu'il connaissait l'enfance de Lizzie, il n'avait plus la langue aussi acerbe.

Cole n'y connaissait pas grand-chose en bébés mais, à son avis, Flora ne pourrait pas tenir encore très longtemps dans cette écharpe nouée autour de sa mère. Pendant tout le repas, on n'avait vu d'elle qu'une mèche de cheveux noirs.

Il ne put s'empêcher de sourire.

Il aimait bien son petit visage et ses yeux de bébé curieux, attirés par tout. A la fois si intelligents et si innocents. Puisqu'il avait du temps libre ce soir, il allait faire quelques recherches.

En fait, il ne s'était pas amouraché que de Lizzie.

7.

Le lundi matin, Cole et Lizzie convinrent de partir travailler avec des voitures séparées, car Lizzie devait déposer Flora chez sa nouvelle nounou.

Cole avait obtenu l'accord de son père pour qu'il prête sa voiture à Lizzie. Il était soulagé de ne pas se retrouver avec elle dans le même véhicule, vu la gêne qui s'était installée entre eux depuis leur baiser.

Avant de s'en aller, il traîna un peu à la maison et sirota une autre tasse de café en passant une commande sur Internet.

A peine était-il arrivé à la clinique que Lotte se précipita sur lui, le regard tendu, suivie de près par Lizzie.

Réglez ça entre vous, les filles, songea-t-il en réprimant un soupir.

— Il y a eu un grave accident au ranch Walton, annonça Lotte. Un des vachers a été projeté en l'air par un bison avant d'être encorné. Vous feriez bien d'y aller tout de suite.

Il jeta un coup d'œil inquiet à Lizzie. Quand avait-il travaillé aux urgences pour la dernière fois ?

— Avez-vous déjà rencontré ce genre de cas aux urgences de la capitale ?

— Non, mais j'ai eu mon compte de blessures à l'arme blanche. Une perforation reste une perforation, non ?

— Vous avez probablement raison.

La médecine traumatique était loin d'être sa spécialité, mais il avait été élevé au ranch et avait vu toutes sortes de blessures infligées par du bétail effrayé. Il pourrait au moins se rendre utile en attendant l'arrivée des secours.

— J'appelle une ambulance, et je vais demander à Rita d'annuler les rendez-vous de ce matin, dit Lotte.

Il approuva tout en faisant provision de gants de caoutchouc et de tenues de protection, car il risquait d'y avoir beaucoup de sang.

— C'est à peu près tout ce dont nous aurons besoin en attendant les auxiliaires médicaux, dit Lizzie en refermant la trousse d'urgence après en avoir fait l'inventaire.

Elle avait l'air plus calme que lui.

Pendant le trajet, pour garder l'esprit occupé, il l'interrogea sur les perforations profondes et les signes et symptômes d'une blessure interne. Comme toujours, elle excella dans ses réponses.

Un quart d'heure plus tard, arrivés à la propriété, ils furent accueillis par un cow-boy à cheval qui guida leur voiture jusqu'au corral où se trouvait l'homme à terre. Il se gara avant de se précipiter sur le lieu de l'accident.

Bon sang, c'était Mike Walton ! Ils étaient allés à l'école ensemble. Il avait travaillé dans un ranch toute sa vie — comme quoi, même avec de l'expérience, on n'était jamais à l'abri des réactions incontrôlées d'un bison ou d'un bœuf.

Couché par terre sur le côté dans un coin du corral, Mike gémissait. Il avait de la boue sur le visage et les cheveux couverts de poussière.

— Le bison l'a poussé violemment contre un poteau avant de l'encorner et de l'envoyer en l'air comme un fétu de paille, raconta le vacher.

Cole hocha la tête.

Ce genre d'animal devenait nerveux quand il était séparé du troupeau. Les causes d'énervement pouvaient être multiples. Après ça, les vachers avaient dû batailler pour le faire sortir du corral avant de pouvoir s'occuper du blessé.

— Mike, c'est Cole Montgomery. Est-ce que tu m'entends ? dit-il en s'agenouillant près du cow-boy.

Mike ouvrit les yeux avec difficulté tout en soulevant légèrement la tête, ce qui était bon signe : le haut de la colonne vertébrale n'était pas touché.

— Ça fait un mal de chien, grommela-t-il.

C'était généralement par les fesses que les blessés étaient encornés, mais les dégâts pouvaient être importants si la perforation était profonde.

— Est-ce que tu peux bouger la jambe ou le pied ?

Mike s'exécuta — autre bon signe.

— Voici le Dr Silva, qui est venue m'aider.

Lizzie inclina la tête puis se mit au travail sans perdre une seconde. S'emparant des grands ciseaux de la trousse de secours, elle entreprit de découper le jean.

— Comme ça, on pourra mieux vous examiner. Avez-vous mal à l'estomac ? demanda-t-elle en même temps.

— Un peu, mais pas autant que derrière.

Les cow-boys avaient un seuil de tolérance élevé par rapport à la douleur. « Un peu » ne signifiait pas grand-chose. En revanche, le fait que Mike puisse s'exprimer normalement indiquait que ses poumons n'étaient pas touchés par une côte cassée.

— On va également vous retirer votre chemise pour y voir plus clair, d'accord ?

Mike acquiesça stoïquement.

Cole fit sauter les boutons et ouvrit la chemise.

Des contusions étaient visibles sur le devant.

— Je te laisse faire, dit-il à Lizzie, avant même de se rendre compte qu'ils étaient passés au mode « collègues ».

Elle palpa doucement le blessé, qui tressaillit par moments quand elle le toucha.

— La bonne nouvelle, c'est qu'il n'y a pas de zone dure.

Elle vérifia les signes vitaux, et la tension se révéla normale — un peu élevée, mais c'était à mettre sur le compte de la douleur. Avec un peu de chance, il n'y avait pas de rupture de la rate, et les reins n'étaient pas touchés.

Au niveau de la fesse, un hématome gros comme une balle de base-ball s'était formé au niveau de la perforation. Du sang s'écoulait de la blessure.

— En attendant l'ambulance, nous allons nettoyer sommairement la blessure et vous mettre un pansement, poursuivit Lizzie. A l'hôpital, un débridement sera nécessaire pour permettre l'évacuation de l'épanchement, et on vérifiera que vous n'avez pas de dommages au niveau du pelvis et des hanches.

— Je ne pourrai pas travailler pendant combien de temps ? s'inquiéta Mike.

— C'est difficile à dire pour l'instant, répondit Lizzie. L'important, c'est que vous soyez rapidement pris en charge par l'hôpital.

Cole savait que Mike avait un ranch à gérer, mais la guérison durerait aussi longtemps que de nouveaux tissus ne se seraient pas formés en profondeur au niveau de la perforation. Quand il en sortirait, ils pourraient suivre l'évolution de son état à la clinique.

Lizzie gérait la situation à la perfection. Il n'avait rien d'autre à faire que de superviser. Elle avait vraiment tout pour être un médecin fantastique. Il ne lui restait plus qu'à se perfectionner et à acquérir plus d'expérience.

L'ambulance ne tarda pas à arriver, et Mike fut transféré sur un brancard. Pendant que Lizzie faisait son rapport à l'auxiliaire médical, Cole appela l'hôpital et fit un compte rendu au médecin des urgences.

Tout de même, ils formaient une bonne équipe, Lizzie et lui !

Se retrouver dans ce corral faisait resurgir en lui toutes sortes de choses qu'il avait envie de partager avec elle, même si cela ne lui serait utile que si elle envisageait de vivre dans le Wyoming — ce qui n'était pas le cas.

Vers 10 heures, ils purent regagner la clinique et, pendant le trajet, il se lança dans une leçon de sciences naturelles.

— Tu comprends, les bovidés ont les yeux sur le côté de la tête, si bien qu'ils ont une vision à presque trois cents degrés. Ils peuvent ainsi paître tout en guettant les prédateurs.

— Vraiment ? C'est super, dit Lizzie, visiblement intéressée. Si on avait une vision à trois cents degrés, ce serait pratique pour conduire.

Il sourit malgré lui.

Quel que soit le sujet, elle ajoutait son grain de sel !

— Avec les bisons, il suffit parfois d'un mouvement brusque ou d'un bruit inopiné pour qu'ils entrent dans un état de panique et se mettent à défoncer des portails ou à encorner d'autres animaux — ou des humains. Aujourd'hui, Mike a eu de la chance. Cela aurait pu être pire.

— Tu sembles très au courant, pour quelqu'un qui ne veut rien avoir à faire avec le ranch de son père.

La remarque de Lizzie fit mouche. Il était prêt à lui jeter un coup d'œil irrité, mais à peine leurs regards se rencontrèrent-ils que tous deux éclatèrent de rire.

Ils passèrent le reste du trajet à faire des commentaires débiles sur les pauvres garçons qui avaient les fesses embrochées par un bison.

C'était complètement immature, mais c'était aussi un moyen d'évacuer la tension générée par l'urgence qu'ils venaient de traiter.

Il apprécia à sa juste valeur la transposition que fit Lizzie d'une blague classique.

— C'est l'histoire d'un éleveur de bisons qui entre dans un bar…

Connaissant Mike, il le voyait parfaitement raconter son aventure dans un bar et baisser son pantalon pour prouver qu'il disait vrai.

Lui était-il jamais arrivé avec Victoria de rire jusqu'à en avoir mal aux côtes ?

Il ne se conduisait jamais ainsi avec ses collègues, même s'il en avait parfois envie. Il restait toujours professionnel et gardait certaines distances. Mais il découvrait que, avec Lizzie, il pouvait se lâcher. Ce qui était la voie ouverte à d'autres fantasmes…

Une fois arrivé à la clinique, il dut lutter pour oublier son désir grandissant pour Lizzie.

Celle-ci passa à son bureau pour lui remettre la liste des hôpitaux qu'elle avait choisis. Cette fois, elle s'était montrée plus raisonnable, mais il n'avait de contacts dans aucun de ces établissements.

Le mardi matin, Cole envoya des textos à plusieurs amis médecins travaillant dans des hôpitaux de la côte Est, leur demandant des informations sur leurs programmes de formation en résidence pour la médecine interne. Puis il partit directement travailler.

En milieu de matinée, il reçut un appel de Lawrence Rivers.

— J'ai vu votre texto, et j'ai pensé que je pourrais vous faire gagner du temps.

Son ancien mentor n'appelait jamais sans une bonne raison. N'était-ce pas suite à son coup de téléphone à Trevor qu'Elisabete Silva s'était retrouvée ici ?

— Comment comptez-vous faire ?

— Dans notre hôpital à Boston, un des résidents de première année en médecine interne va probablement s'en aller pour raisons personnelles.

— Vous êtes sérieux ?

— Oui. Mais personne n'est au courant, et ce n'est pas encore une certitude... Sinon, que faites-vous le week-end après celui qui vient ?

— Rien de plus qu'aujourd'hui. Je serai à Cattleman Bluff jusqu'au retour de mon frère. Pourquoi ?

— Il se trouve que lors du week-end en question a lieu la fête annuelle de charité de l'hôpital de Baltimore, à l'Hôtel Monaco. La plupart des administrateurs des hôpitaux de la côte Est seront présents. Même si Lizzie ne peut pas intégrer notre programme à Boston, elle y rencontrerait du monde.

Il dut s'asseoir pour digérer l'information.

Il aurait la possibilité de la présenter à beaucoup de gens importants à cette fête, et si elle y faisait bonne impression, elle n'aurait pas de mal à trouver un endroit où se spécialiser.

— Vous pouvez envoyer une invitation. Nous y serons.

Il raconta à Lawrence l'incident au corral et la façon dont Elisabete avait assuré et lui confirma qu'elle était plus que digne d'être embauchée.

Pourtant, une fois la conversation terminée, il se posa toutes sortes de questions.

Pour commencer, Lizzie accepterait-elle de se rendre à cette fête ? Serait-elle prête pour cette manifestation très chic ?

Cependant, pour subvenir aux besoins du bébé, il lui fallait un travail dans quelques semaines, quand Trevor et Julie reviendraient. Il se devait de l'aider — non seulement pour elle mais pour l'avenir de Flora. Tout ce qu'il avait faire, c'était la mettre dans la bonne direction au bon moment. Pour le reste, ce serait à Lizzie de faire en sorte que la magie opère. Et pour cela, ils devaient continuer leurs conversations médicales du soir.

Si tout se passait bien, elle ferait bonne impression sur un administrateur d'hôpital, qui lui trouverait une place. A l'évidence, elle n'avait pas la garde-robe qu'il fallait, mais il allait y remédier.

Il se frotta les paumes des mains d'excitation, jusqu'à ce qu'il se rende compte que, s'il réussissait, il ne la reverrait probablement plus jamais.

Cela le calma aussitôt.

Le mercredi, en rentrant du travail avant Lizzie, Cole trouva un grand paquet qui l'attendait — ce qu'il avait commandé sur Internet. Il défit le carton pour en sortir les éléments d'un jumper pour bébé et se dépêcha de les assembler avant le retour de Lizzie.

Ce siège laisserait pendre les jambes de Flora tandis que ses doigts de pied toucheraient le sol, ce qui l'aiderait à développer ses capacités motrices quand elle pousserait sur ses jambes. Cerise sur le gâteau, cela lui permettrait de rester dans un endroit sûr et stable lorsque sa mère aurait besoin de ses deux mains, pendant qu'elle était à table, par exemple. Flora pourrait bouger librement dans son siège tout en jouant avec les petits objets colorés qui y étaient attachés.

Quand il eut fini son assemblage, il sourit de contentement en contemplant son œuvre, ayant pris plaisir à faire quelque chose de spécial pour la petite Flora.

Plus il la voyait, plus il la trouvait adorable. Et parfois, s'il ne pouvait pas la voir de la journée à cause de son emploi du temps, elle lui manquait.

Le fils de Victoria lui avait-il manqué une seule fois ?

Jamais.

Lorsque Lizzie arriva dans la cuisine, portant Flora qui

gazouillait dans son siège-auto, il se tint fièrement à côté du jumper.

— Qu'est-ce que c'est que ça ? demanda-t-elle en s'immobilisant sur le seuil.

— Le jumper de Flora. Un petit cadeau pour elle.

Lizzie ouvrit de grands yeux.

— Figure-toi que Gina en a un chez elle, et elle m'a dit que Flora adore être dedans ! Oh ! mon Dieu, bébé, regarde !

A en croire son visage émerveillé, on aurait dit que c'était Noël. Elle posa le siège-auto sur la table, et ce fut lui qui souleva le petit corps ferme.

— Regarde, Flora. Qu'est-ce que tu en penses ?

Les petites jambes commencèrent à gigoter avant même qu'il ne l'installe. A peine son derrière eut-il touché le jumper qu'elle poussa un petit cri d'excitation.

Il appuya sur un bouton, déclenchant une petite musique accompagnée de cris d'animaux.

Flora manifesta son contentement en appuyant sur ses jambes, ce qui la fit rebondir dans son siège.

Comme il recommençait pour la plus grande joie de la petite fille, il sentit qu'on lui touchait le bras et se retourna.

Lizzie le regardait, les yeux humides.

— C'est si gentil de ta part ! Merci, Cole.

— Cela me fait plaisir.

Et c'était vrai. La joie du bébé était sa récompense. En lisant dans les yeux de Lizzie tout l'amour qu'elle avait pour sa fille, il sentit quelque chose remuer dans sa poitrine.

Que pouvait-on éprouver lorsqu'on aimait autant ?

Une chose était sûre, la joie déclenchée par son cadeau avait rempli toute la pièce… Mais ces deux-là ne devaient pas rester trop longtemps ici.

Son sourire s'évanouit.

Désormais, sa tâche la plus importante consistait à trouver un job à Lizzie, pour qu'elle puisse repartir.

*
* *

Ce soir-là, une fois Flora au lit après sa dernière tétée, Lizzie alla retrouver Cole dans la bibliothèque au-dessus du séjour.

Elle adorait ces réunions, pas seulement pour le savoir médical que Cole partageait avec elle, mais aussi pour le plaisir d'être en tête à tête avec lui. Depuis qu'il l'avait embrassée pendant leur balade dans la nature, il se montrait plus distant — excepté la fois où ils avaient ri tous les deux à en perdre haleine en revenant du ranch Walton.

Ce soir, son cadeau inattendu pour Flora l'avait réellement touchée. Il était redevenu l'homme qui l'avait aidée à calmer son bébé à son arrivée et avait su lui faire comprendre avec diplomatie qu'elle s'y prenait mal avec Lotte.

Elle aurait aimé voir davantage cet homme-là, mais des années de placement en famille d'accueil lui avaient appris à ne pas trop espérer. Les gens ne voulaient jamais d'elle très longtemps.

Cole l'attendait déjà, un mug fumant à côté de lui, probablement de la tisane « Nuits Paisibles ».

— Qu'y a-t-il au programme, ce soir ? questionna-t-elle en s'asseyant.

— Je me demandais si tu serais d'accord pour venir avec moi à Baltimore.

Elle faillit tomber de sa chaise.

S'agissait-il d'un nouveau test ?

— Pourquoi là-bas ?

— Parce que bientôt se tiendra la fête de charité annuelle du Johns Hopkins Hospital, et nous y sommes invités.

— C'est là que tu travailles, n'est-ce pas ? Mais pourquoi moi ?

— Parce que pratiquement tous les administrateurs de programmes de formation en résidence de ce côté du Mississippi seront là. Tu leur seras présentée, et si tu leur fais bonne impression, les portes s'ouvriront pour toi.

Elle sentit son estomac se serrer, n'osant croire qu'une telle chose soit possible alors qu'elle n'avait pas été capable de trouver une place cette année.

— Je ne pourrai pas faire ça. Je suis sûre que je vais tout faire rater.

Cole la fixa d'un air incrédule.

— Ça, ce n'est pas la Lizzie que je connais. Quand tu te focalises sur quelque chose, tu peux réussir n'importe quoi.

La connaissait-il si bien que ça ? Son assurance de façade lui permettait d'assurer sa survie, mais s'il la poussait dans ses retranchements, il découvrirait l'incertitude et le manque de confiance en elle qui la suivaient partout. Or, elle ne pouvait pas le laisser voir en elle jusque-là. Et si ce bal de charité causait sa perte ?

Il dut sentir sa panique, car il se leva, posa sa large main sur son épaule et la serra.

— Qu'est-ce qui ne va pas, Lizzie ?

— C'est que… Je ne sais pas comment me comporter avec les gens riches. Je ne serais pas à l'aise. J'aurais l'impression d'être un penny en cuivre perdu au milieu d'un sac de pièces d'or.

Cole lui serra plus fort l'épaule et plongea son regard dans le sien.

— Chérie, la pièce d'or, c'est toi. Il faut juste la leur laisser découvrir.

Quelle journée ! D'abord il offrait à son bébé un merveilleux jumper, et à présent il lui faisait le plus joli compliment qu'elle ait jamais entendu.

Jetant les bras autour de son cou, elle se serra contre lui pour cacher ses yeux qui se remplissaient de larmes.

Il l'entoura de ses bras et sa main lui massa doucement le haut du dos.

Elle aurait pu rester ainsi une éternité contre lui. Elle se rendait compte à présent à quel point son contact physique lui avait manqué depuis leur baiser.

Mais elle devait se ressaisir. Cole venait de lui prouver qu'il avait confiance en elle, la moindre des choses était de ne pas le décevoir.

— Comment allons-nous nous y prendre ? demanda-t-elle. Je dis « nous », car je ne pourrai pas faire ça sans toi.

Il s'écarta pour mieux la voir, et son regard était si profond et sincère qu'elle sentit ses genoux trembler et eut soudain envie de lui demander de l'épouser.

Du calme. Avec le bouleversement hormonal qui avait suivi l'accouchement, elle devait vraiment avoir besoin d'amour !

— Je serai à tes côtés à chaque instant.

Il déposa un baiser léger sur son front — plus amical que passionné — et alla se rasseoir près de son mug.

— Je te dirai comment t'y prendre pour impressionner ces administrateurs. On va t'acheter une jolie robe, et ils ne pourront plus détacher leur regard de toi. En gros, tout ce qu'il te restera à faire, c'est sourire.

— Je trouve ça un peu « rentre-dedans » et carrément sexiste, dit-elle en s'essuyant discrètement les yeux.

— C'est juste une idée… Tu as vraiment un beau sourire, tu sais, rétorqua Cole, une lueur amusée dans le regard.

Troublée, elle articula les premières paroles qui lui virent à l'esprit.

— Je ne peux pas accepter que tu m'achètes une robe.

— Tu ne vas tout de même pas porter ton ensemble pantalon unisexe et ton chemisier boutonné jusqu'au col ?

Elle secoua la tête.

— Je te rembourserai.

— Nous devons aller faire du shopping en ville ce week-end. Une nouvelle boutique de mode s'y est ouverte. Il se trouve que la propriétaire a été ma patiente et elle m'a donné un bon de réduction. Le monde est petit, non ?

— Je me sens tout de même redevable. Ton frère m'a proposé ce travail, et maintenant tu m'achètes des vêtements.

— Il ne faut pas le voir comme ça. Soyons pratiques. C'est une condition nécessaire pour que tu produises la meilleure impression possible.

— Une minute ! Je ne peux pas m'en aller. Et Flora ? Qui va s'occuper d'elle pendant que je serai là-bas ?

Cole se gratta la gorge avant de répondre.

— J'ai prévu de partir le samedi matin pour être de retour le dimanche matin. C'est l'affaire d'une nuit. Je suis certain que Gretchen pourra se charger de Flora.

— Mais mon bébé va trop me manquer, je ne pourrai pas me concentrer !

— Comment fais-tu, au travail ? Il s'agit seulement de passer quelques heures de plus loin d'elle.

Elle réfléchit un instant.

Elle avait l'habitude de tirer du lait qu'elle mettait de côté pour la nounou, et Gretchen s'était montrée étonnante avec Flora. Ne pouvait-elle vraiment pas quitter son bébé une journée ? A présent qu'elle devait penser pour deux, elle ne pouvait pas se permettre de manquer cette opportunité.

Quelque chose l'intriguait.

— Pourquoi te donner tout ce mal, Cole ?

— Parce que je veux ce qu'il y a de mieux pour toi, Lizzie. Cette soirée va t'ouvrir des portes et pourrait changer le cours de votre vie, à toi et ta fille. Cela vaut la peine de sacrifier une nuit pour tout un avenir, non ?

Cette réponse l'atteignit en plein cœur.

Elle avait pris ce job dans le Wyoming en désespoir de cause. Or, il s'avérait que c'était le meilleur endroit où elle se soit jamais trouvée, et elle y avait rencontré l'homme le plus noble qui soit.

— Et si on ne trouve pas de robe en ville ?

Il se mit à rire, sentant probablement que ses protestations faiblissaient.

— Eh bien, nous chercherons sur Internet, et on nous l'expédiera en vingt-quatre heures.

Elle adorait quand il ne lâchait rien avec elle. Il ne renonçait pas. Aucun homme n'avait jamais fait ça pour elle auparavant.

— Tu as réponse à tout, on dirait.

Le regard qu'il posa sur elle s'adoucit.

— Dans un tel cas, oui.

Ils restèrent quelques secondes immobiles, et ce fut un moment de grâce — un de ces moments comme ils en avaient eu fréquemment avant leur baiser. Des étincelles fusaient des deux côtés, et ils savaient sans avoir besoin d'échanger un mot que quelque chose de spécial pouvait se passer entre eux.

Mais avec l'événement qui se profilait elle avait besoin de se concentrer, elle se devait de rompre le charme. Elle ne pouvait pas se permettre de se laisser distraire par un super cow-boy au regard sexy.

— Entendu, murmura-t-elle. A présent, au travail.

La déception se lut brièvement sur le visage de Cole, mais il se ressaisit aussitôt et ouvrit un épais volume de médecine interne qui voisinait sur la table avec *Les Pathologies de base des maladies.*

— Au travail, dit-il à son tour.

Cole ne disposait pas de beaucoup de temps, car il devait mettre à jour la comptabilité de son père. Le samedi, il insista pour qu'ils aillent faire du shopping pendant la sieste de Flora, que Gretchen acceptait bien volontiers de garder. Avant de partir, il téléphona à la boutique pour qu'on leur prépare une sélection de robes pour la soirée.

La boutique était minuscule. Seules deux robes étaient présentées dans la vitrine — avec trop de dentelle et un style western trop prononcé pour une fille de Boston. Carol, la propriétaire, les attendait, tout excitée. Elle avait sélectionné quatre robes, qui étaient suspendues sur un portant à côté du vestiaire.

Lizzie fut surprise de trouver un assortiment coloré de charmantes robes longues. Mais depuis qu'elle avait eu son bébé elle craignait de ne plus avoir l'air très sexy, car elle n'avait pas encore complètement retrouvé la ligne.

Elle entra dans la cabine d'essayage tandis que Cole attendait de l'autre côté du rideau. Après avoir passé une robe noire décolletée qui mettait ses seins en valeur mais marquait trop sa taille encore un peu épaisse — pas question que Cole la voie ainsi —, elle essaya une robe rouge en velours qui aurait été plus appropriée pour l'hiver.

Elle entendit Carol farfouiller sur le portant derrière le rideau avant de lui tendre une robe d'un magnifique bleu glacé.

Le haut était décolleté mais pas trop, des rayures pailletées ornaient les manches un peu bouffantes, et la jupe vaporeuse à godets avait un mouvement dansant.

La robe lui plut tout de suite. En la portant, elle se sentait très féminine, et même d'humeur légère.

Carol poussa une exclamation en entrant dans la cabine pour l'aider et l'abreuva de compliments.

— Vous êtes magnifique ! Ce bleu vous met particulièrement en valeur. Cette robe est faite pour vous…

Comment en être sûre ? Elle n'avait jamais porté de robe du soir de sa vie. Qu'en penserait Cole ? Et si elle ne lui plaisait pas du tout ?

Elle devait la lui montrer.

Prenant une profonde inspiration, elle sortit de la cabine, les cheveux lâchés et pieds nus puisqu'elle n'avait pas d'escarpins, et elle guetta sa réaction — qui tarda à venir.

— Ne trouvez-vous pas que cette robe est faite pour elle ? insista Carol.

Visiblement sous le charme, Cole se contenta d'acquiescer en silence.

Comment une simple robe pouvait-elle produire un tel effet ? Et comment elle, Lizzie, pouvait-elle produire un tel effet sur cet homme ? On aurait dit qu'il la voyait pour la première fois. Toutes sortes d'émotions se lisaient sur son visage : la surprise, le respect, le désir…

Oui, le désir. Il n'avait pas pu le cacher.

Devant sa réaction, un long frisson lui parcourut le dos, et elle se sentit belle de la tête aux pieds.

— Est-ce que c'est celle-là ? demanda-t-elle d'un ton faussement désinvolte, pour mieux masquer son trouble.

— Sans aucun doute, répondit-il sans hésiter.

Son regard semblait dire : « C'est toi que je prends. »

Cela lui fit peur et l'excita en même temps.

Il ne fallait surtout pas qu'elle se mette à espérer quelque chose avec Cole Montgomery. Ce serait absurde de les imaginer en tant que couple…

— Entendu, patron. Elle me plaît aussi, dit-elle, toujours sur le même ton.

Mais toutes sortes d'émotions se bousculaient en elle. A cet instant, elle ne voulait rien au monde plus que d'être « celle qu'il prendrait ». Or, c'était un rêve insensé. Dans son monde, on la laissait toujours tomber, elle ne pouvait se fier à personne. Surtout pas aux hommes.

Pourtant, une petite voix dans sa tête lui disait que, depuis qu'elle connaissait Cole, il avait toujours tenu parole. Même pour ce qui était de ne plus l'embrasser.

— Il vous faut des chaussures, intervint Carol.

— Il est vrai que mes tongs ne font pas vraiment honneur à cette robe, plaisanta-t-elle.

— Essayez celles-ci.

La vendeuse lui présenta des mules argentées avec des talons d'environ dix centimètres.

— Choisis ce qu'il te faut, dit simplement Cole.

— Pourquoi pas un collier ? s'empressa d'ajouter Carol.

— Ça, je m'en occupe.

Lizzie tressaillit.

La tête commençait à lui tourner. Qu'est-ce que ça signifiait ? Cole agissait-il ainsi parce qu'elle comptait pour lui, ou pour se débarrasser d'elle ?

Tout cela devenait un peu perturbant.

8.

Lorsqu'ils eurent regagné la voiture, la magie avait disparu. Cole semblait anormalement calme, et les espoirs naissants de Lizzie se dissipèrent dans le silence embarrassé qui régna pendant le trajet.

Cole la déposa devant la maison avant de repartir vers les écuries où était situé le bureau du ranch, car il devait s'occuper de la comptabilité.

— Merci encore ! lui dit-elle, au moins pour la quinzième fois, avant qu'il ne s'éloigne.

— Je t'en prie. Le week-end prochain, tu vas tous les mettre K-O.

Elle resta immobile à le regarder s'éloigner, la précieuse robe soigneusement pliée dans le sac de voyage offert « avec les compliments de Carol », peinant à recouvrer ses esprits.

Ce devait être ainsi que Cendrillon s'était sentie après le bal.

Elle n'oublierait jamais l'expression de Cole quand il l'avait vue dans cette robe. Cela l'avait remuée jusqu'au plus profond d'elle-même.

Avec un soupir, elle se dirigea vers la maison.

La pensée de se rendre à cette fête et de devoir s'y montrer sous son meilleur jour la terrifiait. Dans un moment pareil, un seul être au monde pouvait la calmer : Flora.

En arrivant, elle trouva Gretchen en train de rire et de chanter sur les airs du jumper, tandis que le bébé poussait des cris de joie en faisant de petits bonds dans son siège.

Lizzie sourit en pensant aux progrès que sa fille avait faits depuis son arrivée.

Flora et elle devaient beaucoup à Cole. La moindre des

choses était de se montrer à la hauteur de l'événement. Pour lui montrer sa reconnaissance. Puis de sortir de sa vie le plus tôt possible, puisque c'était ce qu'il semblait désirer.

Le lundi, toutes les salles d'auscultation étaient remplies lorsque Lizzie arriva. Cole était déjà au travail. Elle-même était un peu en retard pour avoir pris le temps de discuter avec Gina, qu'elle appréciait de plus en plus.

Lotte l'accueillit avec une moue désapprobatrice avant de la briefer sur sa première patiente.

— Valerie est le cas typique de l'ado trop gâtée qui se trouve toujours des excuses pour rater l'école. Le mois dernier, c'étaient des nausées et des vomissements, et avant, des insomnies. Peut-être que si elle passait un peu moins de temps sur Internet elle dormirait mieux. Aujourd'hui, elle a mal à la tête. Bonne chance, ajouta-t-elle avant de s'éloigner.

Mais Lizzie s'était fait une règle de ne jamais entrer dans une salle d'auscultation avec une idée préconçue sur son patient. En fait, elle se trouva face à une jeune fille de quatorze ans à l'air réservé et anémique, avec des cheveux châtain clair et des yeux gris immensément tristes.

N'ayant elle-même que vingt-six ans, Lizzie se flattait de voir clair dans le jeu des ados. Celle-ci n'était pas une simulatrice. Dans les problèmes des adolescents, la dynamique familiale joue souvent un rôle. Or, la mère et la fille se rongeaient les ongles, et toutes les deux étaient trop maigres.

Elle posa les questions habituelles, la mère de Valerie ayant souvent tendance à répondre à sa place. En auscultant la jeune fille, elle découvrit que celle-ci avait des tensions douloureuses dans la nuque, mais le reste — y compris l'examen de l'œil et les tests neurologiques — était normal, et les maux de tête ne semblaient pas en corrélation avec le cycle menstruel.

Lizzie avait l'intuition que sa jeune patiente souffrait de dépression, mais il fallait déterminer si ses maux de tête étaient bien primaires et non pas secondaires, c'est-à-dire liés à une pathologie plus ou moins grave. Un scanner cérébral permettrait d'en savoir plus. En attendant, elle rassura la mère et la fille : non, elle ne pensait pas qu'il s'agissait d'une tumeur et, oui, c'était un mal de tête classique que l'on pouvait soulager avec un traitement.

En tout cas, la migraine chez les adolescents était un sujet qu'elle avait l'intention d'aborder avec Cole lors de leur réunion quotidienne dans la bibliothèque.

Ce dernier se fit si discret pendant la journée qu'elle l'aperçut à peine, et le dimanche, il avait été introuvable.

Après être passée reprendre Flora chez Gina, elle rentra juste à temps pour donner la tétée à son bébé et changer de vêtements avant le dîner.

A la table de la salle à manger, il n'y avait que Gretchen et Monty.

— Cole a dit de ne pas l'attendre, il avait une course à faire, expliqua Gretchen en lui passant le plat de pâtes. Mais il sera à 20 heures dans la bibliothèque comme d'habitude.

Un peu rassérénée, Lizzie installa Flora dans le jumper et servit Monty en boulettes de viande tout en se demandant où Cole avait bien pu aller.

Depuis leur sortie à Baltimore, elle se rendait compte que ses sentiments pour ce dernier avaient évolué : elle était en train de tomber vertigineusement amoureuse et ne pouvait rien faire pour l'empêcher.

Comme à l'accoutumée, Monty se montra grincheux, se plaignant de l'aide à domicile que l'hôpital avait envoyé.

— Pourquoi un homme ? protesta-t-il. Je préfère que ce soit une femme qui me lave et m'habille. Ce type a des vrais battoirs à la place des mains.

Les jérémiades mises à part, Lizzie était contente de l'entendre parler autant. Chaque jour il s'exprimait un peu mieux et recouvrait des forces.

— Vous voudrez bien me laisser donner le bain à Flora ce soir ? lui demanda Gretchen. Depuis qu'elle va chez sa nounou, elle me manque. Si vous voulez, je la préparerai pour le coucher les soirs de la semaine, et ensuite vous pourrez la mettre au lit et lui lire une histoire. Qu'en pensez-vous ?

Lizzie regarda avec tendresse la femme d'âge mûr qui était devenue l'âme de ce ranch.

— Présenté comme ça… Je suis d'accord, à condition que vous me laissiez faire la vaisselle.

A la fin de l'été, lorsque son remplacement à la clinique serait terminé, Gretchen allait beaucoup lui manquer.

Décidément, il fallait qu'elle cesse de s'impliquer avec tout et tout le monde à Cattleman Bluff. Surtout avec Cole.

Il avait affirmé qu'il l'emmenait à la soirée de charité pour asseoir son avenir, mais elle se demandait de plus en plus si ce n'était pas pour se débarrasser d'elle, le plus tôt étant le mieux.

Elle venait d'apporter la vaisselle sale dans la cuisine lorsque Cole entra.

— Bonsoir, dit-il d'un ton calme.

Son cœur fit un bond dans sa poitrine, et toutes sortes d'émotions se mêlèrent en elle. Mais elle recouvra rapidement son sang-froid.

— Bonsoir. Est-ce que tu veux dîner ?

— J'ai mangé un morceau en ville. On se voit à 20 heures, ajouta-t-il en se dirigeant vers sa chambre.

Pourquoi agissait-il ainsi ? Avait-il été aussi troublé qu'elle lorsqu'ils étaient à la boutique ?

A 20 heures, Lizzie arriva à la bibliothèque avec une question à l'esprit : comment traiter au mieux sa nouvelle patiente. Et cette fois, elle avait apporté son mug de thé.

Cole était déjà là, en train de lire son journal médical. Il leva la tête et lui sourit.

Elle aimait vraiment ces sillons qui lui encadraient la bouche.

— Je voulais te dire que j'ai apprécié ta façon de te comporter aujourd'hui, commença-t-il.

Ah, bon ?

— Tu as su tenir ta langue avec Lotte malgré ses jugements péremptoires. Après la visite de la jeune fille et de sa mère, je t'ai entendue lui expliquer avec diplomatie que les adolescents pouvaient être vraiment malades. Je crois qu'elle l'a bien compris, sans se sentir pour autant réprimandée. Quoi qu'il en soit, beau travail. Cela montre que tu peux apprendre et changer.

— Merci. Si tu veux bien, j'aimerais discuter avec toi du cas de Valerie, et en particulier de son traitement.

— Bien sûr. Nous apprendrons ensemble, car les migraines d'adolescents ne sont vraiment pas ma spécialité.

Elle lui résuma le cas de Valerie et lui fit part de sa suspicion de dépression.

— Certains en ont honte, mais je tiens à ce que Valerie sache que la dépression chez les adolescents est plus fréquente qu'elle ne l'imagine. Je ne veux pas qu'elle pense qu'elle est anormale.

— Peut-être que tu pourrais l'amener à s'ouvrir à toi avant de l'aiguiller vers un psychiatre ?

— Bonne idée. Je sais déjà par Lotte que les parents de Valerie se sont séparés l'année dernière et que le divorce s'est mal passé. Mais n'est-ce pas souvent le cas ?

— Comment le saurais-je ? Je n'ai jamais été marié. Quant à mes parents, ils s'adoraient, dit Cole.

Est-ce pour cela que tu ne t'es jamais marié ? Parce que tu crains de ne pas vivre une union aussi heureuse ? l'interrogea-t-elle silencieusement.

Il alluma son ordinateur portable et surfa sur les sites pharmaceutiques indiquant des traitements de la dépression pour les adolescents.

— Beaucoup de médicaments ne sont pas conseillés pour les jeunes, conclut-il au bout d'un moment. Le choix est vraiment réduit. Il est sans doute préférable de ne pas se jeter sur les médicaments et d'envisager un traitement multimodal avec une implication de l'intéressée et l'installation progressive de modifications dans sa vie quotidienne.

— Je suis d'accord. Il faudrait que je lui fasse noter les signes de déclenchement et que l'on recherche ce qui permet de les éviter.

— Ce serait aussi d'une grande aide si tu pouvais t'attaquer aux causes de stress et à tout ce qui entraîne un changement d'humeur chez elle. D'autre part, il faudrait soigner les maux de tête avec des anti-inflammatoires sans stéroïdes et du paracétamol, et voir comment cela fonctionne. L'important est de traiter dès le début des symptômes. D'ici là, tu auras les résultats du scanner, et tu pourras mieux te positionner.

— Merci, lui dit-elle, pleine de reconnaissance. Je me sens mieux après en avoir discuté avec toi.

La réunion étant sur le point de se terminer, elle sentait la tension monter de nouveau en elle.

Comment cet homme pouvait-il mettre une telle pagaille dans son cerveau ?

A sa surprise, Cole sortit un petit écrin de velours noir de sa poche de chemise et le posa dans sa main.

— Comme l'a dit Carol dans la boutique, tu as besoin d'un collier et de boucles d'oreilles assortis à ta robe. Je suis allé chez un bijoutier après le travail, et j'ai trouvé ça. S'ils ne te plaisent pas, tu peux les rapporter et choisir autre chose.

— Je… Je ne peux pas accepter de bijoux de ta part, protesta-t-elle.

— Tu ne peux pas non plus porter cette robe sans rien.

— Pourquoi fais-tu ça ?

— Combien de fois faut-il te l'expliquer ? Je n'ai pas toute la nuit. Maintenant, ouvre cette boîte et essaie-les.

Elle lui décocha un grand sourire, et la tentative de Cole d'imiter Tiberius tourna court.

Une chose était sûre : il n'attendait rien en retour. Il avait déjà prouvé qu'il savait se comporter en parfait gentleman. Ce qui le rendait encore plus attirant.

N'y tenant plus, elle défit le ruban de satin noir, souleva le couvercle et eut le souffle coupé.

Une aigue-marine en forme de larme d'une taille impressionnante pendait au bout d'une chaîne d'argent en maille tressée. Elle était accompagnée de deux pendentifs assortis.

— Quelle beauté, murmura-t-elle. C'est parfait pour cette robe. Mais je ne peux pas accepter ce cadeau, Cole ! C'est beaucoup trop personnel, et nous nous connaissons à peine… Enfin, sur ce plan.

— Encore une fois, soyons pratiques. Le but est d'atteindre

un certain degré de sophistication pour ce genre de soirée. Crois-moi, ce n'est rien comparé aux bijoux que tu verras là-bas, mais cela rehaussera ta tenue. Je veux que tu aies confiance en toi et te sentes à l'aise.

Elle osa enfin lever les yeux sur lui.

Il y avait dans son regard sérieux quelque chose d'indéchiffrable, au-delà du simple désir qu'elle trouve un job haut de gamme.

— Et si je les empruntais juste pour la soirée ?

Cole éclata d'un rire bref.

— La bijouterie de Cattleman Bluff ne fait pas dans la location de colliers. J'ai acheté ces bijoux pour toi. Garde-les, revends-les, rends-les, fais-en ce que tu veux, mais porte-les samedi soir.

— Désolée, je ne voulais pas te vexer. C'est juste que je n'ai pas l'habitude qu'un homme m'offre une robe et des bijoux splendides. Et des chaussures. Je me sens très embarrassée.

Se penchant par-dessus la table, il la prit par les épaules.

La dernière fois qu'un homme avait fait ce geste, elle avait été fortement secouée. Instinctivement, elle se raidit.

Mais Cole l'embrassa sur la joue.

— Fais-moi plaisir, lui murmura-t-il à l'oreille. Garde ces bijoux. Je voudrais te voir avec, et j'aimerais que tu penses à moi quand tu les porteras.

Sentant son cœur se gonfler d'émotion, elle lui répondit par un baiser. Ses lèvres lui avaient manqué, et de son côté, il lui répondit avec empressement. Mais ce n'était qu'un baiser de reconnaissance, il ne devait pas aller plus loin. Pas dans ces circonstances.

— Merci. Ils auront toujours une signification spéciale pour moi, parce que c'est toi qui me les as donnés.

Ils restèrent un long moment immobiles, les yeux dans les yeux, puis le charme se rompit, et ils se quittèrent en se souhaitant une bonne nuit.

Le vendredi après-midi, deux patients de Lizzie avaient annulé leur rendez-vous, et elle rentra au ranch plus tôt.

Après avoir fait téter Flora qui s'était endormie, elle alla flâner du côté du séjour.

Cole n'avait pas eu la même chance, il n'était pas encore rentré du travail. Monty était assis sur sa chaise préférée, en train de feuilleter un magazine.

— Hé, petite, dit-il en la voyant entrer, que diriez-vous d'aller faire une balade à cheval avec moi ? Mes chevaux me manquent, et l'infirmière vient de me donner son accord.

En effet, sa démarche était plus assurée à présent, il s'appuyait à peine sur sa canne en marchant.

— J'en serais ravie, répondit-elle, sincère. En fait, je rêve de recommencer depuis ma première sortie avec Cole.

— J'ai demandé à Jack de seller Zebulon et O'Reilly, au cas où vous diriez oui.

Elle alla confier Flora à Gretchen et courut rejoindre Monty aux écuries.

Elle se rendit compte avec fierté qu'elle avait retenu tout ce que Cole lui avait appris en équitation. Elle était parfaitement à l'aise pour diriger Zebulon. Pour une fille de la ville, elle se débrouillait plutôt bien, et elle serait volontiers montée à cheval régulièrement.

Comme on était mi-juillet, il faisait encore jour tard le soir. Au bout d'une demi-heure de chevauchée, ils atteignirent un immense corral où se trouvaient les vaches qui avaient récemment mis bas, avec leurs veaux.

Monty regarda en souriant les veaux téter.

— Je ne suis jamais fatigué de mon ranch. J'aime particulièrement le printemps, qui est l'époque où les veaux naissent, et l'été, quand on les voit grandir. A ce moment-là, je me dis que Circle M continuera.

Mais qui prendrait la suite ? se demanda-t-elle en silence.

Monty clappa de la langue, et son cheval se remit en marche. Elle serra les cuisses pour que Zebulon rattrape O'Reilly, Et ils continuèrent un moment côte à côte en silence, appréciant la quiétude du soir.

— Quand j'étais hospitalisé à Cheyenne, je me suis rappelé que c'était dans cet hôpital universitaire que Trevor avait fait sa formation en résidence, dit Monty. Ce n'est peut-être pas aussi prestigieux que la spécialisation de Cole, mais c'est tout aussi important. Ils ont un programme de médecine générale réparti sur trois ans, réputé pour être un des meilleurs du pays. Les médecins y apprennent à tout faire, même de la chirurgie. Je sais que vous êtes une fille de la ville, mais le Wyoming aurait besoin de davantage de bons médecins comme vous. Et cela permettrait à Flora de grandir dans la nature, au lieu d'être enfermée dans un appartement, entourée de béton.

Pas étonnant que l'orthophoniste ait cessé de voir Monty une semaine auparavant ! En quelques secondes, il venait de prononcer plus de phrases que tout le reste du temps depuis qu'elle était à Circle M. Et c'était comme s'il avait lu dans ses pensées à propos de Flora et des grands espaces.

— Tiberius Montgomery, seriez-vous en train de chercher à m'influencer dans ma décision ?

— J'essaie de vous dire des choses sensées. Ça n'a pas marché avec Cole, mais comme vous êtes une jeune maman responsable, vous allez peut-être y réfléchir.

— Cole s'est donné beaucoup de mal pour m'ouvrir des portes. Mais, sachez-le, je suis très honorée de l'intérêt que vous me portez. Et, surtout, que vous pensiez que je suis un bon médecin.

Sans doute son discours avait-il été trop sirupeux pour Monty. Il clappa de nouveau de la langue, et les chevaux partirent au trot en direction du ranch.

Elle était réellement sidérée que Tiberius ait pris le temps de réfléchir à sa carrière. En arrivant au ranch, elle se promit de ne pas négliger sa suggestion et de la garder dans un coin de son esprit.

En marchant jusqu'à la maison, elle se laissa aller à imaginer ce que ce serait de vivre avec Cole dans le Wyoming et d'élever Flora ensemble. La tête lui tourna à la pensée qu'elle pourrait être sa femme et l'aimer tout en l'aidant à développer ses qualités de père.

Soudain, elle trébucha sur un caillou et faillit tomber sur les genoux.

C'était toujours comme ça : chaque fois qu'elle osait espérer quelque chose, le destin se chargeait de la ramener à la raison : Cole Montgomery ne pouvait pas l'aimer. Il était trop pris par sa carrière pour se fixer, et il ne reviendrait jamais dans sa maison natale.

Le samedi matin, Lizzie piqua une crise dans sa chambre, incapable de quitter son bébé.

Ses grands yeux suppliants ébranlèrent la résolution de Cole, mais l'enjeu était trop important pour qu'ils reculent.

Il retira Flora des griffes de sa mère.

— Je vais l'emmener faire une petite promenade pendant que tu finis de te préparer, dit-il d'un ton ferme. Je serai de retour dans vingt minutes pour prendre tes affaires, et nous partirons. C'est clair ?

Il jeta à Lizzie un coup d'œil sévère, puis son regard s'abaissa sur les yeux bleus de Flora, qui buvait ses paroles avec un sourire joyeux. Il savait qu'elle l'aimait bien, et c'était réciproque. Pour l'amuser, il se mit à grogner comme un cochon en faisant une grimace stupide, et elle poussa un petit cri de joie.

— Tu veux qu'on aille voir les chevaux ? demanda-t-il d'une voix de fausset.

Flora suça son poing et agita les jambes en guise de réponse.

— Alors, allons-y.

Une demi-heure plus tard, tous les bagages étaient dans sa voiture, et Lizzie et lui partaient pour l'aéroport.

Ils avaient échangé à peine quelques mots, mais Cole pouvait lire en elle : Lizzie était un mélange d'anxiété et de trac, avec peut-être une pointe d'excitation.

Lui-même était plutôt nerveux, comme s'il était sur le point de présenter un animal de prix à de futurs acheteurs.

N'était-ce pas pour son bien, à elle ?

La perspective de ne plus la voir tous les jours était difficile à envisager. Cependant, avec ou sans nouvel emploi pour elle, chacun s'en irait de toute façon de son côté à la fin de l'été.

Assise près de lui, Lizzie avait les yeux perdus dans le vague. Elle sortit son téléphone portable pour appeler Gretchen, mais il retint son geste.

— Flora est en bonnes mains, les meilleures qui soient. Et tu le sais. Maintenant, tu vas te détendre et penser à ton avenir.

Elle hocha la tête en silence, et il lui sembla qu'une partie de son angoisse disparaissait de ses yeux.

Pour la première fois, il osa se poser certaines questions.

Qu'allait-il se passer après cette soirée ? Et après le retour de Trevor et Julie ? En cas de succès pour Lizzie, il était censé se réjouir, et non pas éprouver cette douloureuse sensation de manque et de vide.

Après avoir passé presque tous les jours et les soirées avec Lizzie pendant un mois, il s'était habitué à sa présence. Chaque matin, il avait hâte de voir son beau visage. Et chaque soir, dans la bibliothèque, il aimait la voir se concentrer sur les divers sujets qu'ils traitaient en humectant ses lèvres si douces.

A quoi ressembleraient ses journées quand il ne pourrait plus plonger dans son extraordinaire regard vert ?

Il ne devait pas y penser maintenant. Il avait un rôle à jouer : celui du type indifférent à son départ, qui voulait qu'elle fasse partie d'un programme de formation en résidence avant de retourner à ses propres affaires : ses journées chargées à la clinique cardiaque de Johns Hopkins et ses voyages partout dans le pays, voire dans le monde entier pour enseigner les nouvelles procédures.

Une fois que Lizzie serait partie, il retrouverait son ancienne vie, oui. Mais, après avoir l'avoir connue, quel goût aurait-elle, cette vie ?

9.

Lizzie avait promis d'être prête à 18 heures, et puisque son avenir tout entier semblait dépendre de ce maudit événement, elle ne voulait pas être en retard. Cole avait investi beaucoup de temps et d'efforts pour faire d'elle quelqu'un qui soit digne d'être engagé, elle ne pouvait pas se permettre de le lâcher.

Jamais elle ne s'était trouvée dans un hôtel aussi luxueux. Allongée dans la baignoire de marbre blanc remplie d'une eau mousseuse qui sentait bon la lavande et la vanille, elle avait l'impression d'être une princesse. Etait-ce ainsi que Cole avait l'habitude de vivre ? La baignoire était si grande que ses doigts de pied ne touchaient pas le bout. Elle aurait voulu rester là tout l'après-midi.

Elle s'enfonça sous l'eau, suspendue dans le temps et l'espace, et pensa une fois de plus à Cole, à son visage si beau et si masculin à la fois. A ses mains solides, à leur pouvoir sur elle quand il les posait sur ses épaules. A sa bouche, qui pouvait être si douce et la seconde d'après si exigeante. A la façon dont son regard de braise la faisait fondre littéralement. Comment serait-ce si elle était sa femme, si elle dormait avec lui chaque nuit et se réveillait près de lui chaque matin ?

Elle le submergerait d'amour, le rendrait fou de passion. Mais elle saurait aussi quand le laisser tranquille. Ils seraient si proches qu'ils connaîtraient les besoins de l'autre sans même avoir à se parler.

Et si elle séduisait Cole ce soir, pour le forcer à se rendre compte à quel point ils allaient bien ensemble ? Pour lui montrer qu'elle aussi avait tant à lui offrir ?

Ensemble, ils constitueraient une force en tant qu'amants

et en tant que parents. Ils élèveraient Flora tous les deux pour qu'elle devienne…

Elle se redressa, le visage et les cheveux ruisselants.

Voilà qu'elle recommençait à fantasmer ! Il fallait qu'elle cesse de rêver tout éveillée.

En sortant de la baignoire, elle se drapa dans une serviette de bain épaisse et douce et alla chercher son téléphone portable pour avoir des nouvelles de sa fille.

— Tout va très bien, la rassura Gretchen. Elle est en train de faire la sieste. Ne vous inquiétez pas, elle a droit à toute mon attention. Même Tiberius me donne un coup de main.

En entendant sa voix calme, Lizzie se détendit aussitôt.

Normal. Avec le décalage horaire, Flora dormait encore.

— Je ne pourrai jamais assez vous remercier, Gretchen. Je vous suis si reconnaissante !

— Vous avez ramené la vie dans cette famille, Elisabete. Nous adorons Flora. A présent, occupez-vous de vous et subjuguez-les tous.

Lizzie raccrocha avec un sourire.

Gretchen se considérait naturellement comme une extension de la famille Montgomery. Si celle-ci pouvait le faire, pourquoi pas elle ?

En vérité, il n'y avait qu'une personne qu'elle avait envie de subjuguer ce soir : Cole Montgomery. Elle se doutait que son plan était surtout de se débarrasser d'elle, mais elle lui réservait une surprise. Ce soir, elle lui ferait une offre qu'il ne pourrait refuser à moins d'avoir de l'eau dans les veines. Et, pour l'avoir embrassé encore récemment, elle savait que ce n'était pas le cas.

Cole avait passé plusieurs coups de fil à différents administrateurs de formations en résidence qu'il devait voir ce soir. Ayant revêtu son smoking, il frappa à la porte de Lizzie une minute avant 18 heures.

La porte s'ouvrit sur une vision enchanteresse. Lizzie était époustouflante. La robe du soir de ce bleu si particulier lui allait comme un gant. L'aigue-marine pendait à son long cou, s'arrêtant juste au-dessus de la naissance de sa gorge. Ses yeux verts, pour une fois maquillés, étaient merveilleusement mis en valeur, et sa peau claire lui donnait un teint lumineux. Quant à ses cheveux, ils étaient assemblés en un haut chignon bouclé, quelques mèches ondulées lui encadrant le visage.

Il surprit son regard interrogateur.

Les poings serrés pour résister à l'envie de la toucher, il fit effort sur lui-même pour refouler le désir qu'elle lui inspirait et ne pas perdre de vue le but de la soirée.

— Tu es prête ?

Lizzie eut l'air tellement déçue qu'il comprit enfin qu'elle attendait son verdict.

Où donc étaient passées ses bonnes manières ? Il devait se rattraper.

— Tu es absolument fantastique dans cette robe, tu sais.

Il aurait pu lui faire des millions de compliments sur sa beauté, mais ils n'étaient pas à un rendez-vous galant.

Elle poussa un profond soupir.

— Ouf. Merci. A vrai dire, je ne me reconnais pas moi-même. Quant à toi, je te trouve sexy en diable.

Il se redressa machinalement en l'entendant.

— Souhaite-moi bonne chance, lui dit-elle, la respiration légèrement haletante.

Pendant quelques secondes, il perdit le fil de ses pensées et imagina son souffle chaud sur son torse.

La prenant par le bras, il l'embrassa sur la joue.

— Tu es vraiment très belle. Bonne chance.

Elle hocha lentement la tête.

— J'avais pensé à autre chose…

Nouant les bras autour de son cou, elle l'embrassa pour de bon, la bouche entrouverte.

Il chancela sous son élan et, en croisant son regard brûlant qui le suppliait de la prendre tout entière, il sut qu'il la désirait plus qu'aucune autre femme sur cette planète.

Il aurait aimé avoir toute cette soirée devant lui pour la séduire. Mais il n'était pas celui qu'il lui fallait. Il devait l'aider à retrouver confiance en les hommes, pas lui donner encore plus de raisons de se méfier d'eux. Et puis, ce n'était pas le bon moment. Ils avaient une bataille à gagner, un travail à obtenir.

Il interrompit leur baiser, prit un mouchoir dans sa poche et, devant le miroir de la chambre, essuya les traces de rouge à lèvres sur sa bouche, s'efforçant de calmer sa respiration.

— Tu vas très bien t'en sortir, assura-t-il, certain que tous les médecins seraient d'abord saisis par sa beauté, puis par son intelligence et son charme naturel.

Tout ce qu'elle avait à faire, c'était de montrer une version policée d'elle-même.

— Merci, dit-elle.

Debout à côté de lui, elle s'examina dans le miroir et appliqua une nouvelle couche de rouge à lèvres sur sa bouche avant d'arranger quelques mèches de cheveux.

— Prête ? dit-il en lui offrant le bras.

— Autant qu'on peut l'être.

Dans l'ascenseur, il savoura la fraîcheur et la modernité du parfum qu'elle avait choisi et remarqua qu'elle avait peint ses ongles des mains et des pieds du même rouge profond.

Elle s'était préparée dans les moindres détails.

Dès l'ouverture des portes, la rumeur de la foule leur parvint.

Il se tourna vers elle et lui adressa un sourire confiant.

— C'est le moment de faire le show, beauté.

Quand ils arrivèrent dans la salle de réception déjà pleine, un serveur en veste noire leur proposa des cocktails.

Il prit un verre de vin rouge, et Lizzy un cosmopolitan.

Déjà, il avait repéré des visages familiers.

Pourquoi perdre du temps ?

— Ah, George Eckhart, du programme de Philadelphie. Suis-moi.

Le Dr Eckhart le salua avec déférence, puis son visage s'éclaira lorsqu'il lui présenta le Dr Elisabete Silva, médecin diplômé, et il lui sourit, une lueur d'intérêt dans le regard. Lizzie produisit le même effet à chaque médecin à qui il la présenta.

Le dîner fut servi à 19 heures, et tout le monde se dirigea vers les tables. Il avait déjà vérifié leur emplacement et constaté avec plaisir que le Dr Poles, directrice du programme de l'hôpital de Boston, serait à leur table. Linda Poles ne réagirait peut-être pas au physique de Lizzie, mais elle apprécierait sûrement son intelligence et sa vivacité d'esprit très bostonienne.

Il prit Lizzie par la main, appréciant au passage le contact de ses doigts frais, et l'entraîna vers la table numéro 30, au milieu de la salle. Il s'assura en vérifiant les étiquettes qu'elles étaient bien assises côte à côte, et sourit à la femme d'âge mûr vêtue de noir qui s'approchait.

Il ne s'était pas trompé, les deux femmes s'entendirent immédiatement et se mirent à parler de Boston, leur ville préférée.

Le reste de la soirée se déroula comme une mécanique bien huilée. Vers 22 heures, on approchait de la fin. On avait récolté plus d'argent que les années précédentes.

Cole s'assura que Lizzie prenait congé auprès du Dr Poles ainsi que de leur autre voisin de table, John Steinberg, directeur du programme de médecine interne de New York. Tous deux lui avaient montré un réel intérêt — ainsi que tous les médecins qu'ils avaient vus, d'ailleurs.

— Prête à partir ? lui demanda-t-il.

— Dès que j'aurai fini mon verre.

Apparemment, elle avait beaucoup apprécié le cosmopolitan, et elle devait être à son deuxième cocktail… Ou au troisième ? Mais elle était excusable, avec toute la pression qu'il avait fait peser sur elle. En tout cas, elle s'était parfaitement comportée.

— Je suis prête.

Elle lui sourit, de ce sourire rayonnant qu'il avait admiré toute la soirée.

— Je te raccompagne, proposa-t-il.

Il leur avait pris des chambres à des étages différents afin de ne pas encourager les rumeurs.

Ils sortirent tous les deux au cinquième, elle la première. Sans l'attendre, elle se dirigea d'un pas rapide vers sa chambre.

Pour la première fois, il lui vint à l'esprit qu'elle ne s'était peut-être pas amusée autant qu'il l'aurait cru.

— Est-ce que ça va ? lui demanda-t-il en la rejoignant devant sa porte.

Il eut droit à un long regard de reproche.

— En fait, non. Je vous en veux, docteur Montgomery.

— Comment ça ?

Elle ouvrit la porte toute grande.

— Tu entres ?

Il ne pouvait pas la laisser ainsi avec sa colère, pas après la soirée qu'ils avaient passée — ou plutôt, qu'il lui avait fait passer.

Il la suivit à l'intérieur.

Pendant toute la soirée, Lizzie avait eu l'impression d'être un animal de foire, vu la façon dont Cole l'avait exhibée. Elle s'était prêtée au jeu parce qu'il lui avait martelé que son avenir en dépendait, mais elle ne s'était pas sentie bien.

— Puis-je savoir ce que j'ai fait ? demanda-t-il d'un ton léger, une lueur amusée dans le regard.

Elle se planta devant lui, les bras croisés.

— Je t'ai bien mis en valeur, ce soir.

Cole haussa les sourcils.

— Qu'est-ce que tu entends par là ?

— Tu as fait de moi ton projet, et ce soir, c'était la foire aux sciences. J'ai gagné le premier prix, et toi le ruban bleu.

— Ecoute, Lizzie, ce n'était pas ça du tout. Ce soir, il s'agissait de faire une impression mémorable sur des gens qui vont recevoir des centaines de candidatures et doivent décider qui intégrer à leur prochain programme. C'est un fait établi qu'il est plus difficile de rejeter une personne en chair et en os qu'une photo d'identité.

— Ça m'est égal. J'ai eu l'impression de me trahir, de prétendre être quelqu'un que je n'étais pas.

Cole secoua la tête en se rapprochant d'elle.

— Tu es Elisabete Silva, vêtue d'une robe plus jolie que d'habitude, c'est tout. Oh ! Et avec une superbe coiffure, je voulais aussi te le dire tout à l'heure. Ce qui ne signifie pas pour autant que je n'aime pas la tresse et le costume unisexe le reste du temps.

Il arborait un sourire charmant et paraissait sincère, mais elle devait lui dire tout ce qu'elle avait sur le cœur.

— Tout ça, c'est parce que tu veux te débarrasser de moi. Ne mens pas.

Le sourire de Cole s'effaça.

— Nous savions tous les deux que nous ne travaillerions ensemble que temporairement. Je ne fais pas partie du ranch, et tu n'es certainement pas à ta place à la clinique de Cattleman Bluff.

— Comment ça, tu ne fais pas partie du ranch ? C'est chez toi, non ?

— Pas vraiment. Plus maintenant.

Ne se rendait-il pas compte de tout ce qu'il avait dans le Wyoming ?

— Moi, je me plais ici, dit-elle. A la clinique, je sens que j'ai un lien avec les gens.

— C'est un don que tu as et que tu emporteras avec toi partout où tu iras. Lorsque Trevor et Julie reviendront, ils prendront le relais. Après ce soir, tu auras l'embarras du choix pour ton prochain emploi. Un jour, Flora te remerciera, ajouta-t-il d'un ton adouci.

Elle se rapprocha pour le forcer à la regarder.

— Et nous, Cole ?

Comme elle s'y attendait, il eut l'air perplexe.

— Quelques baisers et beaucoup de désir, cela ne se monte pas à grand-chose, non ?

Ses paroles lui firent mal, mais elle les écarta résolument et posa la main sur son bras.

— Il aurait pu y avoir beaucoup plus, mais j'ai l'impression que je ne suis pas assez bien pour toi.

— N'importe quoi.

— Pas du tout. Tu as entrepris de me changer pour que je puisse être engagée. Je sais bien que je viens d'un milieu complètement différent du tien. Je parais parfois dure, voire agressive, mais c'est ce qui m'a permis de survivre. Tu m'as maintenue à distance dès le début, comme si je t'embarrassais. Sauf quand tu m'enseignes quelque chose. Et là, je suis devenue un projet.

— Je n'ai pas voulu profiter de toi, Lizzie. Ce n'est pas que je ne voulais pas de toi, mais… Ça n'aurait pas été correct.

— Tu crois que je te laisserais faire, si tu profitais de moi ? Je parle de réciprocité, d'échanges. En revanche, ce soir, je pense que tu as profité de moi et de l'effet que je faisais dans cette robe.

— C'est faux ! Nous avons participé à cette soirée pour toi et Flora. Tu en avais besoin, pas moi.

— C'était surtout pour pouvoir en finir avec moi, insista-t-elle en cherchant son regard. Eh bien, ton travail est terminé. Et maintenant ?

Cole resta un moment silencieux, puis il se gratta la gorge.

— Maintenant, nous rentrons à la maison et continuons à faire tourner la clinique pendant encore deux semaines. Puis, je retourne à Baltimore, et d'ici là tu auras sûrement une proposition pour un nouvel endroit.

Elle poussa un soupir d'exaspération.

— Et avant, qu'est-ce qu'on fait ? Là, maintenant, dans cette chambre d'hôtel ?

Ses doigts se promenèrent le long du bras de Cole et remontèrent jusqu'à son oreille, dont elle pinça légèrement le lobe.

— Ce ne serait pas raisonnable, dit-il.

— Es-tu toujours aussi bloqué ?

— Je suis ton patron. Je crois que les quelques verres que tu as bus t'empêchent d'avoir les idées claires.

— Et donc, si je te draguais, tu profiterais de moi ?

— Quelque chose comme ça.

— C'est complètement ridicule. Je sais ce que je fais, et je suis sexy dans cette robe. Ose me dire le contraire.

Il n'osa pas.

Elle avait besoin de savoir s'il la désirait autant qu'elle. Le cœur battant, elle se pressa contre lui, craignant qu'il ne la repousse et s'en aille.

— Tu joues avec le feu, murmura-t-il. Il faut que l'un de nous garde la tête froide.

Déboutonnant sa veste, elle glissa les mains en dessous et les laissa courir sur son torse.

— Pourquoi ? Moi, j'aime le feu que je vois dans tes yeux.

Elle sentit la résistance de Cole céder peu à peu. Il était attiré par elle comme elle l'était par lui, il était temps que cette attirance s'exprime.

— Cela m'a manqué de ne plus t'embrasser…

Leurs bouches se cherchèrent. Cole posa les mains sur elle et l'attira fermement contre lui. Elle sentit sa langue se glisser entre ses lèvres et poussa un gémissement d'aise.

Il n'y eut pas une once de tendresse dans cet échange. Tous deux n'étaient que pur désir. Elle avait envie de lui, il avait envie d'elle. Maintenant !

Leurs vêtements volèrent dans la pièce, et ils roulèrent sur le canapé du salon, pressés d'être enfin nus et de faire l'amour. Elle ne voulait pas qu'il soit doux. Ils s'étaient retenus pendant trop longtemps, le moment était venu de se libérer.

Elle dégrafa son soutien-gorge pendant qu'il retirait son boxer-short, et elle s'arrêta un moment pour le contempler.

Epaules larges, hanches étroites, jambes puissantes, Cole était bâti pour travailler dur, bien que ses muscles aient été contenus par sa carrière médicale. Elle n'était pas près d'oublier cette vision splendide.

Elle tendit irrésistiblement la main vers la peau douce de son sexe dressé.

Cole gémit et s'étendit de tout son long sur le canapé, l'attirant sur lui. Il arrondit les mains autour de ses fesses, et elle se pencha sur lui pour l'embrasser encore.

Ils atteignirent rapidement le point où ils avaient besoin de se mêler l'un à l'autre. Elle brûlait de le sentir en elle, d'entamer ensemble une danse érotique parfaitement synchronisée.

Cela ne l'empêchait pas de rester pratique.

— J'allaite encore et je n'ai pas eu mes règles, alors…

— J'ai ce qu'il faut dans mon portefeuille, répondit Cole, immédiatement sur la même longueur d'onde.

Ainsi, le cardiologue habitué à voyager n'était pas pris au dépourvu, se dit-elle, surprise d'éprouver une pointe de jalousie. Elle l'aida à poser le préservatif en un temps record, et resta sur lui tandis qu'il la pénétrait.

Elle avait des sensations différentes depuis qu'elle avait accouché, mais elle aima aussitôt le sentir en elle. A en juger par l'expression extatique de Cole, il adorait aussi.

Elle aussi, elle lui donnait du plaisir ! Elle en retira un enivrant sentiment de puissance.

Pendant qu'elle le chevauchait, il accompagnait ses mouvements, les mains agrippées à ses hanches. Levant la tête, il saisit les pointes de ses seins l'une après l'autre et les titilla de sa langue, la faisant gémir. Puis il la bascula sur le côté et la surplomba.

Tandis qu'il s'enfonçait plus profondément en elle, elle noua les jambes autour de sa taille et les bras autour de son cou, ivre de sensations. Il bougea en elle en un mouvement rapide et régulier, et très vite elle perdit tout contrôle et atteignit le paroxysme du plaisir. Il grogna en sentant les vagues de l'orgasme la submerger et ne tarda pas à la rejoindre dans un long gémissement.

Ils restèrent longtemps dans les bras l'un de l'autre, leurs membres entremêlés.

Les seins écrasés contre sa poitrine, elle se sentait fantastiquement bien. Ces quelques instants de sexe avec Cole en valaient vraiment la peine.

Elle aurait aimé qu'ils aient d'autres moments ensemble. Mais, le connaissant, elle savait que cela n'arriverait pas. Elle avait forcé les choses pour qu'ils vivent ces instants. Cole ne l'aurait jamais fait, il était trop gentleman pour ça. Comme à son habitude, elle avait foncé tête la première pour obtenir ce qu'elle voulait : lui.

Il était peut-être plus raisonnable qu'elle mais, quand elle plongea dans son regard, elle fut convaincue à son expression qu'il était ravi qu'ils aient eu cette « explication » physique.

En fait, il la lui devait depuis longtemps.

Lorsqu'ils eurent gagné le lit et retiré les couvertures pour se blottir confortablement l'un contre l'autre, Cole se rendit compte de toute l'énergie et la chaleur que Lizzie lui avait données. Quand avait-il connu un moment pareil, ces dix derniers années ?

Il comprit alors ce qui lui avait manqué dans le défilé de ses petites amies qui s'était terminé l'année précédente avec Victoria : la passion.

Depuis le tout premier jour, Lizzie avait déclenché en lui les réactions émotionnelles les plus fortes : contrariété, colère, joie, surprise, désir… Oh oui, désir ! Et aussi, maintenant qu'il prenait conscience qu'elle allait repartir bientôt, tristesse.

L'attirant contre lui, il l'embrassa sur la tempe, et elle poussa un soupir de contentement, complètement détendue dans ses bras.

Elle était d'une beauté entièrement naturelle, il n'y avait rien de sophistiqué ni de travaillé chez elle. C'était ainsi qu'il l'aimait — qu'il *l'aimait* ?

Le feu qui avait brûlé dans son ventre fut remplacé soudain par une douloureuse sensation de manque.

Il respira le parfum de ses cheveux, regrettant qu'ils n'aient pas été lâchés sur ses épaules pendant qu'ils avaient fait l'amour — si l'on pouvait appeler ça ainsi. Ce qu'ils avaient fait n'avait rien à voir avec l'amour. Cela avait été complètement brut, sauvage… Et fantastique.

La gorge sèche, il se prépara à dire quelque chose de très dur, mais il savait que c'était pour son bien. Il devait mettre de côté ses désirs égoïstes pour son futur à elle.

— Cela n'arrivera plus, dit-il.

Lizzie leva la tête et le regarda.

— Pourquoi pas ? Je suis dans le Wyoming pour encore quelques semaines.

— C'est immoral. Tu es ma collègue, pas une playmate.

— Et si j'ai envie, moi, d'être une playmate ?

— De toute façon, je suis toujours sur les routes, et nous vivons dans des Etats différents. Tout ce que nous pourrions avoir, c'est une brève rencontre de temps en temps. Est-ce vraiment ce que tu veux ?

— N'est-ce pas ainsi que tu agis habituellement ? En maintenant une distance de sécurité avec les gens et en étant toujours trop occupé pour t'engager avec qui que ce soit, en dehors de ton travail ?

Il serra les doigts autour de son épaule.

Comment pouvait-elle lire en lui aussi facilement ?

Il gardait cette distance parce qu'il avait déçu tous ceux qui l'avaient aimé, y compris sa mère. Il n'avait jamais su être ce que ses proches voulaient, ni se trouver là quand ils avaient besoin de lui. De toute façon, il ne serait pas capable de survivre si, comme son père, il aimait quelqu'un de toutes les fibres de son être et le perdait. Les femmes s'éloignaient de lui dès qu'elles se rendaient compte que sa profession était son premier amour. Lizzie finirait par faire de même.

Il se força à desserrer son étreinte.

— J'ai un métier exigeant. J'ai réussi à m'y faire un nom, et c'est en voyageant que j'entretiens ma position.

— Tu laisses donc ta situation sociale régir ta vie ?

Lizzie avait pointé l'endroit où le bât blessait : il avait choisi le prestige plutôt que les sentiments, la vraie vie.

— Les choses se sont faites ainsi, peu à peu, répondit-il d'un ton vague.

N'avait-il pas plutôt tout fait pour s'accrocher à son statut de « wonder boy » parce que c'était la seule façon d'être qu'il connaissait ?

— Et maintenant, ça t'éloigne de ta famille et de ton père. Le ciel protège la femme qui croisera ton chemin, soupira Lizzie.

Il opta pour un ton désinvolte.

— Que veux-tu, je suis ainsi. C'est ma façon de vivre, tu n'y peux rien.

— Qui te dit que je veuille quoi que ce soit ? Au cas où tu ne l'aurais pas remarqué, je suis une maman qui cherche du travail, et je suis moi-même très occupée. En réalité, je n'ai pas de place pour un homme dans ma vie.

Elle avait répliqué sur le même ton, lui évitant ainsi tout sentiment de culpabilité. Comment faisait-elle pour sentir aussi bien les gens ?

Le fait d'être ballottée de foyer en foyer avait dû lui

apprendre à deviner les intentions réelles des gens, et à ne jamais rien espérer de permanent.

Pour le coup, il se sentit coupable. Il devait vraiment rester hors de sa vie pour qu'elle ait une chance d'avoir une vraie relation avec quelqu'un qui les chérisse, elle et Flora. Lui, ce n'était pas ainsi que les choses se passaient dans sa vie.

— Encore une fois, c'est parce que je ne suis pas assez bien pour toi, n'est-ce pas ?

Cette pensée ne lui était jamais venue à l'esprit. Il regarda Lizzie, atterré.

Elle éclata d'un rire désabusé.

— Et maintenant, je vais avoir droit à : « Ce n'est pas toi, c'est moi » ?

Il comprenait son attitude cynique. Mieux valait se séparer maintenant. Plus tard, ils risqueraient tous de souffrir encore plus. Flora méritait d'avoir un père qui l'aime…

Il sentit un serrement dans la poitrine.

Ce bébé avait déjà réussi à voler son cœur.

Mais toutes deux méritaient un meilleur avenir que celui qu'il pouvait leur donner. Il pouvait leur offrir confort matériel et protection, mais elles méritaient d'être aimées — un sentiment dont il avait perdu le goût le jour où il avait tout risqué par amour et failli mourir.

— Donc, dit-il avec un pincement au cœur — un endroit qu'il avait longtemps oublié —, après cette nuit…

— Qui a dit que cette nuit était finie ? l'interrompit Lizzie en l'embrassant à pleine bouche.

Il s'était montré honnête avec elle, et elle voulait encore faire l'amour. L'important, c'était que les sentiments n'entrent pas en ligne de compte. S'il n'était pas déjà trop tard.

N'y tenant plus, il répondit à son baiser avec ardeur.

Le dimanche matin, ils s'étaient réveillés juste à temps pour se doucher et reprendre l'avion. Une tension palpable s'était installée entre eux, effaçant presque la merveilleuse nuit passée dans les bras l'un de l'autre.

Lizzie regarda par le hublot quand ils survolèrent le Wyoming, et son cœur se gonfla devant tant de beauté.

Ces immenses espaces ouverts, c'était le coin de paradis qu'elle aimerait offrir à sa fille. Grâce à Cole, plus de possibilités s'offraient à elle qu'elle n'avait jamais osé le rêver, pourtant, elle avait toujours à l'esprit les paroles de Monty pendant leur dernière promenade à cheval.

Quel avenir voulait-elle pour Flora ?

Son fantasme d'une vie avec Cole ne se réaliserait jamais. Elle n'aurait même pas dû envisager cette éventualité, car elle souffrait de ne rien pouvoir faire pour le sortir de l'ornière dans laquelle il s'était volontairement embourbé, avec l'existence qu'il s'était choisie. Tout ce qu'elle voulait à présent, c'était rentrer au ranch pour serrer de nouveau son bébé dans ses bras.

A côté d'elle, Cole lisait un journal de médecine. Son évidente indifférence prouvait qu'il n'avait pas menti la veille : il n'y avait pas de place dans sa vie pour elle ni surtout pour Flora. Il s'était montré honnête, elle ne pouvait le nier.

Néanmoins, elle pouvait peut-être tenter d'influer sur un aspect de sa vie. Aborder le sujet qu'il avait mis de côté des années auparavant.

— Si j'ai bien compris, tu ne resteras donc pas à Cattleman Bluff plus de deux semaines à compter de maintenant. As-tu l'intention de mettre les choses au point avec ton père ?

Cole leva lentement la tête de son journal.

— Est-ce qu'il t'a parlé ?

— Il n'en a pas eu besoin. Il m'a suffi d'observer.

— Mmm.

Cole voulut retourner à sa lecture, mais elle ne lui en laissa pas le loisir.

— Monty et moi, nous parlons souvent…

Il releva la tête, mais sans la regarder.

— Naturellement, nous n'évoquons pas vos problèmes, poursuivit-elle. Mais ton père ne rajeunit pas, tu sais.

Elle l'entendit pousser un long soupir.

— Et il n'aura de cesse que ses deux fils changent

complètement de vie pour accomplir son rêve. *Son* rêve ! s'exclama-t-il. Comprends-tu à quel point c'est déraisonnable ?

Au moins, Cole avait une famille. Ne se rendait-il pas compte combien c'était précieux ?

— Trevor n'a jamais quitté la région, poursuivit-il. Il aurait pu faire une carrière beaucoup plus rémunératrice et respectée, mais il est resté dans le Wyoming après ses études et a fait sa formation en interne en médecine générale. Il s'est retrouvé coincé à la clinique de Cattleman Bluff et ne l'a jamais quittée depuis.

— Mais il était avec ta mère les derniers jours de sa vie, et il n'aurait jamais connu Julie s'il avait fait comme toi.

Cole resta un instant songeur.

— C'est vrai, dit-il. Mais qui sait combien d'occasions il a ratées sur le plan professionnel en restant coincé ici ?

— Parce que, pour toi, la vie n'est faite que « d'occasions » de faire évoluer sa carrière ?

Il ne répondit pas.

— Quel est le problème avec la médecine générale ?

— Il n'y en a pas, si c'est ce que la personne veut faire. Mais j'ai toujours eu le sentiment que Trevor désirait autre chose. Et le fait de l'avoir près de lui n'a pas rendu mon père heureux pour autant.

— Parce qu'aucun de vous deux ne s'est intéressé aux affaires du ranch. Il craint que tout ce qu'il a accompli ne disparaisse avec lui.

— Jack est parfaitement capable de régler les problèmes au quotidien, mais papa a besoin d'un associé pour la gestion.

— Tu n'as donc aucun intérêt pour les affaires familiales ? Cette entreprise t'a pourtant offert toutes les « occasions » que tu as eues dans ta vie, pour reprendre ton expression. N'est-il pas temps de redonner un peu de ce que tu as reçu ? Tu sembles avoir le sens des affaires, avec le TAVR. Tu en as fait la promotion dans tout le pays.

— Je ne vois pas ce que cela a à voir avec le commerce de la viande.

— Ce sont les mêmes compétences, les mêmes connexions. C'est juste le produit qui change.

Sans répondre, Cole la fixa avec une expression incrédule.

Tout ce qu'elle pouvait espérer, c'était d'avoir planté une graine dans ses pensées, pour qu'il réfléchisse à son propre avenir et à la façon dont il pourrait faire évoluer sa vie — même si elle n'en faisait pas partie.

A leur arrivée, ils retrouvèrent dans la cuisine Monty et Gretchen qui portait le bébé. Après les avoir salués, Lizzie s'empressa de prendre Flora dans ses bras pour l'embrasser, avant de se retirer pour lui donner la tétée.

Cole fut surpris de la joie que lui-même ressentit en revoyant la petite frimousse de Flora. Il aurait aimé l'embrasser aussi.

Au lieu de cela, il alla se servir un verre d'eau.

Tiberius et Gretchen attendaient manifestement le compte rendu de la soirée de gala.

— Lizzie s'est très bien débrouillée, dit-il après avoir bu. Les administrateurs des hôpitaux lui mangeaient dans la main. Elle devrait recevoir des offres très rapidement.

Curieusement, son père et Gretchen eurent l'air déçu et ne firent aucun commentaire.

Ne voulaient-ils pas ce qu'il y avait de mieux pour elle, tout comme lui ?

— Désolé, mais je suis épuisé, ajouta-t-il. Je vais me reposer un peu avant le dîner.

Peut-être n'aurait-il pas le temps de dîner. Il avait plusieurs voyages à préparer, notamment à l'université de Californie, à San Francisco. Le TAVR aurait sûrement beaucoup de succès sur la côte Ouest, étant donné les économies que cette procédure faisait réaliser. Il aurait encore droit à un chèque substantiel de la part du fabricant de l'appareil…

En regagnant sa chambre, sa dernière conversation avec Lizzie dans l'avion lui revint à l'esprit.

Tout comme pour elle, son séjour au ranch touchait à sa fin, et il devait s'expliquer avec son père une bonne fois pour toutes.

Il y aurait des heures de discussions avant de savoir qui

reprendrait le ranch afin que Tiberius puisse se retirer. Il n'avait pas assez d'énergie pour y réfléchir maintenant. Cependant, il savait qu'il ne pourrait plus éviter cet entretien très longtemps.

10.

La première offre de résidence se présenta dès le mercredi suivant. Lizzie poussa un cri de joie en raccrochant le téléphone de la clinique et courut jusqu'au bureau de Cole.

— Linda Poles vient de m'appeler pour me faire une proposition ! s'écria-t-elle, incapable de contenir son excitation.

— Super, répondit Cole sans enthousiasme. Et comme c'est une femme, tu ne pourras pas me reprocher d'avoir voulu jouer les entremetteurs.

Son sourire semblait un peu forcé.

— Exact. Il n'y a qu'un inconvénient.

— Lequel ?

— Je dois commencer la semaine prochaine.

Il y eut soudain une telle détresse dans les yeux de Cole qu'elle sentit comme un coup à l'estomac. Mais cela dura à peine le temps d'un éclair.

— Je lui ai bien demandé si je pouvais finir ma période ici, mais elle m'a répondu que le programme commençait normalement le 1er juillet. Je dois donc retourner à Boston le plus vite possible pour rattraper mon retard.

A présent, le visage de Cole était impénétrable. Elle savait qu'il ne laisserait plus rien transparaître de ce qu'il ressentait vraiment. Mieux encore, il la gratifia du charmant sourire dont il avait le secret.

— Et, bien sûr, tu as hâte d'être là-bas.

Elle se devait pourtant d'être sincère avec lui.

— En fait, je suis terrifiée. D'ici là, il faut que je trouve un logement, quelqu'un pour garder Flora, et que j'informe mes patients de mon départ.

— Cela, Lotte peut s'en charger…

Il se leva pour fermer la porte du bureau et la prit dans ses bras.

— Tu sais que tu peux compter sur moi pour t'aider de mon mieux, dit-il d'un ton apaisant.

— Merci.

Elle resta un moment contre lui, savourant son contact et mesurant combien il lui avait manqué depuis la nuit de samedi.

Comment allait-elle pouvoir quitter tout ce qu'elle avait trouvé ici ?

En lui offrant la possibilité d'accomplir ses rêves — du moins ceux qu'elle faisait avant d'arriver dans le Wyoming —, Cole avait fermé la porte sur ce qu'il y avait eu entre eux.

Depuis qu'elle était à Cattleman Bluff et avait fait sa connaissance, ses aspirations avaient changé, mais elle ne pouvait pas refuser une offre comme celle de Boston en disant que, finalement, elle préférait rester dans le Wyoming. Pas après tout le mal qu'il s'était donné pour elle. Et puis, il fallait qu'elle trouve une place stable dans un bon hôpital pour créer le meilleur foyer possible pour Flora.

— Le programme de formation propose certainement des solutions pour le logement, dit Cole. Quant à moi, je te paierai entièrement les six semaines pour lesquelles tu as été engagée.

— Il n'en est pas question.

— Tu n'as pas le choix.

On frappa à la porte.

— Lizzie, votre prochain patient vous attend, annonça Lotte.

— J'arrive. Merci, dit-elle à Cole en s'écartant de lui.

Elle l'aurait volontiers embrassé, mais ce n'était pas le moment. Priorité aux patients.

Cole avait appelé aussi tôt que possible le Dr Poles pour trouver à Lizzie un logement décent et la meilleure solution pour le bébé.

Il fallait qu'il continue à se persuader que c'était le mieux pour Lizzie et Flora, se dit-il, hébété, en fixant le téléphone qu'il venait de reposer.

Mais, à la pensée de ne plus voir chaque jour leurs deux visages si rayonnants, il avait la gorge serrée. Il s'était trop habitué à ces deux-là. Soudain, il eut envie de prendre Lizzie dans ses bras et de lui révéler combien il tenait à elle. Il avait passé la plus mémorable des nuits à lui faire l'amour et s'était senti si bien avec elle. Il pourrait facilement s'y habituer.

Lizzie l'avait forcé à éprouver de nouveau des sentiments. Il ne pourrait jamais lui rendre tout ce qu'elle lui avait apporté. Et puisqu'il s'était conduit de façon immorale, il paierait pour les frais de garde de Flora et ferait croire à Lizzie que c'était gratuit pour les résidents.

Il fallait qu'il rappelle Linda à ce sujet.

— J'ai obtenu une place pour Lizzie, annonça Cole en s'appuyant au dossier de son fauteuil pivotant, face à la porte de son bureau. Elle est prise dans le programme de cette année.

Au bout du téléphone, Larry Rivers le félicita, mais cela ne fit qu'accentuer son malaise.

— Une chose m'intrigue, ajouta-t-il. Pourquoi vous êtes-vous autant intéressé à la situation de Lizzie ?

Il y eut un silence.

— C'est mon fils qui a conçu Flora, répondit enfin Larry. Elisabete aurait pu le faire arrêter pour ce qu'il lui a fait.

Cole ferma les yeux.

— Je vois. Vous avez remboursé une dette, en quelque sorte.

Il réprima un soupir en pensant à toutes les épreuves que Lizzie avait traversées dans sa vie. Raison de plus pour se réjouir d'avoir pu l'aider à évoluer professionnellement.

Mais alors, pourquoi se sentait-il si mal ?

Larry changea de sujet, évoquant les merveilles qu'il avait accomplies dans le domaine de la cardiologie interventionnelle.

— Je sais, je sais. On ne m'appelle pas Wonder Boy pour rien, dit-il sur le ton de la plaisanterie. Si vous voulez, on dîne ensemble la prochaine fois que je vais à Boston.

A ce moment-là seulement, il vit Lizzie dans l'encadrement

de la porte. La peine et le sentiment de trahison se reflétaient sur son visage. Sans un mot, elle fit demi-tour et repartit.

A l'évidence, elle était là depuis un moment et l'avait entendu. Depuis quand ?

— Il faut que j'y aille, Larry. On se rappelle.

Il raccrocha et la poursuivit hors du bâtiment. Elle était arrivée à sa voiture quand il la rattrapa.

La douleur qu'il avait lue dans ses yeux s'était transformée en colère.

— Le Dr Rivers était derrière tout ça ? demanda-t-elle sèchement.

— Il veut t'aider, tout comme moi.

— A t'entendre, tu aurais fait des miracles…

— Là, on parlait de mon travail.

Il abaissa les yeux sur le bout de ses chaussures et décida d'être honnête, parce que Lizzie le méritait.

— Larry désire aussi ce qu'il y a de mieux pour toi. J'avais besoin d'un dérivatif pour ne plus penser à ton départ, et nous avons parlé d'un dîner, c'est tout.

— J'espère que tu t'étoufferas avec, lança-t-elle d'un ton dur, en s'asseyant dans sa voiture.

Elle claqua la portière et démarra en trombe.

En quelques secondes, il venait de perdre toute la confiance qu'elle lui avait donnée.

Au ranch, ce soir-là, la tension était palpable. Lizzie avait insisté pour manger dans sa chambre, et Cole fut soulagé de ne pas avoir à lui faire face pendant le dîner. Mais son père et Gretchen le regardaient comme un pestiféré.

— Si vous voulez bien m'excuser, j'ai du travail à faire dans ma chambre, dit-il en se levant.

— Que se passe-t-il ? demanda Monty.

— Lizzie a obtenu une place en résidence à Boston. Elle part la semaine prochaine.

— Et tu vas laisser cette fille s'en aller ?

Qu'est-ce que son père voulait dire par là ? A l'évidence,

il n'avait pas été aussi habile qu'il l'avait cru pour masquer ses sentiments.

— Ça ne dépend pas de moi, assura-t-il.

— Oh ! que si…

Il quitta la salle à manger, feignant de ne pas avoir entendu la réponse de son père.

Cole avait besoin de s'alléger l'esprit. Il passa le reste de la soirée à préparer son voyage à San Francisco. Il retint une place d'avion en première classe et réserva une chambre dans un hôtel cinq étoiles.

Il était plus de 23 heures quand il entendit Flora pleurer.

Il cessa de mettre à jour son calendrier de rendez-vous sur son téléphone portable et resta un moment immobile à écouter, se demandant ce qu'il devait faire.

Le bébé n'arrêtait pas, comme au premier jour de son arrivée. Les coliques étaient-elles de retour ? Flora avait-elle senti la tension de Lizzie ?

Au bout de cinq minutes, les pleurs augmentèrent.

Le pauvre bébé devait souffrir, et Gretchen était rentrée chez elle pour la nuit. Quelqu'un devait aider Lizzie.

Il la trouva dans le séjour en train de faire les cent pas, avec sur elle le porte-bébé contenant Flora, bras et jambes pendants.

Lizzie avait le corps raidi par le stress, et la panique se lisait dans ses yeux.

— Elle est fiévreuse, je ne sais pas ce qu'elle a. Elle n'a jamais eu de température avec les coliques. Cela n'a pas l'air d'être un problème ORL.

Il aurait voulu les prendre toutes les deux dans ses bras pour que, comme par magie, les choses aillent mieux. Mais il ne voulait pas perturber Lizzie davantage.

— Tu lui as donné du paracétamol ?

— Il y a environ une-demi heure. Je n'ai pas remarqué de changement notoire. Apparemment, il n'y avait pas de problème chez Gina avec les autres enfants.

— Ni refroidissement ni éruption ?

Lizzie secoua la tête, l'air épuisé, visiblement à bout.

— Laisse-moi prendre Flora un moment. Tu dois avoir mal au dos.

Lizzie ajusta les sangles à sa taille, et Flora se retrouva blottie contre lui.

Instinctivement, il se pencha pour embrasser les cheveux du bébé. Son contact lui avait manqué, ainsi que son odeur. Il avait envie de la protéger contre tout ce qui pourrait lui faire du mal.

— Tout va bien, ma chérie. On va te soigner.

Lizzie alla s'asseoir sur la chaise de Monty, la tête dans ses mains.

— C'est toujours pareil. Dès que Flora est malade, je cesse de penser en médecin. Je me mets à paniquer et deviens un parent impuissant.

Pour quelqu'un qui n'avait jamais eu la fibre paternelle, lui-même avait beaucoup appris dans ce domaine, ces dernières semaines. Il savait que les bébés aiment qu'on les promène dans les bras et qu'on les berce légèrement. Il avait aussi compris à quel point un petit enfant est précieux et vulnérable, et ça le faisait carrément flipper.

— Ne sois pas trop dure avec toi-même, dit-il doucement. Il est difficile de rester professionnel quand l'affect est investi. C'est souvent le cas entre les membres d'une famille.

— Comment vais-je arriver à être mère célibataire à Boston dans le cadre de ce programme ?

Pourquoi Lizzie doutait-elle d'elle, à présent ? Elle donnait toujours l'impression de pouvoir gérer n'importe quel problème à sa façon. Pourquoi se remettait-elle en question ? Peut-être qu'elle aussi avait grandi depuis son arrivée, tout comme lui.

— Comme tu l'as fait jusqu'ici, répondit-il. Avec des soutiens. J'ai entendu dire qu'il y avait une crèche pour les employés de l'hôpital, et même une infirmerie pour les petits.

— Je ne pourrai pas me le permettre…

— C'est offert aux résidents. Aux mères seules, en tout cas.

En fait, il mentait à peine, puisque dans le cas de Lizzie cela lui était offert. Elle n'avait pas besoin de savoir par qui.

— Et si c'était une infection urinaire ? dit-elle soudain.

— C'est possible.

— Est-ce qu'on pourrait l'emmener à la clinique pour faire un test d'urine ?

Il cessa de faire les cent pas.

— Il faudrait lui mettre un cathéter, et tu viens de dire que tu perds tes moyens quand il s'agit de ta progéniture. Quant à moi, je n'ai pas cathétérisé de bébé depuis l'école de médecine. Es-tu sûre de vouloir lui faire supporter ça ?

— Mais alors, il va falloir attendre jusqu'à demain ?

Il la sentait au bord des larmes.

— Et si on appelait Lotte ? dit-il en claquant des doigts. C'est un as en matière de procédures pédiatriques.

— Il est 23 h 30. On ne va tout de même pas la faire venir maintenant ?

— Mais si. Il suffit de le lui demander gentiment.

Vingt minutes plus tard, il coupait l'alarme de la clinique pour entrer.

Lotte n'avait pas hésité une seconde à venir effectuer le test. Elle rassembla son matériel pendant que Lizzie sortait Flora du porte-bébé. Quant à lui, il préféra quitter la pièce.

Etait-il donc devenu proche de Flora au point de ne pas supporter de la voir manipulée ?

En moins de deux minutes, et avec un minimum de pleurs de la part du bébé, Lotte lui remit un flacon d'urine.

— A vous de jouer, dit-elle.

Il l'emporta dans le mini-labo de la clinique et trempa dedans une bandelette de test.

Elle était positive aux nitrates, un dérivé de bactérie.

— C'est positif, annonça-t-il.

Il sourit en entendant Lizzie demander à Lotte quels antibiotiques elle utiliserait.

Toujours pratique, l'infirmière recommanda de la céphalosporine, dosée en fonction du poids de Flora.

Lizzie donna un premier traitement à Flora.

— Et ne paniquez pas si son pipi devient marron, lui dit Lotte juste avant de partir. C'est juste un effet secondaire du médicament.

— Merci, vraiment, lui dit Lizzie.

Manifestement, elle avait retrouvé confiance en elle car son intuition avait été la bonne.

Quand ils se retrouvèrent tous deux dans la voiture, elle lui sourit pour la première fois depuis qu'elle avait surpris sa conversation téléphonique.

— Tu m'as dit un jour que je ne devais pas hésiter à recourir aux infirmières, qui ont une grande expérience pratique et sont une mine d'informations. A présent, j'en suis convaincue. Lotte a été impériale pour cathétériser mon bébé. Je n'aurais jamais pu le faire.

Il se contenta de hocher la tête.

Flora allait pouvoir passer une bonne nuit, dès que le médicament aurait fait son effet.

Le samedi était arrivé plus vite que Lizzie ne l'aurait cru.

Ses bagages presque terminés, elle s'assit au pied de son lit, priant pour pouvoir contrôler ses émotions jusqu'à son départ, et passa en revue les dernières vingt-quatre heures.

La veille, elle avait été submergée par le nombre de patients qui s'étaient arrêtés à la clinique pour la remercier et lui dire au revoir. Même la mère de Valerie était passée pour la féliciter d'avoir émis le bon diagnostic et d'avoir soigné les maux de tête de sa fille.

Elle était revenue au ranch les bras chargés de petits plats et de gâteaux préparés spécialement pour elle, qu'elle avait partagés avec le personnel du ranch.

A la clinique, tout le monde s'était montré si gentil qu'elle avait eu du mal à retenir ses larmes… Jusqu'au moment où il avait fallu faire ses adieux à Lotte et Rita. Elle s'était transformée en fontaine en les prenant dans ses bras. Il ne lui avait pas fallu longtemps pour s'attacher à elles et au reste du personnel, et il lui semblait qu'elle appartenait à cet endroit.

— Vous avez fait tout ce qu'il faut, docteur Silva, lui avait dit Lotte en la serrant contre elle. On aimerait avoir davantage de médecins comme vous par ici.

Un tel compliment de la part de l'infirmière bourrue, ça

n'avait pas de prix et lui donnait confiance pour la résidence de Boston.

En passant prendre Flora chez sa nounou, elle avait de nouveau fondu en larmes, se rendant compte des liens qu'elle avait tissés avec Gina qui, de patiente, était rapidement devenue une amie.

Cattleman Bluff allait lui manquer bien plus qu'elle n'aurait pu l'imaginer. Et elle n'avait même pas le courage de penser à Cole. Sa période d'intérim était terminée, et elle en avait retiré tellement plus que ce qu'elle escomptait ! A présent, il était temps de repartir. Depuis l'enfance, elle avait été habituée à faire des bagages et à s'en aller. Elle avait aussi appris à refréner ses émotions au moment du départ. Cette fois encore, elle allait le faire.

Avec un soupir, elle retourna à ses bagages.

La magnifique robe bleue était toujours dans la penderie.

Au début, elle avait cru que Cole Montgomery était un homme doté d'un grand potentiel, et il s'était montré un mentor idéal, même si c'était seulement parce qu'il y avait été obligé par Trevor et le Dr Rivers. Mais elle avait changé d'avis. C'était certes un médecin brillant, mais il n'était pas à la hauteur en tant que fils. Et elle plaignait la femme innocente qui tomberait amoureuse de lui. Comme elle.

Il était tellement déconnecté de ses propres sentiments qu'il n'y avait pas grand-chose à faire pour lui. Lui seul pouvait s'en sortir. Cela, elle l'avait appris depuis longtemps avec l'addiction de sa mère à la drogue. Elle espérait seulement que Tiberius et lui arrivent à se comprendre avant qu'il ne soit trop tard.

Cette fois, elle en avait fini avec les bagages.

Elle jeta un coup d'œil à sa montre.

Elle redoutait de voir Tiberius et Gretchen une dernière fois, craignant de craquer devant eux. Sans parler de Cole…

De nouveau, les larmes lui montèrent aux yeux.

Quitter cet endroit où elle s'était sentie totalement bienvenue serait la chose la plus difficile qu'elle ait jamais eue à faire — à part dire adieu à Cole. Il lui faudrait rassembler tout son courage pour laisser derrière elle l'homme dont elle était tombée amoureuse. Elle devait tout faire pour ne rien laisser paraître de ses sentiments, se dit-elle en roulant sa valise jusqu'au séjour, son sac en bandoulière.

Cole la soulagea rapidement de ses bagages.

— Je vais les mettre dans la voiture, dit-il sans la regarder.

Gretchen s'était déjà mise à pleurer, Flora appuyée contre sa hanche.

— Cet endroit va être bien vide sans vous deux, Lizzie, dit-elle en l'embrassant sur la joue. Vous allez me manquer. Revenez nous voir, s'il vous plaît.

Lizzie se devait d'être honnête.

— Tout dépendra de comment les choses vont tourner. Pour l'instant, je ne peux rien promettre…

Les larmes coulèrent sur ses joues et elle les essuya d'un revers de main.

— Vous aussi, vous allez me manquer. Mais je resterai en contact par Internet et je vous promets de vous envoyer des photos et des vidéos de Flora.

Gretchen enfouit son visage dans le cou du bébé et embrassa sa joue rebondie.

— Tu vas tellement me manquer, mon petit ange ! N'oublie pas mamie Gretchen.

Toutes deux entourèrent Flora dans une même étreinte et pleurèrent à chaudes larmes puis, embarrassées, elles se mirent à rire en s'essuyant les yeux.

— C'est bientôt fini ? dit une voix impatiente.

Tiberius attendait son tour.

— Venez me dire au revoir, petite fille. On n'a pas toute la journée.

A sa surprise, elle le vit lui ouvrir les bras et se remit à pleurer de plus belle. Il l'étreignit avec maladresse, comme quelqu'un qui manque un peu de pratique.

— N'oubliez pas notre petite conversation, lui murmura-t-il à l'oreille.

— Je vous le promets. Comment vous remercier pour tout ?

— En étant heureuse. Et en créant un bon foyer pour la petite. D'accord ?

Je vous aime, Tiberius, dit-elle silencieusement.

— Oui, Monty, répondit-elle à voix haute.

Et elle l'étreignit avec force sans se soucier de ce qu'il pensait.

Quand elle s'écarta de lui, elle vit qu'il avait les yeux humides. Elle sut alors qu'il était complètement sincère en souhaitant son bonheur et sentit son cœur se gonfler d'amour.

C'était donc ça qu'on éprouvait lorsqu'on se sentait aimé ? Wouah.

— Je déteste vous interrompre, intervint Cole, mais il y a un avion à prendre.

D'autorité, il enleva Flora à Gretchen et ouvrit la marche jusqu'à la porte d'entrée, devant laquelle attendait une…

Une limousine !

— J'ai déjà installé le siège-auto à l'arrière.

Il n'allait pas l'emmener lui-même à l'aéroport ?

Elle se serait volontiers giflée pour avoir été aussi stupide. Elle avait cru qu'elle comptait pour lui jusqu'à un certain point, mais il faisait appel à un service de voitures pour l'emmener à l'aéroport — de la même façon qu'elle était arrivée ! Cela prouvait une chose : il avait un bloc de ciment à la place du cœur.

Eh bien, ils pouvaient être deux à jouer à ce jeu ridicule. Il ne lui restait plus qu'à mettre ses sentiments de côté pour que leur adieu soit aussi formel que possible.

— Merci de m'avoir donné un travail quand j'en avais le plus besoin, dit-elle. Je ne l'oublierai pas, et je n'oublierai pas le Wyoming.

— Je t'en prie.

Contenant sa colère, elle passa devant lui sans le regarder et monta dans la voiture. Une fois assise, elle risqua un coup d'œil de son côté et lui trouva l'air triste.

Sa voix était éraillée, et sa main effleura le bout de ses doigts pendant qu'il refermait la porte.

— Je sais que j'ai été un imbécile, et tu vas *vraiment* me manquer, lâcha-t-il.

Que répondre ? « Je te pardonne » ? « Je t'aime » ?

Le chauffeur était au volant et regardait sa montre.

— Nous pouvons partir, monsieur.

— Attends. Il y aura un autre chauffeur à Boston. Il tiendra un panneau à ton nom dans la zone où l'on récupère les bagages, et il t'emmènera au quartier des résidents, ajouta Cole avant de s'écarter pour laisser partir la voiture.

— Entendu. Merci pour tout.

Je ne t'oublierai jamais.

— Sois toi-même, et tu auras tout l'hôpital à tes pieds.

Elle ne put s'empêcher de sourire.

— Et toi, prends soin de ton père ! cria-t-elle par la fenêtre au moment où la voiture démarrait.

Elle eut juste le temps d'apercevoir l'expression de son visage. Il semblait anéanti.

Finalement, malgré tout ce qu'il avait dit, elle comptait tout de même pour lui.

Cole regarda la limousine s'éloigner, emportant avec elle la femme qui avait bousculé son monde et la vie qu'il s'était fabriquée, le laissant avec la sensation d'un vide mortel. A cet instant, s'il avait été heurté par une voiture, cela n'aurait pas été plus douloureux que ce qu'il ressentait.

Mais il devait laisser partir Lizzie. Elle méritait mieux que lui.

Après avoir fait des signes de la main, Tiberius et Gretchen avaient disparu à l'intérieur de la maison.

Lentement, il rentra à son tour, et ses pas le menèrent jusqu'à la chambre de Lizzie et Flora.

Il sentait encore leur présence, mais il savait que cela s'estomperait avec le temps. Lizzie lui avait rappelé combien il était douloureux de perdre quelqu'un que l'on… Oui, que l'on aimait. Et il détestait ça.

Il inspira longuement, espérant saisir une dernière fois son parfum. Puis il jeta un coup d'œil machinal dans la penderie restée ouverte.

Elle était vide, à l'exception d'un vêtement : Lizzie avait laissé la robe de soirée bleue.

Pour qu'elle ne lui rappelle pas la nuit qu'ils avaient passée ensemble ? Ou bien pour être certaine qu'il ne l'oublie jamais ?

11.

Deux semaines plus tard, à San Francisco.

L'infirmière du bloc tendit à Cole le cathéter stérile.

C'était un long et pénible processus que de le faire voyager depuis l'aine jusqu'au cœur, et cela nécessitait une technique méticuleuse et une totale concentration.

Au bout de plusieurs minutes, il atteignit la valve cardiaque endommagée.

Cela paraissait simple, mais c'était une spécialité à laquelle il s'était entraîné pendant des années pour perfectionner sa technique, bien avant de devenir un représentant du TAVR et de la TAVI à travers le monde.

Après avoir positionné avec soin la nouvelle prothèse valvulaire délivrée par le ballon tout contre la valve aortique naturelle calcifiée, il attendit que la nouvelle valve prenne le relais. Puis il retira doucement le cathéter avant de refermer l'incision faite dans l'aine. L'infirmière y appliqua ensuite un pansement de pression et un sac de sable de cinq livres pour éviter les saignements ou la formation d'un hématome.

Lorsque l'équipe eut terminé la procédure, Cole discuta de l'opération avec le cardiologue en chef.

Il venait d'éviter au patient une opération à cœur ouvert et avait ainsi fait économiser des milliers de dollars à l'hôpital, avec une procédure très peu invasive entraînant un rétablissement rapide et donc peu de temps d'hospitalisation. Bref, il n'y avait que des avantages. Ce procédé était vraiment l'avenir, Cole en était persuadé.

Après s'être changé, il retrouva l'équipe pour revoir en détail la procédure, proposer des techniques permettant de gagner du temps et analyser la performance des participants.

Ensuite, pendant quelques jours, il enseignerait la procédure aux quelques membres qualifiés de l'équipe de cardiologie. Une fois qu'il estimerait qu'ils étaient prêts à prendre le relais, son job serait terminé.

Parmi les cardiologues, une femme lui rappelait Lizzie.

Il avait pensé à celle-ci tous les jours depuis qu'elle était partie. Plusieurs fois il avait failli l'appeler, mais il n'avait pas trouvé le courage d'aller jusqu'au bout. Elle devait probablement le détester, et vu la façon dont il lui avait fait quitter le ranch, il ne pouvait pas l'en blâmer. Elle ne pouvait pas comprendre que c'était pour son bien…

Peut-être que, à force de se le répéter, lui-même finirait par y croire.

Cela lui rappela qu'il avait reçu un message incompréhensible de sa banque disant que l'ordre de paiement automatique au Massachusetts General Hospital pour la crèche de Flora avait été retourné.

Il devait tirer ça au clair tout de suite.

Il commença par joindre sa banque qui lui confirma les faits, puis il appela Linda Poles au MGH pour avoir une explication.

— Lizzie est partie, répondit Linda d'un ton exaspéré.

— Quoi ? Que s'est-il passé ?

— Elle a changé d'avis. Elle a choisi une résidence dans un autre hôpital.

— Où ça ?

— Dans le Wyoming. A Cheyenne.

Après avoir raccroché, il éprouva le besoin de s'asseoir.

Que se passait-il donc ? Il avait fait des pieds et des mains pour que Lizzie soit bien logée, et elle tournait le dos à un poste prestigieux pour…

Il se gratta la tête, perplexe.

Le seul programme de formation en résidence qu'il connaissait au Wyoming University Hospital concernait la médecine familiale, et non la médecine interne. C'était là que Trevor avait fait sa résidence, et ils recherchaient toujours du monde.

Cette fois-ci, il n'hésita pas à appeler Lizzie, surpris d'être aussi ému rien qu'en entendant son message sur le répondeur. Sa voix lui avait manqué, ainsi que son accent si bostonien.

— Bonjour, Lizzie, c'est Cole. Je viens juste d'apprendre une nouvelle surprenante, et je voulais la vérifier auprès de toi. Rappelle-moi quand tu pourras.

Quelques jours plus tard, quand le moment fut venu pour lui de repartir à Baltimore, Lizzie n'avait pas répondu à son message.

Cela le contrariait énormément. Etait-ce un pied de nez qu'elle avait voulu lui faire, ou bien était-elle venue à Cheyenne pour être plus proche de lui ? Laramie n'était qu'à une soixantaine de kilomètres de là…

Il avait passé suffisamment de temps à se reprocher d'avoir agi n'importe comment. Il était peut-être temps de réparer ses erreurs et de faire ce qu'il fallait.

Lizzie s'était fait la promesse que ce déménagement serait le dernier. L'hôpital universitaire de Cheyenne avait accepté de lui allouer un logement meublé dans la résidence réservée aux étudiants mariés. L'appartement était minuscule, avec une seule chambre et une kitchenette, mais pour elle c'était parfait, et elle pouvait aller travailler à pied. L'université avait aussi un jardin d'enfants qui avait accepté de s'occuper de Flora pour un prix modique. Elle était de retour dans le Wyoming, et l'hôpital serait son foyer pendant les trois prochaines années.

Toutes ces conditions réunies n'étaient-elles pas le signe qu'elle avait pris la bonne décision ?

A l'évidence, Cole était au courant de son brusque changement de décision. Elle ne l'avait pas rappelé, tout simplement parce qu'elle avait senti ses genoux faiblir rien qu'en entendant sa voix.

Elle avait fait ce qu'*elle* estimait le mieux pour elle et sa fille.

En fait, elle n'avait pas oublié les paroles de Tiberius,

quand il lui avait dit que cet Etat avait besoin de davantage de médecins. Elle avait eu une longue conversation téléphonique avec Trevor Montgomery pour savoir si le fait de passer de la médecine interne à la médecine familiale pouvait porter à conséquence, et il avait approuvé ce programme sans réserve.

Il s'était passé une chose étrange quand elle était retournée à Boston : elle qui était née et avait été élevée là, elle s'était sentie complètement déplacée. Les quelques semaines passées à Cattleman Bluff lui avaient ouvert les yeux sur une autre façon de vivre : sous un ciel immense, avec un air pur, des domaines s'étendant à perte de vue et des ranchs où l'on pouvait faire des balades à cheval. Ici, on vivait à un autre rythme, les gens avaient les pieds sur terre. A son retour chez elle, elle s'était sentie à l'étroit. Au moins, dans le Wyoming, on avait de la place et on pouvait respirer.

Elle adorait être ici.

Elle se mit à fredonner gaiement tout en triant les vêtements de Flora pendant que le bébé faisait la sieste.

On frappa à la porte.

Quand elle ouvrit, elle se figea sur place.

Cole Montgomery se tenait devant elle. Il avait les cheveux plus courts et le teint hâlé, portait un costume sombre et une chemise polo blanche, très chic. De la pointe de ses boots au sommet de son crâne, il faisait terriblement mâle. Et il n'avait pas l'air content.

Elle savait qu'elle avait anéanti tous ses efforts en changeant d'avis. Pourtant, quand il s'avança, elle ne craignit pas une seule seconde qu'il puisse la maltraiter. Cole n'avait rien à voir avec son ex.

— Inutile de t'énerver, dit-elle sans préambule. J'ai écouté mon cœur, et c'est ici que je veux être.

Il secoua la tête d'un air désapprobateur.

— Est-ce que cela a quelque chose à voir avec mon père ?

— Si tu avais le moindre échange avec lui, tu n'aurais pas besoin de me poser la question.

Cole plissa les yeux.

— Es-tu en train de me dire qu'il est pour quelque chose dans ta décision ?

— Je prends mes propres décisions seule. Ton père m'a juste indiqué une direction différente.

— Sais-tu que Laramie n'est qu'à un peu plus de soixante kilomètres d'ici ?

— J'ai cru comprendre que tu passais la majeure partie de ton temps à Baltimore. Par ailleurs, même si tu n'habites pas très loin, ça ne devrait pas te poser de problèmes, puisque tu voyages tout le temps. On ne risque pas de se bousculer en se croisant. Et si ça peut te rassurer, je promets de me tenir à l'écart de ton chemin…

Il se rapprocha d'elle, et elle se retrouva incapable de respirer, entièrement focalisée sur ce visage qui lui avait tellement manqué, dont elle avait rêvé toutes les nuits.

— Pardonne-moi de m'être montré si dur envers toi, dit-il. Je ne m'attendais pas à…

Il s'interrompit.

A présent, c'était elle qui était en colère.

— A quoi ? A essayer de contrôler ma vie ? A te servir de moi pour asseoir ton statut de wonder boy ?

Il ne parut pas l'écouter, son regard errait sur ses cheveux. Passant la main derrière sa nuque, il les souleva avant de les laisser retomber sur ses épaules, lui déclenchant des milliers de frissons dans le dos.

— A tomber amoureux de toi, répondit-il enfin d'une voix rauque. Je ne m'attendais pas à t'aimer.

Pendant quelques secondes, elle se laissa pénétrer par ces paroles qu'elle avait cru ne jamais entendre.

Mais il avait failli lui briser le cœur et l'avait regardée partir sans lever le petit doigt. Il n'allait pas s'en tirer aussi facilement !

— Cole Montgomery, tu t'es débarrassé de moi — tu m'as forcée à m'en aller. Et tu n'as même pas eu la décence de m'accompagner jusqu'à l'aéroport. Comment pourrais-je te croire une seule seconde ?

Avec un regard angoissé, Cole se laissa tomber sur un genou et sortit de sa poche un anneau qu'il lui tendit.

— C'était la bague de fiançailles de ma mère, et de sa

mère avant elle. J'aimerais que tu la portes, que tu sois ma femme… Lizzie, veux-tu m'épouser ?

Une minute, cela n'avait aucun sens. Il l'aimait et voulait se marier avec elle ? Elle devait être en train d'halluciner.

— Tu m'as virée de ton lit, tu m'as virée de ta maison, et maintenant tu veux m'épouser ? Pourquoi ce changement ?

De nouveau, Cole eut cette expression angoissée.

— Tu me manques, Lizzie. Je m'étais habitué à t'avoir près de moi. J'ai besoin d'entendre ta voix, de voir ton visage, d'entendre Flora gazouiller… Je veux que tu sois avec moi, et j'ai besoin d'être avec toi.

Comment rester en colère contre lui ? Elle aurait voulu le faire souffrir autant qu'il l'avait fait souffrir quand il l'avait laissée partir, mais il venait de dire qu'il s'était senti misérable sans elle. Elle lui avait tellement manqué qu'il était venu jusqu'à sa porte, en sachant qu'elle était en colère contre lui. Il l'aimait.

— De Los Angeles, je suis venu directement à Cheyenne après avoir annulé mon vol pour Baltimore, ajouta-t-il, comme elle ne répondait toujours pas. Puis je suis passé au ranch pour chercher la bague, et me voilà. Quelle preuve te faut-il de plus ?

Non, elle ne rêvait pas. Cole lui avait demandé de lui pardonner et avait admis ses sentiments pour elle.

Alléluia ! Elle n'avait plus de doute, il était sincère.

En voyant cet homme si grand oublier sa fierté pour se mettre à genoux devant elle et lui demander de l'épouser, elle sentit son cœur fondre, ses jambes trembler.

Elle l'étreignit en pleurant.

— Il n'est pas question que tu continues à te mêler de ma vie comme tu l'as fait, Cole Montgomery.

— Je promets d'arrêter si tu dis oui.

Elle rit à travers ses larmes.

— Mais oui, bien sûr…

Il sourit lentement, et les deux sillons qu'elle aimait tant se formèrent naturellement de chaque côté de sa bouche.

Elle adorait son sourire.

— Oui, je vais t'épouser, dit-elle enfin, en se juchant sur son genou.

Cole lui prit le visage entre ses mains, et ils échangèrent un baiser passionné pour rattraper le temps perdu. Les bras autour de son cou, elle l'embrassa avec toute la fougue dont elle était capable, comme peut le faire une femme qui aime un homme de tout son cœur.

— Tout d'abord, tu vas me promettre d'avoir cette conversation avec ton père, dit-elle après s'être enfin détachée de sa bouche.

— Qui est-ce qui se mêle de la vie de l'autre, maintenant ? A propos, cela t'intéressera peut-être de savoir que j'arrête les formations de TAVR. Et j'ai déjà discuté avec Trevor de la possibilité de rejoindre sa clinique.

— Oh… Tu as vraiment changé, on dirait. C'est une excellente nouvelle !

— Alors, tu m'aimes ?

— Tu le sais bien…

Ils s'embrassèrent de nouveau, puis Cole glissa à son doigt la bague qui lui allait parfaitement, comme si elle avait été faite pour elle.

— Je t'aime, murmura-t-il.

— Je t'aime aussi.

Les yeux humides, émue jusqu'au plus profond d'elle-même, elle admira l'harmonie parfaite de l'or et du platine autour du diamant.

A cet instant, Flora se réveilla et se mit à babiller.

— Je peux la prendre ? demanda Cole en aidant Lizzie à se relever.

— Je t'en prie.

— Tu crois qu'elle se souvient de moi ?

— Cela fait seulement trois semaines qu'elle ne t'a pas vu.

Il s'approcha du petit lit.

— Bonjour, mon petit cœur. C'est Cole.

Flora poussa un cri de joie en le voyant, et il parut soulagé.

— Oh ! mais elle se tient assise ! Quand est-ce arrivé ?

— La semaine dernière. Tu ne remarques rien d'autre ?

Flora souriait, et sa première dent était nettement visible.

— Regardez-moi ça… Mais tu as grandi ! s'exclama-t-il en prenant le bébé.

Lizzie le rejoignit et lui entoura la taille de son bras.

— Puisque nous allons nous marier, elle pourrait peut-être t'appeler papa ?

Cole embrassa la joue ronde de Flora puis se tourna vers elle avec un large sourire.

— Ça me plairait bien.

Le lendemain soir, au ranch, Cole s'assit dans le séjour à côté de son père.

Lizzie l'avait carrément fait chanter : elle refusait de dormir avec lui tant qu'il ne lui aurait pas parlé. Rien ne valait le présent, avait-elle affirmé. Pourquoi toujours repousser l'échéance dans le futur ?

Il ne pouvait pas lui donner tort, cette conversation aurait dû avoir lieu depuis longtemps.

— Tu voulais me parler ? demanda Tiberius d'un ton peu amène.

L'estomac serré, il soutint le regard de son père.

— En fait, j'ai beaucoup de choses à te dire. Pour commencer, je voulais que tu sois le premier à le savoir : j'ai demandé à Lizzie de m'épouser, et elle a dit oui.

Tiberius eut l'air tellement saisi qu'il faillit éclater de rire.

— C'est la première chose sensée que tu aies faite depuis des années, grommela son père.

Puis il lui prit la main et la secoua avec vigueur.

— Félicitations.

— Merci. Je crois savoir que tu as joué un rôle là-dedans.

— Je ne voulais pas que cette fille s'en aille. Elle est vraiment exceptionnelle. Et il est grand temps pour toi de te ranger.

Cole ne se formalisa pas de sa remarque.

— Elle te rappelle maman, pas vrai ?

Tiberius hocha la tête, l'air songeur.

— Elle sera très bien pour toi.

— Je suis d'accord.

Ils restèrent un moment silencieux, et pour une fois il n'y avait pas de tension dans l'air.

Son père se gratta la gorge.

— Tu sais, aucun de nous deux n'a jamais voulu le reconnaître, mais on se ressemble beaucoup.

Cole hocha la tête à son tour.

— Maman passait son temps à faire le tampon pour maintenir la paix à la maison.

— C'est parce que tu voulais toujours prouver que tu étais un dur.

— Et toi, tu ne l'as jamais fait ?

Tiberius se contenta de sourire, puis son regard se fit lointain.

— Le jour où tu as eu ton accident, tu n'aurais pas dû monter à cru pour cette fille.

— J'avais quinze ans…

Et je venais juste de faire l'amour pour la première fois avec la fille de mes rêves, ajouta-t-il pour lui-même.

— Et toi, papa, tu n'as rien fait de stupide quand tu étais jeune ?

— Comme je te l'ai dit, on se ressemble beaucoup. C'est pourquoi j'ai toujours été si dur avec toi : je m'attendais à ce que tu reprennes le ranch un jour. Je n'ai pas compris comment tu avais pu tout laisser tomber du jour au lendemain.

Cole se retint de pousser un soupir d'exaspération. Il devait rester calme pour que cette conversation ne tourne pas court comme toutes les autres.

— J'ai trouvé une autre voie, papa. Et je crois vraiment que j'étais fait pour être médecin.

— Il a fallu que tu entraînes ton frère là-dedans.

— C'est lui qui a choisi.

Son père baissa la tête.

— Et maintenant, je deviens trop vieux pour continuer, et je n'ai personne pour prendre la suite — seulement deux supermédecins de fils.

Cole ne pouvait pas laisser passer ça.

— Tu sais, je sauve souvent des vies. Comment se fait-il que j'aie toujours eu l'impression que tu ne respectes pas ça ?

— Bien sûr que je respecte ton travail. Je suis fier de toi et je l'ai toujours été. Mais ça ne résout pas mes problèmes avec le ranch.

Il se pencha pour croiser le regard du vieil homme.

— Tout le monde n'est pas fait pour être cow-boy, papa. Pas même les fils du meilleur propriétaire de ranch de la région. En revanche, tu as sous ton nez le meilleur exploitant qui soit, et tu ne le vois pas.

Tiberius fronça les sourcils, intrigué.

— Jack, papa. Ton contremaître connaît le ranch comme sa poche. Il y travaille depuis plus de vingt ans.

— Mais il n'a aucun talent pour les affaires et ne sait pas trouver de nouveaux débouchés. Sans acheteurs, nous ne sommes rien. Sais-tu combien de personnes deviennent végétariennes, de nos jours ?

Cole réprima un petit rire. Il était temps pour lui de s'impliquer davantage.

— Trevor est doué pour la comptabilité, et moi, j'ai des connexions dans tout le pays. Dis-moi quels sont tes besoins, et je ferai de mon mieux pour te trouver de nouveaux acheteurs. On pourrait créer une entreprise familiale avec la participation de Jack. Ne serait-il pas temps de faire de lui un associé ? Certes, ce ne serait pas une affaire familiale traditionnelle, mais le monde évolue, et ainsi on pourrait continuer.

Les yeux de Tiberius reflétèrent la surprise, ainsi qu'une lueur d'espoir.

— Je vais y réfléchir, dit-il en hochant la tête.

Cole lui serra le bras.

— Papa, encore une chose que je ne t'ai jamais dite. Je t'admire beaucoup, parce que tu es parti de rien et que tu as fait quelque chose de ta vie tout en t'occupant de ta famille. Il n'y a pas beaucoup de gens qui peuvent se vanter d'y être arrivés. Alors, au cas où tu te poserais la question, je te respecte, moi aussi.

Il vit les yeux de son père se mouiller et sa lèvre inférieure trembler.

— Je regrette de ne pas avoir su te montrer combien j'étais fier de toi, mon fils.

— Je pourrais te dire la même chose, murmura Cole.

Tandis que la main de son père se posait sur la sienne et la serrait, il sentit quelque chose s'ouvrir en lui, au milieu de la poitrine.

Epilogue

Deux mois plus tard,
par un frais après-midi d'automne.

Pour la deuxième fois en quatre mois, Cole attendait qu'une cérémonie de mariage commence. Mais, ce samedi, c'était lui qui portait un smoking de style western.

Le petit groupe d'invités s'était rassemblé dehors au bord de l'étang, près d'un groupe d'érables aux feuilles rouges sous lequel avait été dressée pour l'occasion une pergola décorée de draperies vaporeuses et de reines-marguerites de couleurs vives.

Cole avait encore du mal à y croire. A un mois de son quarante et unième anniversaire, allait-il vraiment épouser une femme qui était encore loin d'avoir atteint la trentaine ?

La réponse était oui. Et il se trouvait que c'était la plus belle femme du monde.

Il jeta un coup d'œil au bébé qui allait devenir sa fille. Habillée de blanc comme une petite fée, Flora était dans les bras de Julie, sa belle-sœur. Il sourit en voyant qu'elle portait de minuscules chaussons argentés. Le mot « mignon » était faible pour la qualifier. Flora était tellement plus que cela !

Au lieu d'être à côté de lui, Trevor, son garçon d'honneur, attendait au fond, derrière les rangées de chaises.

C'était Tiberius qui allait accompagner Lizzie le long de l'allée — si l'on pouvait appeler ainsi un chemin couvert de feuilles d'automne. Il avait annoncé une surprise.

On entendit un violon entamer un air de style celtique,

et tous les regards se tournèrent vers le bosquet de l'autre côté de l'étang.

Emergeant parmi les arbres, deux jeunes femmes s'avancèrent, vêtues de longues robes rouges comme les feuilles des érables. Lizzie avait choisi comme demoiselles d'honneur ses deux récentes amies : Gina la nounou et Rita la réceptionniste.

Derrière elles, Zebulon surgit d'entre les arbres et, au moment où Cole se demandait ce qu'il faisait là, il vit la plus belle des apparitions : droite et fière, Lizzie le montait en amazone. Sa longue robe blanche était étalée sur le dos de l'animal, cascadant jusqu'à l'étrier. Il savait que, sous cette robe, elle portait la jarretière qu'il avait attrapée au mariage de son frère. Une large ceinture de perles scintillait à sa taille, et son décolleté en V faisait ressortir sa peau claire. Ses cheveux longs étaient lâchés sur ses épaules. Elle ne portait pas de voile, juste une fleur piquée dans une des fines tresses parsemées autour de sa tête. Elle tenait les rênes d'une main souple, et de l'autre un bouquet aux couleurs flamboyantes.

Elle était belle à couper le souffle.

Voilà donc pourquoi Lizzie passait tous ses samedis après-midi avec son père !

Elle avait complètement adopté le style de vie du Wyoming depuis qu'ils s'étaient fiancés et qu'elle allait devenir un médecin de famille comme son frère. Il ne s'était plus senti autant à la maison au ranch depuis la mort de sa mère.

Le cœur si plein qu'il croyait qu'il allait déborder, il leva les yeux vers le ciel.

J'espère que tu regardes, maman.

Lentement, les trois femmes contournèrent l'étang au son du violon. C'était un moment féerique.

Pendant que les demoiselles d'honneur marchaient vers la pergola, Trevor rejoignit Lizzie en bas de l'allée pour l'aider à descendre de cheval. En hâte, Gretchen ajusta la traîne de la robe, et l'amour de sa vie s'avança à son tour au bras de Tiberius éclatant de fierté.

Tandis que Lizzie approchait, son merveilleux regard vert chercha le sien, et il ne le lâcha plus jusqu'à ce qu'elle soit près de lui, lui envoyant un vibrant message d'amour. Son père la mena jusqu'à lui puis fit un pas en arrière pour que le pasteur puisse commencer la cérémonie.

Tenant la main tremblante de Lizzie dans la sienne, il songea combien sa femme était fragile sous son apparente assurance, et il promit de tout son cœur de la protéger et de la chérir.

Il n'avait pas détaché les yeux des siens quand il prononça les mots les plus importants de son existence :

— Oui, je le veux.

Blanche

Le Noël d'Oscar, de Susanne Hampton - N°1256

Exilée en Australie suite à une rupture difficile, Phoebe rencontre le docteur Heath Rollins, récemment divorcé, et son fils de quatre ans, Oscar. Le petit bonhomme la conquiert immédiatement : comment pourrait-elle résister à un aussi adorable bout de chou qui ne parle que de Noël à longueur de journée ? Tandis qu'elle rit aux éclats avec Oscar, Phoebe a l'impression que Heath lui-même retrouve le sourire. Un sourire qui la bouleverse malgré elle – et malgré sa promesse, après la trahison dont elle a été victime, de ne plus jamais accorder son cœur à un homme.

Rencontre imprévue à la clinique, de Marion Lennox

Depuis la mort tragique de sa sœur, le Dr Hugo Denver consacre tout son temps à sa fragile nièce, la petite Ruby. Pour elle, il a même quitté Sydney et emménagé au fin fond de la vallée du Wombat. Mais tout bascule le jour où il aperçoit Pollyana Hargreaves, remplaçante à la clinique. En un regard, Hugo est conquis. Toutefois, la beauté de la jeune femme est une douce torture, car, au fond de lui, il sent qu'il ne peut s'attacher à quiconque, avec Ruby qui réclame toute son attention...

Une merveilleuse proposition, d'Abigail Gordon - N°1257

SÉRIE : INÉVITABLES RENCONTRES - 3/4

Enceinte ! Quand Phoebe apprend sa grossesse, après une seule nuit passée entre les bras de son patron, le Dr Harry Balfour, elle est désemparée. Même si elle désire depuis toujours un enfant, l'idée d'avoir à l'élever seule suscite en elle une sourde angoisse. Car Harry, séducteur patenté, n'est pas du genre à vouloir fonder une famille, elle en est certaine. Comment, dans ces conditions, lui annoncer la nouvelle ?

Un mariage tant attendu, d'Abigail Gordon

SÉRIE : INÉVITABLES RENCONTRES - 4/4

Humiliée par son fiancé, qui l'a quittée pour une autre le jour même de leur mariage, Amélie s'est juré de ne plus jamais accorder sa confiance à un homme. Pour oublier cette cruelle trahison et repartir de zéro, elle accepte un poste de médecin remplaçant dans un petit village du Devon. Mais, à peine arrivée à Bluebell Cove, elle sent une force irrépressible la pousser vers son confrère, le Dr Leo Fenchurch – connu pour collectionner les conquêtes...

HARLEQUIN

Leur mission : sauver des vies.
Leur destin : trouver l'amour

Composé et édité par HARLEQUIN

Achevé d'imprimer en décembre 2015

La Flèche
Dépôt légal : janvier 2016

Pour l'éditeur, le principe est d'utiliser des papiers
composés de fibres naturelles, renouvelables, recyclables,
et fabriquées à partir de bois issus de forêts gérées selon
un système d'aménagement durable. En outre, l'éditeur attend
de ses fournisseurs de papier qu'ils s'inscrivent dans
une démarche de certification environnementale reconnue.

Imprimé en France